❖ 후한 말 삼국지 배경 시기의 13개 주 지도

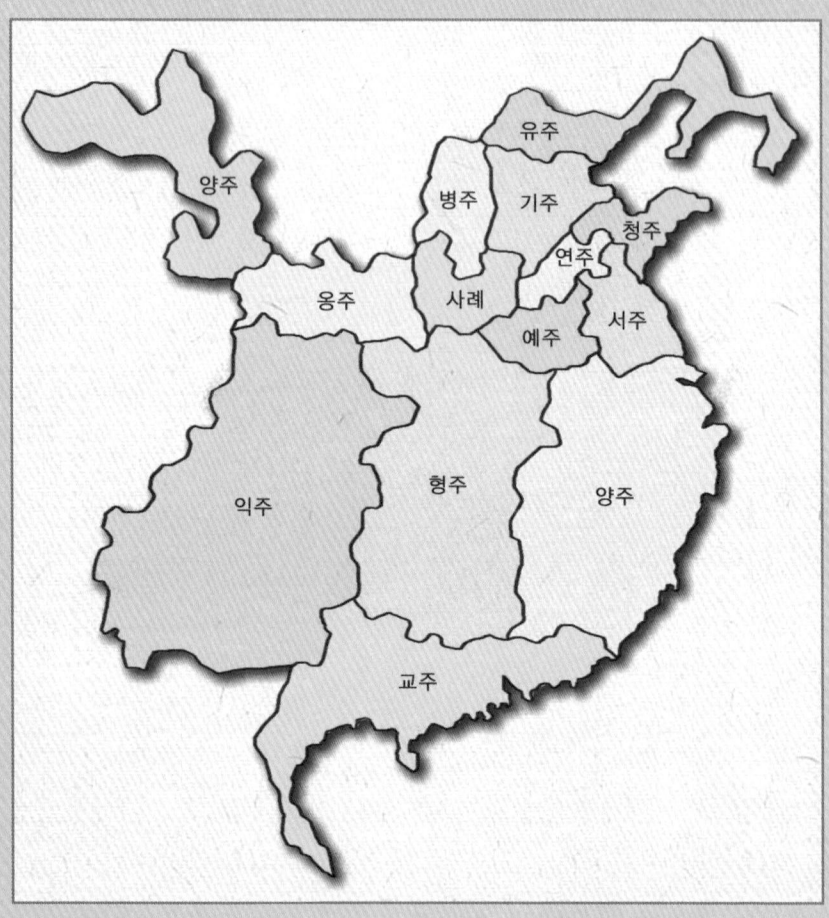

❖후한 말 군웅할거시대의 세력도(2세기 말)

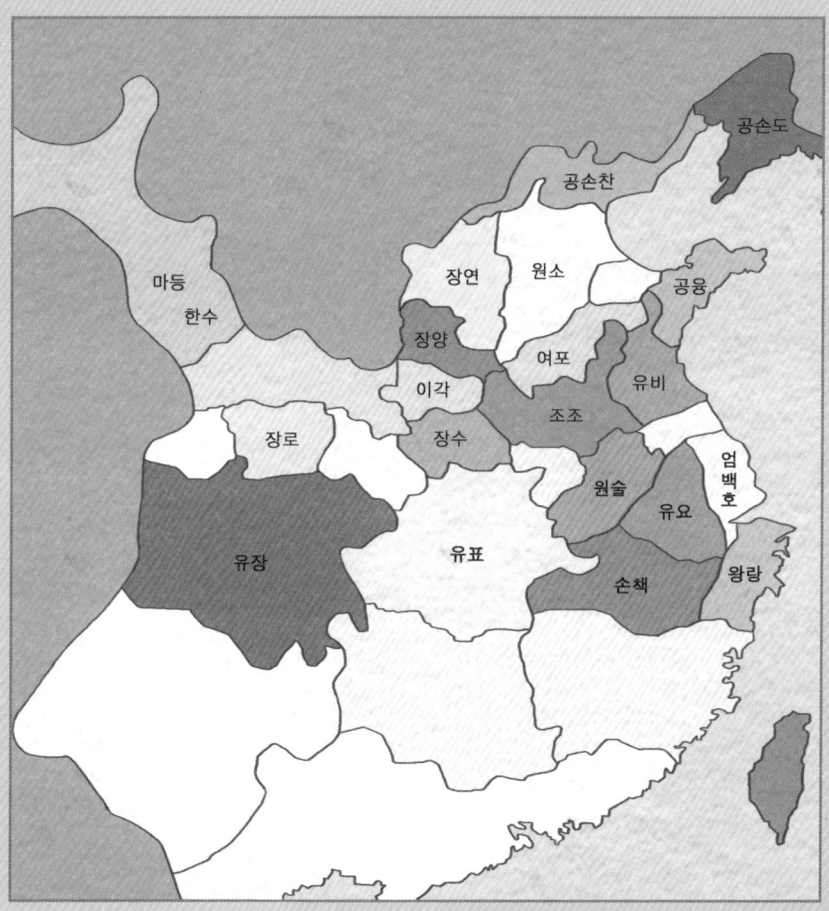

동탁의 죽음 이후 각지에 난립하던 군웅들의 세력도이다. 손책은 아버지 손견이 죽
은 후에 원술 밑으로 들어갔다가 독립하여 자신의 세력을 얻고, 파죽지세로 주변의
성을 정복해나간다. 동탁이 죽은 후에 조조는 청주의 황건적 토벌을 위해 출진하여
보다 많은 병력을 얻게 되고, 조조는 아버지를 맞아들이려 한다. 그러나 도중에 도겸
의 부하인 장개에게 살해당하고 이에 화가 난 조조는 서주의 도겸을 토벌하기 위해
군사를 일으킨다. 그때 조조는 백성들까지 모두 살해하며, 도겸은 유비에게 서주를
양도하게 된다. 그 틈을 타 여포가 조조의 세력권 안에서 반란을 일으키나 진압당하
고 유비에게 가서 소패를 얻는다. 또한 황제는 이각, 곽사 들에게서 달아나 조조가
천자를 받들게 된다.

三國志

삼국지 10
오장원·북두에 올리는 기원

초판 1쇄 발행   2013년 1월 10일
　15쇄 발행　 2018년 8월 25일

지은이　　　나관중
평　역　　　요시카와 에이지吉川英治
옮긴이　　　강성욱
펴낸이　　　한승수
펴낸곳　　　문예춘추사

편　집　　　정내현
마케팅　　　신기탁
디자인　　　이은주

등록번호　　제300-1994-16
등록일자　　1994년 1월 24일

주　소　　　서울특별시 마포구 동교로27길 53 지남빌딩 309호
전　화　　　02 338 0084
팩　스　　　02 338 0087
E-mail　　　moonchusa@naver.com

ISBN　　　 978-89-7604-108-1 04820
　　　　　 978-89-7604-107-4 (전10권)

오장원 · 북두에 올리는 기원

10

三國志

나관중 지음
요시카와 에이지 吉川英治 평역

문예춘추사

| 일러두기 |

1. 이 책은 일본 고단샤講談社에서 발간한 요시카와 에이지 평역의 『삼국지』(요시카와 에이지 역사 시대 문고 33~40, 1989년 초판)를 저본底本으로 삼았다.

2. 원서는 총 8권으로 구성되어 있으나 커다란 제목에 따라 각 권으로 분리하여 총 10권으로 재편 집했다.

3. 가능한 한 원본에 가깝게 번역했으나 지나치게 일본적인 표현은 중국 고전소설임을 고려하여 우리 실정에 맞게 고쳤고, 원서 내용을 해치지 않는 범위 안에서 대화와 본문이 연결되는 부분을 일부 수정하여 우리 독자들이 읽기 편하게 했다.

4. 각 권 및 각 장의 제목은 가능한 한 원서의 제목을 살려 풀어 썼으며, 원서의 각 장을 재편집하 여 내용의 흐름을 쉽게 이해할 수 있도록 했다.

5. 한자 표기는 정오正誤에 상관없이 원서를 따랐으나 동일 인물이나 지명의 상반된 표기가 있는 경우에는 올바른 한자를 찾아 표기했다.

6. 이 책의 삽화 및 지도는 내용에 맞게 새로 제작한 것이다.

112
기러기를 놓아주고 봉황을 얻다

노장 조자룡에게 패한 위의 하후무는 남안성에 들어가 굳게 지키고,
공명은 계책을 써서 강유를 얻는다

촉의 대군이 면양沔陽(협서성·면현·한중의 서쪽)까지 진출했을 때, 위가 관서의 정예병을 이끌고 와 장안(협서성·서안西安)에 본진을 두었다는 정보가 들어왔다. 하지만 촉의 병마들은 천혜 험지인 잔도棧道를 넘어 진군해오느라 몹시 지쳐 있었다. 그것을 염려한 공명이 마대를 불렀다.

"이곳에는 마초의 분묘가 있소. 이제 촉은 북벌에 임해야 하는데, 땅속에서 백골이 된 마초는 동참하지 못하니 한탄하고 애석해할 것이오. 그를 위해 제사를 지내는 것이 좋겠소."

공명은 제사를 지내는 동안 군마를 쉬게 했다. 그리고 그사이에 마대를 좨주祭主로 임명했다.

얼마 뒤 위연이 공명에게 말했다.

"승상, 제게 군사 5천 명을 내려주십시오. 제사를 지내는 동안 장안長安을 손에 넣겠습니다."

"장군에게 무슨 계책이라도 있소?"

"이곳에서 장안은 말로 열흘이면 닿을 거리입니다. 만일 허락해주시면 진영秦嶺을 넘어가 자오곡子午谷을 건너겠습니다. 그리고 적의 허를 찔러 그들의 군량을 불태우겠습니다. 또한 승상이 야곡에서 함양咸陽으로 나오신다면 위의 하후무 따위는 단숨에 무찌를 수 있을 것입니다."

"만일 적 가운데 지략을 갖춘 자가 있다면 분명 산의 험지에 병사를 두어 매복하고 있을 것이오. 그러면 장군의 5천 병사는 전멸하고 말 것이오."

"그렇다고 큰길로 진군하면, 위의 대군과 맞닥뜨려 더 큰 손실을 입을 것입니다."

공명도 그것을 모르는 게 아니었기 때문에 고개를 끄덕였다. 하지만 위연의 제안을 받아들이지 않고 자신의 생각대로 농우隴右의 큰길로 나가는 정공법을 취했다.

이는 위의 예상을 뒤엎었다. 위는 공명이 지략을 잘 쓴다는 선입관 때문에 반드시 큰길을 버리고 예상하기 어려운 길을 택할 거라고 믿었던 것이다. 그래서 여러 곳의 샛길에도 병력을 배치하여 만반의 준비를 하고 있었다. 그런데 예상과 달리 촉군은 곧장 진군을 해왔다.

"먼저 서강西羌의 병사로 하여금 촉의 진군을 막도록 해야겠다."

하후무는 한덕韓德을 불렀다. 한덕은 위군이 장안을 본진으로 삼은 뒤에 서량의 강족 병사 8만 명을 이끌고 합세한 외곽군의 대장이었다.

이윽고 하후무가 한덕에게 명했다.

"봉명산鳳鳴山까지 나가 촉의 선봉을 막으라. 이는 위와 촉의 첫 번째 싸움으로 병사들의 사기가 걸린 중요한 일전이니, 전력을 다해 공을 세우도록 하라."

한덕에게는 한영韓瑛, 한요韓搖, 한경韓瓊, 한기韓琪라는 네 명의 아들이 있었다. 그들은 모두 무예가 뛰어났으며 활을 잘 쏘고 말을 잘 탔다.

"제게는 8만 명의 강병과 네 명의 용맹한 아들이 있으니, 촉군을 섬멸시키기에 충분합니다."

한덕은 자신만만하게 출정했다. 그는 끝내 하후무의 계책을 눈치채지 못했다. 하후무는 자신의 직속부대에게 피해를 주지 않고 촉의 선봉을 시험해보기 위해 한덕을 이용한 것이었다.

한덕은 봉명산 아래에서 촉의 선봉과 일전을 겨루었다. 그런데 얼마 지나지 않아 아들 네 명을 모두 잃고 말았다. 상대는 촉의 노장 조자룡이었다.

장남인 한영이 조자룡을 발견하자마자 그의 목을 노리고 세 동생과 함께 뒤쫓았다. 하지만 도망치던 조자룡이 갑자기 말을 돌려 돌진해오더니, 창으로 한영을 단숨에 찔러 죽였다. 한경과 한요, 한기가 협공했지만 한경과 한기마저 순식간에 조자룡의 창에 쓰러져버렸다. 이어서 조자룡이 유유히 말을 돌려 돌아가는데 한요가 급히 쫓아가 뒤를 덮쳤다. 하지만 조자룡은 한요의 공격을 가볍게 피하고는 그를 산 채로 붙잡아 진영으로 돌아왔다.

결국 한덕은 네 아들의 죽음에 낙담하여 크게 패하고 장안으로 도망쳤다.

등지는 그날의 승리를 축하한 뒤에 조자룡에게 말했다.

"장군은 이미 칠순을 넘기셨는데도 가히 용맹함이 예전 못지않습니다. 오늘 싸움에서 세 명의 젊은 장수를 무찌르고 한 명을 사로잡으시다니, 장정들도 따르지 못할 민첩함에 실로 놀랐습니다. 과연 승상께서 장군을 성도에 머무르라 하실 때, 불평을 하신 것도 무리가 아니었습니다그려."

조자룡은 호탕하게 웃었다.

"그러한 연유도 있고 해서 오늘은 더 분발했네. 하지만 이 정도 공으로 만족할 내가 아니네. 내 실력은 나이를 먹지 않았으니 말일세."

등지는 전황을 상세하게 써서 서전의 보고와 함께 후진의 공명에게 급히 보냈다.

이에 반해 위군의 사기는 크게 떨어졌고, 하후무는 이를 몹시 걱정했다.

"한덕이 저토록 힘도 못 쓰고 패한 것을 보면 내가 적을 너무 경시한 듯하구나. 지금 적의 선봉을 깨지 않으면 자칫 촉군의 사기만 높여준 꼴이 될 수도 있다."

하후무는 직접 대군을 이끌고 장안을 나와 봉명산으로 진군했다. 그의 풍채는 위 황제의 사촌답게 당당해 보였다. 이윽고 하후무는 황금 투구를 쓰고 백마를 탄 채 적의 진영을 살폈다. 그러고는 노장 조자룡이 씩씩하게 돌아다니는 것을 보며 말했다.

"내일은 내가 나가 저 늙은이의 목을 치고야 말겠다."

그러자 한덕이 말했다.

"안 됩니다. 저자는 제 아들을 넷이나 죽인 상산 조자룡인데, 어찌 그를 당해낼 수 있겠습니까."

"그대의 아들을 넷이나 죽였는데, 어찌 그대는 보고만 있는 것이오?"

한덕이 크게 부끄러운 듯 고개를 숙이며 말했다.

"기회를 엿보고 있는 것입니다."

다음 날, 한덕은 큰 도끼를 휘두르며 싸움터를 내달렸다. 그리고 조자룡을 만나 자신의 이름을 밝히며 싸움을 걸었지만, 10여 합도 지나지 않아 조자룡의 창에 목숨을 잃고 말았다.

부장 등지도 조자룡에게 지지 않을 만큼 활약을 펼쳤다. 불과 나흘 동안의 싸움에서 하후무의 군대는 반 이상이 궤멸당하고 20리 정도 후퇴했다.

"실로 강한 자로구나."

하후무가 회의석상에서 마치 남의 일처럼 조자룡의 용맹함을 감탄하며 칭찬하자, 부장들이 그의 얼굴을 바라보았다.

"지난날 당양의 장판교에서 천하에 떨친 그의 무용담을 내 일찍부터 듣고 있었소. 아무리 영웅이라 해도 지금은 나이가 일흔이 넘어 머리가 하얗게 샜는데, 조금도 쇠하지 않은 듯하오. 한덕도 그를 당해내지 못한 것을 보면 실로 무서운 무장이오. 촉의 선봉을 깨기 위해서는 먼저 그를 잡을 방책부터 세우지 않으면 안 될 것이오."

그 후의 회의는 조자룡을 잡을 계책에 집중되었고, 마침내 하후무는 계책을 세우고 다시 군대를 진군했다.

그 소식을 듣자마자 조자룡은 적진으로 쳐들어갈 준비를 했다. 이를 본 등지가 만류했다.

"어딘지 이상합니다."

하지만 조자룡은 듣지 않고 적진으로 돌격하여 닥치는 대로 위군을 공격했다. 그런데 어느 순간 뒤를 돌아보니 퇴로가 끊겨 있었다. 그날 위군은 신위장군神威將軍 동희董禧와 정서장군征西將軍 설칙薛則에게 각각 병사 2만 명을 주어 그들을 은밀히 매복시켜놓았던 것이다.

조자룡은 부장인 등지와도 떨어지고 부하들과도 뿔뿔이 흩어진 채, 날이 저물 때까지 적들의 포위망에서 빠져나오지 못했다. 하후무의 기수가 높은 언덕에 서서 조자룡이 서쪽으로 달리면 기를 서쪽으로 돌리고, 남쪽으로 달리면 기를 남쪽으로 돌렸다.

"내가 늙음에 굴하지 않으니, 마침내 하늘이 이곳에서 죽음을 내리시는구나!"

조자룡은 지친 몸을 이끌고 나무 아래로 가 바위에 걸터앉았다. 그리고 떠오르는 달을 바라보며 눈물을 흘렸다. 그때 어디선가 돌이 비처럼 쏟아지고 산사태가 난 듯 바위들이 굴러떨어졌다.

조자룡은 숨 돌릴 틈도 없이 다시 지친 말에 올라 채찍을 가하며 달렸다. 그러자 한 무리의 군마가 달빛을 받으며 들판을 달려오고 있었다. 그중 하얀 전포에 은백색 갑옷을 입은 사람을 보니 낯이 익었다. 조자룡은 자신도 모르게 손을 들어 흔들었다.

"장포가 아닌가?"

"노장군이십니까?"

"아니 여기까진 어떻게 왔는가?"

"얼마 전 승상께서 등지가 보낸 승전보를 보자마자 위험을 예견하셨는지, 제게 장군을 도우라고 명을 내리셨습니다."

"아, 과연 혜안이로다. 그런데 자네 왼손에 있는 수급은 누구의 것인가?"

"위의 대장 설칙의 목입니다. 이리로 오는 도중에 취했습니다."

달빛이 은은히 비치는 반대쪽에서 또 한 무리의 군마가 질풍처럼 달려오고 있었다.

"위군이 아닌가?"

"아닙니다. 관흥일 것입니다."

장포의 말대로 관흥이 이끄는 부대였다. 관흥은 아비의 유물인 청룡언월도를 옆구리에 끼고 안장 옆에는 수급을 매달고 있었다.

"노장군을 구하기 위해 이리로 오는 도중, 제 앞을 가로막는 위군을 베고 그들의 대장 동희라는 자의 목을 가져왔습니다."

장포와 관흥은 서로의 수급을 바라보고 달빛 아래에서 크게 웃었다. 그 모습을 본 조자룡은 눈물을 흘리며 말했다.

"참으로 믿음직스럽구나. 동희와 설칙이 죽었으니 적들은 궤멸 상태일 것이다. 이 틈을 놓쳐서는 안 된다. 어서 그대들은 도망치는 위군을 쫓아 반드시 하후무의 목을 치도록 하라.”

“알겠습니다. 그럼 다녀오겠습니다.”

두 사람은 군사를 이끌고 그대로 달려갔다. 조자룡은 한참 동안 그들의 뒷모습을 바라보다 되뇌었다.

“지하에 있는 관우와 장비가 기뻐하겠구나. 저 둘은 내게 조카뻘이나 마찬가지인데, 시대가 바뀌었구나. 나라의 상장上將이자 조정의 중신인 나도 이제 나이를 먹어 젊은 사람을 당해낼 수가 없으니, 이젠 떳떳하게 죽을 자리를 찾아야겠구나.”

이윽고 조자룡은 장포와 관흥의 뒤를 쫓아가 위군과의 싸움에 합세했다. 부장 등지와 뿔뿔이 흩어졌던 촉병들도 함성을 지르며 다시 모여들었다.

새벽녘부터 다음 날까지 하후무의 위군은 패주를 거듭한 끝에 남안군南安郡(감숙성·난주蘭州의 동쪽)의 성으로 들어갔다. 그리고 각 지방의 대군을 규합하여 굳게 지키기만 했다.

남안성은 견고하기로 이름난 성이었다. 며칠 후 남안성으로 진군해 온 조자룡과 관흥, 장포, 등지가 성을 둘러싼 뒤 10여 일 동안 공격했지만 성벽 하나도 무너뜨리지 못했다.

이윽고 공명이 많지 않은 군세를 이끌고 남안성에 도착하여 진을 쳤다. 공명은 그곳에 이르기 전, 면양과 양평, 석성石城 방면에 군사를 나눠주고 중군만을 이끌고 온 것이었다.

“내가 이곳에 와서 다행이오. 만일 그대들에게 맡겨두었다면 적은 반드시 군사를 나눠 한쪽으로는 한중을 치고 또 한쪽으로는 후방을 쳤을 것이오. 하마터면 그대들과 중군이 양단될 뻔했소."

등지가 고했다.

"하후무는 위의 부마이니 그를 사로잡으면 다른 장수 백 명, 2백 명을 사로잡는 것보다 더 큰 효과가 있을 것입니다. 좋은 계책이 없으신지요?"

"오늘 밤은 그만 자고 내일 지세를 살펴보도록 하세."

공명은 서두르지 않았다.

남안은 서쪽으로는 천수도天水都로 이어지고 북쪽으로는 안정군安定郡으로 통하는 험준한 곳에 있었다. 다음 날 공명은 지세를 상세히 둘러본 후, 관후과 장포를 불러 계책을 내렸다. 또 노련한 사람을 뽑아 거짓 사자로 삼으며 지시를 내렸다. 그렇게 모든 준비를 끝낸 공명은 남안성 공격을 개시하는 한편, 성 아래에 장작을 쌓고 초약硝藥 등을 이용해 화공으로 성을 함락시킬 것이라고 유언비어를 퍼뜨렸다.

"다들 공명을 두고 천하의 책사라 했는데 그도 믿을 말이 못 되는구나. 어찌 그런 얄팍한 수법으로 남안성을 함락시킬 수 있겠는가."

하후무는 크게 비웃으며 조금도 걱정하지 않았다.

남안의 북쪽에 인접한 안정성은 태수 최량崔諒이 맡고 있었다. 그러던 어느 날, 성문에 사자가 와서 말했다.

"저는 하후무 도독께서 보낸 배서裵緖라는 사자입니다. 촌각을 다투는 사안이니 어서 태수께 고해주십시오."

이내 최량이 나와 무슨 일인지 묻자 배서가 말했다.

"남안의 형세가 위태로워 제가 천수와 안정, 두 군에 원군을 청하러 왔습니다. 부마께서 지금 당장 군사를 일으켜 공명의 후방을 기습하라 하십니다. 귀군이 후방에 도착할 날을 기해 성안에서 불을 피워 올릴 것이니, 이를 신호로 안팎에서 협공을 가하자는 계책이십니다. 부디 소홀함이 없도록 하십시오."

"알았네. 그런데 도독의 친서는 가져왔는가?"

배서는 품속에서 땀으로 젖은 격문을 꺼내 건넸다.

"저는 천수군의 태수께도 똑같은 전령을 전해야 하니 그럼 이만……"

배서는 최량이 준비한 술과 음식을 사양하고 서둘러 말을 타고 사라졌다.

최량은 그가 공명이 보낸 사람인 줄은 꿈에도 모르고 즉시 병사를 소집하여 공격 준비에 들어갔다. 그리고 이틀 후, 또 다른 사자가 성 앞에 와서 소리쳤다.

"천수군의 태수 마준馬遵은 이미 출발하여 촉군의 후방에서 대기하고 있는데, 안정성은 어찌 아직도 망설이고 있는 것인가? 부마의 명령을 어길 것인가?"

최량은 당황하여 서둘러 출발했다. 그런데 성을 나와 70리까지 이르러 밤이 되자, 전방에서 불길이 일어나 하늘을 빨갛게 태우고 있었다.

최량이 척후를 보내 알아보는 사이, 관흥의 부대가 맹렬한 기세로 달려왔다. 최량은 당황하여 급히 후퇴했다. 그때 뒤에서 장포의 군대가 함성을 올리며 나타났다. 최량의 군대는 지리멸렬하여 얼마 남지 않은 병사를 이끌고 샛길을 우회하여 안정성으로 되돌아갔다.

하지만 이미 안정성에는 촉의 깃발이 펄럭이고 있었다. 성루에서 촉의 대장 위연이 병사들을 독려하며 활을 쏘아댔다.

"당했구나!"

최량은 그제야 적의 속임수에 넘어간 것을 깨닫고 천수군을 향해 도망쳤다. 그런데 얼마 지나지 않아 한 무리 군마가 최량의 앞길을 막아섰다. 그 한쪽에는 학창의를 입고 윤건을 쓴 제갈공명이 사륜거 위에 단정히 앉아 있었다.

최량은 눈앞이 깜깜해졌다. 곧이어 그가 말에서 굴러떨어지듯 내려 땅바닥에 엎드리자, 공명은 항복할 의사가 있는지를 물었다. 이내 최량은 공명에게 항복했고, 공명은 그런 최량을 데리고 진영으로 돌아왔다.

며칠 후 공명이 최량을 불러 물었다.

"지금 남안은 하후무가 지휘하고 있는데, 그대와 남안태수는 어떤 사이오?"

"바로 인접한 군이어서 친밀한 사이입니다."

"그는 어떤 사람이오?"

"양부楊阜의 집안의 아우 되는 자로 이름은 양릉楊陵이며, 저와는 형제처럼 지내는 사이입니다."

"그자는 그대를 믿는가?"

"물론입니다."

공명이 최량의 귀에 대고 속삭였다.

"성으로 가서 양릉을 설득해 하후무를 사로잡는 것이 어떻겠소. 이 일은 귀공뿐 아니라 친우를 위한 일이기도 할 것이오."

최량은 고개를 숙였다. 그리고 침통한 얼굴로 한참을 생각한 후 흔쾌히 말했다.

"명을 받들어 일을 성사시켜보겠습니다."

"쉽지 않은 일일 것이오."

"하지만 그 전에 먼저 군사를 물려주십시오."

"알겠소."

공명은 즉시 군사를 20리 밖으로 물렸다.

그 후 최량은 성으로 들어가 남안태수 양릉을 만났다. 그러고는 친우인 양릉에게 사실대로 털어놓았다.

"이제 와서 위를 배신하고 어찌 촉에 항복할 수 있겠는가. 차라리 그대가 그런 밀명을 띠고 온 것이 다행이지 않은가. 공명의 계략을 역으로 이용하여 그를 사로잡는 것이 어떠한가?"

본래 최량의 생각도 그와 같았다. 두 사람은 곧바로 하후무를 찾아가 고했다. 하후무가 기뻐하며 어떤 계책을 쓸 것인지를 묻자 양릉이 말했다.

"최량이 다시 한 번 공명에게 가서 이렇게 말하는 것입니다. 저를 만나 항복을 권하자 저도 촉에 항복할 마음은 있지만, 성안에는 함께 일을 도모할 부하들이 적고, 하후무에 대한 경계도 삼엄하니 사로잡을 수 없다고 말입니다."

"흐음, 그리고?"

"이에 공명이 직접 병사를 이끌고 성을 공격하면 제가 안에서 문을 열고 맞아들이는 것입니다. 그리고 함께 성안을 공격하다 보면, 부마를 잡는 일은 손바닥 안의 물건을 취하는 것보다 쉬운 일일 것입니다."

"과연 묘안이로다."

최량은 그길로 성을 나와 공명에게 갔다. 공명은 최량의 말을 완전히 믿는 듯했다.

"그럼 그대는 함께 투항한 백여 명의 병사를 데리고 가면 될 것이오. 그들은 본래 그대의 부하들이니 그대를 위해 목숨을 아끼지 않을 것이오."

"알겠습니다. 그런데 일을 단숨에 성사시키려면 승상께서도 날랜 병사들을 이끌고 함께 가시는 게 좋을 듯합니다. 어떠하신지요?"

"호랑이 굴에 들어가지 않고 어찌 호랑이를 사로잡겠소. 내 그런 용기가 없는 것은 아니나, 먼저 관흥과 장포를 보내 그대를 돕게 하겠소. 그 후에 연락이 오면 나도 즉시 성안으로 들어가겠소."

최량은 관흥과 장포를 데리고 가는 것이 다소 꺼림칙했지만, 이를 기피하면 의심받을 것이라 생각했다. 그래서 먼저 두 사람을 성안에서 죽인 다음 공명을 유인하기로 마음먹었다.

"알겠습니다. 그럼 성문에서 신호를 보내면 승상께서는 때를 놓치지 말고 열려 있는 문으로 공격해 들어오시기 바랍니다."

최량은 날이 저물기를 기다렸다가 남안성 아래로 갔다. 약속한 대로 양릉이 성루에 나타나 어디 병사인지를 물었다.

"우리는 안정에서 온 군사다. 자세한 것은 이것을 보라."

최량은 준비한 서찰을 화살에 매달아 쏘았다. 양릉이 서찰을 펼쳐보니 다음과 같이 적혀 있었다.

공명이 신중하여 관흥과 장포를 나와 함께 보냈네. 그리하여 성안에서 둘을 죽이고 예정한 대로 일을 도모하려 하네. 그러니 심려 말고 성문을 열게나.

하후무는 양릉에게서 건네받은 서찰을 읽고 바로 명을 내렸다.

"공명은 이미 우리 계책에 빠진 것과 같다. 그러니 당장 관흥과 장포를 죽일 준비를 하라."

그렇게 하후무는 창과 칼을 지닌 날래고 용맹한 병사 백 명을 숨겨 두고 기다렸다.

양릉은 중문까지 마중을 나왔다. 중문 앞에는 본성의 당각堂閣이 있었고 넓은 앞마당에는 전시의 장막이 설치되어 있었다.

양릉이 관흥과 장포에게 들어오라고 권하자 관흥이 먼저 들어섰다. 이에 최량이 몸을 돌려 장포에게 길을 터주었다. 그 순간 장포가 최량의 등을 떠밀며 소리쳤다.

"최량, 네 역할은 여기까지다."

장포는 말이 끝나기 무섭게 칼로 최량을 내리쳤다. 그와 동시에 관흥도 앞서 가던 양릉을 등 뒤에서 칼로 찌르고 큰 소리로 외쳤다.

"관우의 아들 관흥을 이처럼 쉽게 성안에 들이다니 이 성의 운도 다했구나."

관흥은 종횡무진 혈전을 펼치며 성안을 휘젓고 다녔다.

최량이 데려온 백여 명의 부하들은 성안으로 들어오기 전부터 공명의 덕에 감읍하여 촉군을 도울 것을 약속한 상태였다. 성안에서 싸움이 벌어지자 그들은 공명의 지시대로 성안 여기저기에 불을 놓았다.

성문을 지키던 위의 병사들은 불길이 치솟는 것을 보고 관흥과 장포가 죽었다고 믿었다. 그래서 성문을 열어 밖에서 대기하던 공명의 촉군을 맞아들였다.

성안의 위군이 전멸당한 것은 물론, 하후무는 시종과 몇 안 되는 병사를 데리고 간신히 남문으로 도망쳤다. 하지만 유일한 탈출구처럼 보였던 남문 쪽의 길은 함정이었다. 하후무는 얼마 가지 못하고 촉의 군대와 마주쳤다.

"제갈공명의 휘하, 아문장군牙門將軍 왕평이 여기서 한참을 기다리고 있었노라."

하후무를 따르던 장수와 병사는 모두 죽고 그는 사로잡히고 말았다.

남안성에 입성한 공명은 성의 백성들을 안심시키고, 부장들을 불러 모아 그들의 전공을 치하하고 주연을 베풀었다. 그 자리에서 등지가 공명에게 질문을 했다.

"승상께서는 어떻게 최량의 간계를 간파하셨습니까?"

"그다지 어려울 것이 없었소. 나는 최량이 진실로 항복한 것이 아니라는 것을 직감하고 이용한 것뿐이오."

"저희도 최량의 행동을 보고 수상하다는 생각을 했습니다. 그래서 승상께서 최량의 말에 따라 그를 남안성으로 보냈을 때에는 걱정이 되었습니다."

"최량의 거짓을 간파하고 있었으니, 일부러 그를 성안으로 들여보냈던 것이오. 그런데 그가 다시 돌아온 것은 분명 그의 간계가 받아들여졌다는 것이 아니겠소. 또한 관흥과 장포가 함께 가는 것을 거절하지 않은 것도 그가 거짓말을 하고 있다는 증거가 되었소. 즉 내가 그의 말을 완전히 믿고 있다고 여기게 한 뒤, 오히려 그를 역이용한 것이었소."

공명은 다시 덧붙였다.

"하지만 이번 계책에서 한 가지 성공하지 못한 것이 있소. 그것은 바로 천수성의 태수 마준을 사로잡지 못한 것이오. 그에게도 똑같은 계책을 썼지만, 어쩐 일인지 그는 성을 나오지 않았소. 이에 우리가 즉시 천수를 공략하여 함락시켜야만 세 군의 공략이 성공했다 할 수 있을 것이오."

공명은 남안으로 오의를 보내 지키게 하고 안정으로 유염을 보내 위연과 교대시켰다. 그리고 전군의 전열을 재정비한 뒤 천수군으로 향했다.

* * *

공명은 천수성의 태수인 마준을 사로잡지 못한 것을 몹시 아쉬워했다. 그의 계책대로 배서는 하후무의 사자를 가장하여 마준에게 갔었다. 그 당시 배서가 도착할 무렵, 마준은 중신과 부장 들을 모아놓고 인접군의 구원에 대해 의논을 하고 있었다. 주기主記 양건梁虔이 나서며 말했다.

"하후 부마로 말하면 황실의 금지옥엽인데, 바로 옆에 있으면서 남안의 위기를 돕지 않으면 후일 반드시 죄를 물으실 것입니다. 즉시 군사를 이끌고 도울 방법을 찾아야 합니다."

그때 배서가 찾아온 것이었다. 배서는 앞서 안정성의 최량에게도 갔던 공명의 거짓 사자였지만 마준은 이를 알 리가 없었다.

배서는 마준에게 땀에 젖은 서찰을 전하며 속히 공명의 후방을 치기를 간했다. 서찰을 펼쳐보니 하후무의 친서임에 틀림이 없었다. 이에 마준은 우선 사자 배서를 쉬게 하고 중신들과 상의를 했다.

다음 날 아침, 배서가 다시 찾아와서 고했다.

"사태가 시급한데 한가로이 의논만 하다 허송세월을 보내니 안타깝기 그지없습니다. 하후무 부마께 있는 그대로 보고할 터이니 마음대로 하시길 바랍니다. 저는 시간이 없으니 오늘 아침 떠나도록 하겠습니다."

배서는 그렇게 말하고 급히 떠나려고 했다. 그러자 후일 무슨 벌을 받을지 두려워진 마준과 중신들이 즉시 군사를 일으켜 도울 것을 약속했다.

"부디, 하후 부마께 잘 말씀드려주시길 바라오."

마준은 그 자리에서 서약서를 적어 배서에게 건넸다.

"알겠습니다. 그대로 전하겠습니다만, 안정군의 태수 최량은 벌써 군사를 이끌고 출정했으니, 너무 늦지 않게 공명의 후방을 치십시오."

배서는 마지막으로 다짐을 두고 돌아갔다.

마준은 그날 바로 격문을 돌렸고 천수군 각지에서 속속 병사들이 집결하기 시작했다. 그리고 이틀 후 마준은 직접 군사를 이끌고 성을 나서려고 했다. 그런데 그날 아침, 성안의 무장각武將閣에 도착한 장수들

중 젊은 장수 한 명이 달려와 마준이 탄 말의 고삐를 잡고 간했다.

"안 됩니다. 성을 나가서는 안 됩니다."

사람들이 놀라 쳐다보았고, 젊은 장수는 더욱 간절하게 고했다.

"이 성을 나서면 태수께서는 두 번 다시 돌아오시지 못할 것입니다. 태수께서는 이미 공명의 간계에 빠지셨습니다."

나이가 아직 스무 살도 되지 않는 홍안紅顔의 젊은 장수를 보고 사람들은 서로 누구인지 묻고 있었다. 그때 누군가 그와 같은 고향 사람이라며 입을 열었다.

"그는 천수군 기성冀城 사람으로 자는 백약伯約이고 이름은 강유姜維라고 하는 유명한 젊은이입니다. 그의 부친인 강경姜冏이 이적夷狄과의 싸움에서 죽자, 홀로 어머니를 모시고 있는 효심이 깊은 자로, 고향에서 높은 평판을 얻고 있습니다. 또 강유의 모친도 추운 겨울날 밤늦게까지 바느질을 하면서도 항상 강유를 곁에 두고 병서를 읽게 하고, 고금의 역사를 가르치고, 또 낮에는 밭일을 하면서 무예를 익히게 하고 병법을 배우게 한다고 합니다. 강유는 천재라는 소리를 들었는데, 나이 열대여섯 살에는 벌써 마을 학자들도 그의 재주와 학식에 혀를 내두르며 기성의 자랑이라고 칭찬할 정도였습니다."

사람들이 그런 이야기를 주고받으며 지켜보는 사이, 말에서 내린 마준은 장수들과 함께 강유를 데리고 다시 성안으로 들어갔다.

강유는 배서를 만나지 않았는데도 그가 가짜 사자라는 것을 간파했다.

"돌아가는 형국을 살펴보고, 지휘하는 자가 병을 움직이는 방법을 헤아리면 시골에 있어도 그 정도 일은 알 수 있습니다. 제가 생각하니 공명의 계략은 태수를 천수성에서 꾀어낸 뒤, 도중에 병사를 매복시켜 공격하는 한편, 기습부대로 하여금 천수성의 허를 노려 점령하려는 것입니다. 실로 눈에 뻔히 보이는 계략입니다."

강유는 마준과 장수들에게 손바닥을 들여다보듯 적의 계략을 설명했다.

"만일 강유가 출정을 만류하지 않았다면 나는 눈이 멀어 적의 함정으로 걸어 들어갈 뻔했구나."

마준은 진저리를 치며 강유에게 사의를 표했다. 그 일로 인해 마준은 오랜 세월 자신을 섬겨온 장수들과 마찬가지로 나이는 어리지만 강유를 신뢰하게 되었다.

"오늘은 위험을 피했지만, 내일부터는 어떻게 대처하면 좋겠는가?"

강유는 성의 배후를 가리키며 말했다.

"눈에 보이진 않지만, 성의 뒷산에는 분명 많은 촉군이 매복해 있을 것입니다. 태수의 군대가 성을 나서면 그 틈을 노리려고 할 것입니다."

"복병이 있단 말인가?"

"하지만 걱정하지 마십시오. 태수께서는 아무것도 모른 척 다시 출정을 하여 성 밖 50리 정도까지 나갔다가 다시 성으로 돌아오십시오. 저는 따로 병사 5천 명을 이끌고 성에 매복하고 있다 적의 복병이 공격해오면 그들을 섬멸하겠습니다. 만일 그중에 제갈량이라도 있다면 이는 금상첨화일 터이니 반드시 그를 사로잡겠습니다."

강유는 호언장담했다.

마준의 일족과 대신 중에서는 강유가 아무리 무예와 병법에 통달했다 해도 한 성의 운명을 그와 같은 약관의 미소년에게 맡기는 것은 무모하다는 의견을 내놓기도 했다. 하지만 마준은 이미 강유에게 깊이 경도되어 있었다.

"만일 강유의 판단이 잘못되었다고 하더라도 아군이 피해를 볼 것은 없으니, 그의 계책에 따르도록 하라."

이윽고 마준은 그날 오후 출정을 하여 성 밖 3, 40리까지 진군했다. 한편 공명의 명을 받고 천수산 뒤편에 매복해 있던 조자룡의 군사 5천 명은 마준이 출정한 직후, 성안이 텅 빈 것을 보고 성의 뒷문으로 접근했다. 그런데 갑자기 성문 안쪽에서 성을 뒤흔드는 웃음소리가 들렸다.

"성안에 아직 군사들이 많이 있는 듯하다. 방심하지 말라."

조자룡이 군사들에게 주의를 주는데, 산 위에서 함성 소리가 들려왔다. 뒤를 돌아보니 산사태라도 난 듯 바위와 나무 들이 굴러떨어졌다.

촉군이 전열을 재정비할 틈도 없이 허둥지둥하는 사이, 한쪽에서 징소리와 북소리가 울렸고, 곧 한 무리의 병사가 기습을 해왔다. 천하의 조자룡도 당황할 수밖에 없었다.

"서쪽 골짜기가 넓으니 서쪽 늪으로 이동하라."

조자룡의 명령과 동시에 성안에서 화살이 빗발치듯 쏟아져 많은 병사들이 쓰러졌다.

"노장 조자룡은 도망치지 말라. 천수의 강유가 여기 있느니라."

조자룡이 말을 멈추고 보니 얼굴이 앳돼 보이는 장수가 달려오고 있었다. 조자룡은 그를 단칼에 물리칠 생각으로 맞섰지만 그의 창술은 범상치 않았다. 두 사람이 치열하게 맞서 싸운 지 40여 합이 되자, 천하의 조자룡도 당해낼 수가 없었다. 갑자기 조자룡은 등을 보이고 도망치기 시작했다.

거짓으로 성을 나선 마준은 다시 말을 돌려 성 밖 30리 정도까지 달려왔다. 무슨 일인지 앞쪽에서 불길이 치솟고 있었다. 마준은 바로 전군을 재촉하여 성으로 향했다.

강유의 계책에 빠져 패배한 조자룡의 병사들은 회군한 마준의 군사들에게도 참패하고 말았다. 마침 촉의 고상과 장익이 제때에 도우러 와서 조자룡은 간신히 병사들을 규합할 수 있었다.

조자룡은 공명의 얼굴을 보자마자 솔직하게 말했다.

"참으로 무참히 패배하고 말았소이다."

공명은 깜짝 놀라며 말했다.

"대체 누가 내 계책을 꿰뚫어보았단 말인가?"

조자룡이 강유라는 젊은 장수가 적장이라고 하자 공명은 그가 어떤 인물인지 물었다. 그러자 그와 같은 고향 사람이 고했다.

"강유는 어머니를 모시는 효심이 깊은 자로, 지략이 깊고 용맹하며 됨됨이도 훌륭합니다. 또 배우는 것을 즐기며 무예도 출중한데, 교만하지 않고 노인을 공경하는 참으로 착한 소년입니다."

"소년? 대체 몇 살이란 말인가?"

"아마 스무 살은 넘지 않았을 것입니다."

조자룡이 덧붙였다.

"분명 그럴 것이오. 내 칠십 평생에 그와 같은 창술을 본 적이 없소이다."

"천수는 이미 손안에 들어온 것과 같다고 생각했는데, 이런 시골에 그와 같은 인물이 있을 줄은 몰랐구나."

그 후 공명은 직접 군사를 이끌고 신중하게 천수성으로 진군했다.

"무릇 성을 공략할 시에는 첫날이 가장 중요하다. 첫날 공략하지 못하고 이튿날도 공격하여 함락시키지 못하면 날만 지체된다. 그렇게 되면 적의 사기는 올라가고 아군의 사기는 떨어져 더욱 공략하기 어려워진다. 이 정도 작은 성은 일거에 함락시켜야 한다."

공명은 선봉과 중군의 각 부장들에게 전면 공격을 명했다.

선봉의 공격은 대단했다. 하지만 성안에서는 아무런 움직임도 보이지 않았고 맞서 싸우지도 않았다. 벌써 일부의 병사가 성벽 높은 곳의 망루를 점령한 상태였다.

그런데 그때, 굉음이 울리더니 사방의 성루에서 화살과 돌이 촉군의 머리 위로 비 오듯 쏟아졌다. 해자 부근에 있는 병사들 머리 위로는 큰 돌과 나무가 쏟아졌다.

이윽고 성 아래에 촉군의 사상자가 산처럼 쌓였다. 또 밤중이 되자 숲과 민가에서 불길이 치솟고 함성 소리와 북소리가 사방팔방에서 일어났다.

"참으로 교묘한 전술이다. 안타깝게도 아군은 지치고 적의 사기는 높으니, 내일을 기약할 수밖에 없겠다."

공명은 총퇴각을 명하고 급히 사륜거에 올랐다. 하지만 이미 늦었다. 마치 뱀처럼 길게 늘어선 화진火陣이 공명이 가는 앞길을 가로막았다. 모두 적의 복병들이었다. 적은 성안에 있었던 것이 아니라 바로 성

밖에 있었던 것이다. 촉의 군세는 일거에 무너졌고 적의 포위망 안에서 수많은 병사들이 죽어나갔다. 공명의 사륜거도 적병에게 에워싸여 붙잡힐 뻔했는데, 다행히 관흥과 장포의 도움을 받아 간신히 사지에서 빠져나올 수 있었다.

날은 아직도 새지 않았다. 공명의 앞길에는 여전히 불길이 긴 뱀처럼 도사리고 있었다.

"누가 저런 포진을 펼쳤는지 보고 오라!"

공명의 명을 받은 관흥이 다녀와서 보고했다.

"강유의 군사들입니다."

멀리서 불길의 포진을 바라보던 공명이 크게 탄복했다.

"평범한 포진과는 다르다. 마치 대군이 있는 것처럼 보이지만 실상은 그다지 많은 군세가 아닐 것이다. 오로지 대장 한 명의 안배로 저처럼 대군처럼 보이게 한 것이다."

공명이 좌우의 부장들에게 말하는 사이에도 불길은 원을 좁히며 다가오고 있었고, 뒤에서는 화살이 날아왔다.

"내 방비는 이미 무너졌으니, 싸우지 말라. 병력의 손실을 최소한으로 줄이며 서둘러 퇴각하라."

공명은 간신히 적의 포위망에서 벗어나 멀리 진영을 물리고 아군의 피해를 살펴보았다. 예상외로 피해가 컸다. 싸우면 반드시 이겼던 공명도 처음으로 패전을 맛보았다. 공명은 입술을 깨물며 되뇌었다.

"강유 한 명을 이기지 못하는데 내 어찌 위를 꺾을 수 있단 말인가."

깊은 밤까지 심사숙고하던 공명은 갑자기 안정군 사람을 불렀다.

"강유는 효심이 지극하다고 하는데, 그의 모친은 지금 어디에 있는 가?"

"지금도 기성에 있습니다."

"그럼 천수군에서 금은병량을 저장해놓은 곳은 어디인가?"

"필시 상규성上邽城일 것입니다."

공명은 무슨 생각에서인지 위연을 기성으로 보내고, 따로 조자룡에게 명하여 상규를 공격하도록 시켰다.

그 소식이 천수성에 전해지자 강유가 슬퍼하며 태수인 마준에게 말했다.

"제 모친이 기성에 계신데, 만일 기성이 적의 수중에 떨어지면 모친께서는 무사하지 못할 것입니다. 부디 기성을 지킬 수 있도록 제게 병사 3천 명을 내려주시길 청합니다."

이윽고 강유는 마준에게 병사를 받아 기성으로 향했다. 그리고 가는 도중에 위연의 군사와 마주쳤지만, 위연은 애써 맞서지 않고 도망쳤다.

기성에 도착한 강유는 바로 집으로 가 어머니를 찾아뵈었다. 그러고 나서 성문을 굳게 닫아걸고 지키기만 했다.

한편 조자룡은 상규성을 도우러 온 양건과 싸우다가 공명의 계책대로 일부러 패한 후, 그들을 상규성 안으로 들어가게 했다.

그 후 공명은 남안에 사자를 보내 사로잡았던 하후 부마를 상규로 끌고 오도록 했다. 공명이 하후무를 보며 물었다.

"부마께서는 목숨이 아까우시오?"

하후무는 본래 궁중에서 자란 데다 부친인 하후연과는 사람됨이 달

30

랐다. 하후무가 눈물을 흘리며 말했다.

"만일 승상께서 자비로이 이 목숨을 살려주신다면, 그 은혜를 잊지 않겠습니다."

"실은 지금 기성에 있는 강유가 내게 서찰을 보내 부마를 살려준다면 항복하겠다고 했소. 내 지금 그대를 풀어주면 기성에 가서 강유를 데리고 올 수 있겠소?"

"풀어주신다면 기꺼이 그리하겠습니다."

공명은 하후무에게 옷과 음식을 베풀고 말을 내주었다.

하후무는 새가 새장 속을 벗어난 것처럼 말을 재촉해 나아갔다. 그리고 얼마 후 길에서 많은 피난민들을 만나게 되었다. 하후무는 말을 멈추고 그들에게 물었다.

"너희는 어디 백성들이냐?"

"기성의 백성들입니다."

"어찌 피난을 가는 것이냐?"

"기성을 지키고 있던 강유가 촉에 항복을 하고, 위연의 병사는 마을에 불을 지르며 약탈을 하고 있습니다. 그러니 이곳에 있고 싶어도 있을 수가 없습니다."

하후무는 처음부터 촉에 항복할 마음이 털끝만큼도 없었다. 그저 풀려난 것을 기뻐하며 위로 도망칠 심산이었다.

"아니, 강유가 벌써 촉에 항복했단 말인가. 그럼 기성으로 가도 별수가 없겠구나."

하후무는 급히 길을 바꿔 천수성으로 향했다. 그 후에도 많은 피난

민을 만났는데, 그들 역시 한결같이 강유의 항복과 촉병의 약탈을 호소했다.

"강유가 변심한 것이 사실이구나."

하후무는 천수성에 도착하자 자신의 이름을 밝히며 성문을 두드렸다. 태수 마준이 깜짝 놀라 그를 맞아들이며 어떻게 무사히 돌아왔는지 물었다. 하후무는 자세한 경위를 이야기한 후, 강유의 변심을 비난하며 분개했다. 양서梁緖가 완강히 말했다.

"강유가 적에게 항복했다는 말은 믿기 어렵습니다. 무슨 오해가 있을 것입니다."

밤이 되자, 촉군은 성의 사대문을 에워싼 후 장작을 쌓고 불을 지폈다. 이윽고 장수 한 명이 앞으로 나와 소리쳤다.

"성안에 있는 자들은 잘 들어라. 이 강유는 촉에 투항해 하후 부마의 목숨을 구했다. 너희도 목숨을 귀히 여겨 어서 촉에 투항하라."

성루 위에 있던 마준과 하후무가 그를 바라보았다. 갑옷이나 목소리를 봐서도 그렇고, 어려 보이는 것까지 강유가 분명했다. 그런데 어딘지 말의 앞뒤가 맞지 않았다.

"거기 성루 위에 있는 분은 하후 부마가 아니십니까. 부마께서 직접 제게 서찰을 보내 제가 촉에 항복하면 자신은 목숨을 구할 수 있다고 하시지 않았습니까. 그래서 저는 이렇게 촉에 항복했는데, 어찌 부마께서는 홀로 도망쳐 이곳에 계십니까? 저는 이 원한을 활로써 갚을 것입니다."

강유는 성을 향해 비방을 퍼붓다가 새벽이 가까워오자 병사를 거두고 돌아갔다.

물론 이는 진짜 강유가 아니라, 공명의 계략이었다. 하지만 한밤중에 해자를 사이에 두고 있으니 마준이나 하후무는 그를 분간해낼 수 없었다. 그래도 두 사람은 강유에게 의심을 품게 되었다.

한편 진짜 강유는 여전히 기성에서 공명의 군사들에게 포위되어 있었다. 그는 성안에 틀어박힌 채 고민에 휩싸였다. 그의 가장 큰 고민거리는 무엇보다 식량이 불과 열흘 치밖에 없다는 것이었다. 그런데 어느 날, 성안을 살펴보니 매일같이 식량을 가득 쌓은 수레가 촉군의 호위를 받으며 성 밖의 북쪽 길을 통과하고 있었다. 마침내 강유는 적의 군량을 빼앗기로 마음먹고 성을 나섰다.

공명이 노리던 점이 바로 그것이었다. 결국 강유는 왕평, 위연, 장익의 복병의 기습을 받고 두 번 다시 성으로 돌아가지 못했다. 그를 따르던 군사들은 모두 죽고, 그나마 남았던 수십 명의 병사도 장포의 포위를 돌파하는 중에 목숨을 잃었다. 홀로 남은 강유는 천수성으로 도망쳤다.

"나는 기성의 강유다. 기성이 적의 손에 넘어갔으니, 어서 문을 열어라."

강유가 성문 아래에서 외치자, 마준이 성루 위에서 모습을 드러내며 소리쳤다.

"닥쳐라. 네 뒤편으로 저 멀리 촉군이 보이는구나. 나를 속여 문을 열게 한 뒤 촉군을 불러들일 속셈이로구나. 배신자가 무슨 낯짝으로 이곳에 왔느냐."

강유가 깜짝 놀라며 문을 열어달라고 호소했지만, 마준은 화를 내며 소리칠 뿐이었다.

"어젯밤 이곳에 와서 옛 주인에게 활을 쏘더니, 아침에는 혀로써 속이려느냐. 여봐라, 활을 쏘아라."

강유는 영문을 몰라 하며 쏟아지는 화살을 피해 장안 방면으로 달아났다. 그렇게 장안을 향해 수십 리를 달려갔다. 그때 수천의 군마를 앞세운 관흥이 장유의 앞을 막아섰다.

"적이 이곳까지 이르렀단 말인가."

혈혈단신 강유는 맞설 방도가 없었기에 말을 돌려 다른 길로 내달렸다.

"거기 오는 것이 강유구나. 어디로 가려 하느냐?"

한쪽 수풀 속에서 북소리와 함께 병사들이 몰려나와 강유를 에워쌌다. 강유가 살펴보니, 한 대의 사륜거가 저편에서 다가오고 있었다. 학창의를 입고 윤건을 두르고 부채를 든 공명이 수레 위에서 강유를 불렀다.

"강유여, 어찌 항복을 하지 않는가. 죽기는 쉬워도 살기는 어려운 법이다. 그토록 성의를 다했으니 그대의 무문武門에 부끄러움은 없을 것이다."

놀랍게도 공명의 뒤에 강유의 어머니가 있었다. 그녀는 촉의 장수들의 호위를 받고 있었는데, 뒤에는 관흥의 군대가 있고 앞에는 공명의 대군이 있었다. 적에게 사로잡힌 어머니의 모습을 보자 강유는 가슴이 먹먹해졌다. 그는 이윽고 말에서 내려 땅에 엎드렸다.

공명이 수레에서 내려 강유의 손을 잡아 그의 어머니 곁으로 데리고 왔다. 그리고 모자에게 말했다.

"내 융중의 초려를 나온 이래로 오랜 세월 천하의 현자를 찾아다녔소. 내가 배우고 깨달은 모든 바를 그에게 전하기 위해서였소. 이제 그대를 만났으니 내 일생의 소원을 이룰 수 있을 듯하오. 앞으로 내 곁에 있으면서 촉을 섬기지 않겠소? 그렇게만 해준다면 내 모든 것을 그대에게 전하려 하오."

모자는 감복하여 눈물을 흘렸다. 그날부터 강유는 공명을 사사하며 몸을 촉에 의탁하게 되었다.

공명은 본진에 돌아온 후 다시 강유를 불러 두텁게 예를 취했다. 그리고 그에게 물었다.

"천수와 상규, 두 성을 취할 방법이 없겠소?"

강유가 대답했다.

"화살 한 발만 쏘면 족할 것입니다."

공명은 웃으며 옆에 있던 화살을 집어서 건넸다. 강유는 붓과 먹을 청하여 윤상尹賞과 양서에게 보낼 두 장의 서찰을 썼다. 그리고는 서찰을 화살에 매단 뒤, 천수성 안으로 쏘았다.

성의 병사가 그것을 주워 마준에게 전했다. 서찰을 본 마준이 다시 하후무에게 그것을 보이며 말했다.

"성안의 윤상과 양서도 강유와 내통하고 있습니다. 어떻게 처리해야겠습니까?"

"이를 사전에 알게 된 것이 천만다행이오. 당장 두 사람을 죽이시오."

하지만 그 일은 윤상에게 먼저 알려졌고, 윤상은 곧바로 양서를 찾아가 의논했다.

"개죽음을 당하는 것보다 차라리 성문을 열고 촉군을 불러들여 공명을 따르는 것이 좋을 듯하오."

벌써 마준의 명을 받은 무사들이 양서의 집을 둘러싸기 시작했다. 두 사람은 뒷문으로 도망쳐 성문 쪽으로 내달렸다. 그리고 안에서 문을 열고 깃발을 흔들며 촉군을 불렀다. 기다리고 있던 공명이 성안으로 정예군을 들여보냈다.

하후무와 마준은 당해내지 못하고 불과 백여 명의 병사를 이끈 채 북문으로 도망쳐 강호羌胡의 국경으로 들어갔다. 한편 양서는 상규를 지키고 있던 자신의 아우인 양건을 설복시켜 촉에 항복하게 했다.

그렇게 세 군을 평정한 공명은 장안으로 진격하기 전에 군용을 재편했다. 그리고 양서를 천수군의 태수로 삼고 윤상을 기성의 현령, 양건을 상규의 현령으로 봉했다.

부장들이 하후무를 쫓지 않는 이유에 대해 묻자 공명이 말했다.

"천 명의 병사를 얻는 것은 쉽지만 한 명의 장수를 얻기란 어렵다 하였소. 하후무는 한 마리 기러기에 지나지 않고 강유는 봉황과 같소. 내 봉황을 얻었는데 어찌 한가로이 기러기를 쫓겠는가."

113
왕랑을 꾸짖어 죽이는 제갈공명

공명은 기산에서 위의 사도司徒 왕랑을 꾸짖어 죽이고,
관흥과 장포는 촉의 경계인 서평관에서 서강西羌의 대군에게 패하고 마는데……

촉의 건흥 5년 겨울, 공명은 이미 천수, 남안, 안정의 삼군을 평정하여 그 위세를 널리 떨치고 있었다. 촉의 대군이 기산으로 나가 위수 서쪽에 진을 치자, 각 지방에서 낙양으로 파발을 보내 그 위급함을 고했다. 그것은 마치 몰아치는 눈보라와 같았다.

그 무렵 위는 태화太和 원년(227년)이었다. 위제 조예는 조회를 열어 국방총사령의 대임을 일족인 조진에게 명했다.

"신은 재주도 부족하고 나이도 들어 도저히 그 대임을 완수할 수 없을 듯합니다."

조진은 완곡히 사양했지만, 조예는 허락하지 않았다.

"그대는 일족의 종형이자 일찍이 선제의 유지를 받은 분이 아니오. 하후무가 패하여 나라에 환란이 닥쳐오는데, 그대가 이를 마다한다면 누가 그 대임을 맡을 수 있겠소이까."

왕랑도 옆에서 거들었다.

"장군은 국가의 안위를 한 몸에 맡은 사직지신社稷之臣이시니 사양할 때가 아닙니다. 만일 장군이 대임을 맡으신다면 제 목숨을 바칠 각오로 장군과 함께할 것입니다."

왕랑의 말에 조진은 마침내 마음을 굳혔다. 부장에는 곽회郭淮가 선발되었다.

조진에게 대도독의 절월節鉞이 주어지고 왕랑은 군사로 임명되었다. 헌제 대부터 조정을 섬겨왔던 왕랑의 나이는 일흔여섯 살이었다.

장안으로 향하는 군사 20만 명의 출정은 실로 장관이었다. 선봉장은 조진의 아우인 선무장군宣武將軍 조준曹遵이 맡았고, 부선봉장은 탕구장군盪寇將軍 주찬朱讚이 맡았다. 대도독 조진은 대군을 이끌고 장안에 이르러 위수의 서쪽에 진을 쳤다. 왕랑이 조진에게 말했다.

"제게 생각이 있으니, 대도독께서는 내일 아침에 포진을 크고 엄정하게 펼친 채 깃발 아래에서 위엄을 지키고 계십시오."

"군사에게 무슨 계책이라도 있으시오?"

"아무런 계책도 없습니다. 단지 혀 하나로 공명을 설파하여 위에 항복시키도록 하겠습니다."

나이가 팔십 줄에 가까운 노군사는 자신만만해하며 투지를 다졌다.

다음 날 아침이 되자 양군은 기산 앞에 진을 펼쳤다. 이른 봄, 산과 들에 맑은 햇살이 비추고 양군의 깃발과 갑옷과 투구는 아지랑이 속에서 빛나고 있었다. 이는 천하의 장관이라고 할 수 있는 대진이었다.

이윽고 북소리가 세 번 울렸다. 개전에 앞서 잠시 칼과 활을 내려놓고, 양군의 수장들이 얼굴을 마주하는 전례를 알리는 신호였다.

"과연, 위의 군세는 웅장하구나. 이전의 하후무의 군세와는 비교가 되지 않는구나."

공명은 사륜거 위에서 사뭇 감탄한 듯 바라보고 있었다. 얼마 후 도열해 있던 문기門旗가 열렸다. 공명은 관흥과 장포 등의 호위를 받으며 중군을 나와 적진의 정면으로 나아갔다.

"한의 승상 제갈량이 여기 임했으니 사도司徒 왕랑은 나오시오."

위군의 문기가 물결치더니 검은 갑옷과 비단 전포를 걸친 사람이 말을 타고 천천히 다가왔다. 머리가 하얗게 샌 군사 왕랑이었다.

"공명은 내 말을 들으시오."

"사도 왕랑이시오? 아직도 살아 있었구려. 그래, 내게 할 말이 무엇이오?"

"지난날 양양의 명사인 그대의 이름을 익히 들어오던 터에 이렇듯 뵙게 되었소. 사람들이 말하길 본시 그대는 도道를 알고 천명이 무엇인지 아는 사람이라 하더이다. 그렇다면 그대는 당대의 인물로서의 소임도 잘 알고 있을 것이오. 그러한데 융중에서 괭이나 들고 책을 읽던 백면서생이 어찌하다 시류에 편승하여 마치 구름을 얻은 듯 전쟁을 일으킨 것이오?"

"나 제갈량은 한의 대신으로 황제의 칙명을 받고 천하의 역적을 치러 온 것이오."

"그저 웃음밖에 나오지 않소이다. 잘 들으시오. 그대는 위의 대제에게 그와 같이 망극한 말을 하지만, 하늘의 뜻은 변하여 덕이 있는 사람에게 흐르기 마련이오. 환제桓帝와 영제靈帝 이래로 사해가 나뉘어져 싸우고 군웅들이 패왕을 참칭했소. 그러자 오직 태조무제 홀로 백성을 사랑하시어 천지사방의 불경을 씻어내시고, 온 세상을 바로 일으켜 마침내 대위를 세우셨소. 만천하의 백성들이 모두 그 덕을 우러르며 오늘에 이르렀으니, 이는 권세를 취함이 아니요, 덕이 있는 자에게 속하고자 하는 하늘의 뜻이 바로 그렇게 만든 것이오. 그런데 이에 비해 그대의 주인인 유현덕은 어떠했소."

박학다식한 대학자의 풍모를 지닌 왕랑은 위의 대들보이자 경세무략經世武略의 인물로 그 이름이 천하에 알려져 있었다. 그러한 왕랑이 전쟁에 앞서 스스로 자부하는 변설로 공명과 대설전을 벌였다. 처음에 왕랑이 논한 것은 위의 정의였다. 그는 위를 세운 태조 조조와 촉의 유비를 비교하여 순역順逆을 논파하고, 조조가 천하만방의 위에 선 것은 요堯가 순舜에게 천하를 내어준 전례와 같은 것이라며, 이는 하늘에 순응하고 사람을 따른 것이라고 했다. 한편 유비에 대해서는 조조와 같은 덕이 없으면서 단지 스스로 한조의 후예라는 계보만을 근거로 계략과 위선으로 촉의 땅 한 덩어리를 빼앗은 것에 지나지 않는다고 비난했다.

왕랑이 다시 공명을 향해 설파했다.

"그대 역시 유비의 위선에 현혹되어 잘못된 패도의 길을 걸어왔소. 그대가 큰 재주를 그릇되게 쓰고, 스스로를 관중管仲과 악의樂毅에 비하는 것은 어린아이의 어리석음과 같아 세상의 비웃음만 살 뿐이오. 진실로 죽은 유비의 유언에 부응하고 촉의 어린아이를 소중하게 생각한다면, 어찌 이윤伊尹과 주공周公의 예를 따라 분수를 지키고 덕을 쌓으며 치세治世의 공功에 힘쓰지 않는 것이오. 그대가 촉의 어린아이를 지키려는 충절을 탓하는 것은 아니지만, 무력을 사용하여 위를 침략하는 것은 용서받을 수 없는 역모이자 촉을 자멸의 길로 이끄는 거라 할 수 있소. 선현이 말씀하시길, 하늘의 뜻을 따르는 자는 흥하고 거스르는 자는 망한다 했소. 지금 대위에는 용맹한 병사가 백만 명이요, 훌륭한 장수가 천 명에 이르니 이에 맞서는 것은 태산으로 달걀을 짓누르는 것과 같소. 내가 헤아려봤을 때, 그대는 한갓 썩은 풀밭 위를 날아다니는 희미한 반딧불과 같을 뿐이오. 그러니 어찌 하늘에 떠 있는 찬란한 달빛과도 같은 위에 미칠 수 있겠소."

왕랑은 숨도 쉬지 않고 말한 뒤 마지막으로 항복을 요구했다.

"그대가 봉후의 자리를 얻고 촉주의 안태를 바란다면 속히 갑옷을 벗고 백기를 들도록 하시오. 그러면 양국의 백성은 평안하고 병사들도 피를 흘릴 일이 없을 것이며, 더불어 화창한 봄날을 즐길 수 있을 것이오. 하지만 이를 거부하면 하늘의 천형이 촉에 내릴 것이며 촉의 병사들은 단 한 명도 살아서 고향 땅을 밟지 못할 것이오. 그 죄는 모두 그대의 책임일 것이니 잘 헤아려 답을 하시길 바라오."

적과 아군, 모두 숨을 죽이고 귀를 기울이고 있었다. 촉의 군사들까지 왕랑의 말에 경도되었다.

촉의 장수들은 큰일이라고 생각했다. 촉의 삼군이 적장의 변설에 매료되어 이렇듯 감복한 모습을 보이니, 싸움이 일어나면 이길 수가 없을 것만 같았다. 마속도 걱정스러운 눈빛으로 수레 위에 있는 공명의 얼굴을 바라보았다.

"……."

공명은 시종 웃음을 머금고 태산과 같이 침묵을 지키고 있었다.

마속은 지난날 계포季布가 진두에서 한고조를 논파하고 그의 병사를 물리친 일을 떠올렸다. 왕랑이 노리고 있는 것은 바로 그것이었다. 마속은 어서 빨리 공명이 반박해주길 초조한 마음으로 기다리고 있었다. 마침내 공명이 입을 열었다.

"이제 할 말이 끝났소이까? 그대의 말은 실로 훌륭하오. 하지만 그 논지는 자가당착自家撞着이며 기만에 지나지 않으니 참으로 듣기에 민망한 궤변이오. 이제 내가 그대를 깨우치고 가르치려 하니 잘 들으시오. 그대는 본래 한조의 신하였음에도 위에 빌붙어 기름진 고기로 배를 불리고 노후를 보내고 있소. 그렇다 하더라도, 마음속에는 조금의 양심이 있을까 하여 노인을 공경하는 마음으로 나는 그대를 대했지만, 그것은 어불성설이었소. 그대는 이미 몸과 마음이 썩어 문드러져 지금과 같은 대역무도한 말을 태연하게 내뱉고 있으니, 참으로 가련할 뿐이오. 장년의 영재가 위에 사육되어 이렇듯 노새가 되고 말았구려. 내 그대에게 더 말해봤자 보람도 없을 듯하오. 양국의 병사들은 잠시 조용히 하고 내가 하는 말을 듣도록 하라."

공명은 침착하게 말을 이었다.

"지난날 환제와 영제 시절은 한의 법통이 무너지고 간신이 횡행하여 세상이 어지럽고 전국 각지에서 난이 일어났으니, 그야말로 난세의 시절이었소. 후일 동탁이 잠시나마 이를 평정했지만, 조야朝野를 사사로이 전횡하고 황건적과 이각, 곽사의 무리들이 난을 일으키는 바람에, 가련한 한제는 민간으로 도피하시고 백성들은 고통에 신음했소."

공명은 잠시 말을 멈추었다. 감정을 누르고 평정을 유지하려는 듯, 양 소매를 털고 부채를 고쳐 잡은 후에 다시 말을 이었다.

"그때를 생각하니 눈물이 앞을 가리고 입에 담기조차 송구하지만 당시 상황을 이야기하자면, 조정에 신하가 있었으나 없는 것과 마찬가지였소. 썩은 나무를 엮어 궁전으로 삼고, 계단과 섬돌에는 낙엽만 쌓여가고, 금수와 다를 바 없는 벼슬아치들이 의관을 입고 나라의 녹을 받아먹었으니, 조정은 개와 이리 같은 심보로 패악을 일삼는 무리들이 제 잇속만 챙기는 곳에 지나지 않았소. 또 종의 낯짝을 한 아첨하는 무리들이 흡사 축제를 벌이듯 사리사욕만 채우니, 말세가 따로 없었소. 사직은 폐허가 되고 억만창생은 도탄에 허덕이니, 이를 슬퍼하는 어진 자는 모두 재야에 숨고 말았소. 왕랑은 내 말을 잘 들으시오."

공명의 목소리가 커졌다.

"그러한 혼탁한 시절, 내가 젊은 마음에 상심을 품고 양양의 시골에 거하면서 때를 기다리며 묵묵히 책을 읽고 밭을 갈았던 것은 방금 그대가 말한 바와 같소. 하지만 사람들은 모두 그 시절 조정에 있던 위정

자들의 부패와 타락에 분노했소. 나는 본래 그대에 대해 잘 알고 있소. 그대는 대대로 동해東海의 바닷가에 살았고, 그대의 선조들은 모두 한조의 공덕을 입었으며, 그대 역시 처음에 효렴孝廉으로 뽑히어 조정을 섬기게 되었소. 그럼에도 종묘가 위태롭고 헌제가 각지로 쫓기시는 상황에서, 나라를 돌보고 간신들을 없애 황제의 신금宸襟을 평안케 하기는커녕, 오로지 시류를 엿보며 권력자에게 아부하고 현학한 주장을 내세워 역적이 제위를 훔치는 것을 함께하지 않았는가. 그 대가로 높은 벼슬을 얻고 좋은 집과 귀한 음식을 먹으며 팔십 줄에 가까운 오늘까지 부귀영화를 누려온 것이 바로 그대, 왕랑이 아니더냐. 설사 이 공명이 촉의 총사가 아니더라도 한 백성으로서 네 살을 씹고 개와 닭에게 네 피를 주어도 성에 차지 않을 것이다. 그럴진대, 함부로 지껄이다니! 하늘이 이 공명을 세상에 내보내신 것은 아직 한조를 버리지 않았음을 뜻하고 있다. 내 오늘 칙명을 받들어 용맹하고 충성스러운 병사들과 생사를 뛰어넘어 이곳 기산 들녘에 이르게 되었으니, 그대가 자랑하는 세 치 혀로써 어찌 나를 이길 수 있겠는가. 집 안에 처박혀 음식을 탐하며 노욕에 빠져 있었더라면 목숨은 부지할 수 있었을 터인데, 어찌 어울리지도 않는 갑옷과 투구로 치장하고 함부로 진두에 나와 설쳐대는 것인가. 그것만으로도 천하의 구경거리가 될 것인데, 이 들판에서 시신이 되어 무슨 면목으로 황천에 계신 한의 스물네 분의 황제를 뵈려 하느냐. 늙은 역적은 썩 물러가거라.”

공명의 마지막 추상같은 일갈은 날카로운 화살이 되어 늙은 왕랑의 폐부를 꿰뚫었다. 왕랑은 피가 거꾸로 치솟고 숨이 막히는 듯 몸을 숙였다. 그러더니 한마디 신음 소리를 내며 말에서 떨어져 그대로 숨을 거두고 말았다.

공명은 부채를 들어 적의 도독 조진을 부른 후 그에게 말했다.

"먼저 왕랑의 시신을 거두어가도록 하시오. 남의 상喪을 틈타 공격할 내가 아니오. 내일 진을 새롭게 하여 결전을 치르도록 하시오. 그대는 전열을 재정비하여 다시 임하시오."

공명은 그렇게 고하고 사륜거를 돌렸다.

조진은 믿었던 왕랑을 잃자 몹시 기가 죽었다. 부도독 곽회가 그런 조진을 격려하기 위해 한 가지 계책을 권했다. 이에 조진도 마음을 다잡고 은밀히 준비에 들어갔다.

그 무렵 공명은 조자룡과 위연을 불러서 명했다.

"두 사람은 병사를 이끌고 밤에 위군의 진영을 기습하시오."

"조진도 병법에 밝은 자이니 분명 우리가 상을 당한 틈을 타 야습할 것이라 생각하고 충분히 대비하고 있을 것입니다."

위연이 공명의 얼굴을 바라보자 공명이 그에게 말했다.

"그것이 바로 내가 노리는 바요. 분명 조진은 기산 뒤쪽에 병사를 매복시키고 있을 것이오. 그리하여 우리가 야습을 하면 그 틈을 노려 우리 본영을 급습하여 일거에 격파하려 들 것이오. 이에 일부러 그가 바라는 대로 그대들을 보내는 것이니, 만약 도중에 이상이 생기면 이렇게 하도록 하시오."

공명은 무슨 말인가를 속삭였다. 그리고 다음으로 관흥과 장포에게 각각 군사를 내어주고 그들을 기산의 요로로 보냈다. 그다음으로 마대와 왕평, 장의에게 각각 계책 하나씩을 알려주었고, 그들은 본진 부근에 병사들을 매복시켰다.

공명의 계략을 알 리 없는 위군은 대장 조준과 주찬이 이끄는 병사 2만 명을 기산의 후방으로 우회시켜두고, 촉군의 동정을 엿보고 있었다. 이윽고 관흥과 장포의 군이 아군을 기습하기 위해 오고 있다는 보고가 들어왔다. 조준은 그 즉시 허를 찔러 촉의 본진을 기습했다. 하지만 공명은 그런 적의 허를 찔렀다.

위의 군사가 함성을 지르고 단숨에 촉의 본진에 뛰어들었는데 깃발만 나부끼고 있을 뿐 적병은 한 명도 보이지 않았다. 그런데 갑자기 곳곳에 산처럼 쌓여 있던 장작에서 불꽃이 일어나더니 불길이 하늘로 치솟았다.

"적의 함정이다. 후퇴하라."

조준과 주찬이 당황하여 소리쳤다. 하지만 어찌 된 일인지 위의 군사들은 전혀 물러서지 않고 오히려 자진해서 불길 속으로 뛰어들었다. 이미 촉군이 위군의 후방에서 기습을 감행하여 몰려들고 있었던 것이다.

마대와 왕평의 군대에 이어 야습을 하러 갔던 장의와 장익 등도 되돌아왔다. 그들은 후방을 끊고 위군을 사방에서 포위했다. 조준과 주찬의 병사들은 불에 타 죽거나 촉군의 창칼에 쓰러져 그 수를 헤아릴 수 없었다.

조준과 주찬은 수백 명의 군사만을 데리고 도망치기 시작했다. 조자룡이 그들의 길을 막고 공격을 했다. 두 장수는 간신히 위의 본진으로 돌아왔지만, 이미 그곳도 관흥과 장포의 기습을 받고 궤멸된 상태였다.

위는 서전에서 비참한 패배를 당했다. 대도독 조진은 어쩔 수 없이 멀리 후퇴하여 병사들을 수습하고 전열을 재정비할 수밖에 없었다.

* * *

당시 중국인이 서강西羌의 이족夷族이라고 부른 곳은 지금의 청해성靑海省 지방으로, 이른바 유럽과 동양과의 대륙적 경계의 등줄기를 이루는 대고원 지대의 티베트인과 몽고민족이 혼합되어 이룬 왕국을 가리킨다. 이 서강 왕국과 위는 조조 대부터 교역을 했으며, 위는 서강으로부터 조공을 받고 있었다. 또 위는 그들이 가장 영광으로 생각하고 기뻐하는 위계位階나 영작榮爵을 조정의 이름으로 내리곤 했는데, 그들은 이것을 은혜로 생각했다.

위의 조예는 조진이 기산에서 대패를 당했다는 소식을 듣고 멀리 서강의 국왕 철리길徹里吉에게 사자를 보냈다. 사자가 들고 간 교서에는 '고원의 강군을 일으켜 공명의 배후를 위협하고 서부의 경계에 제2전선을 펼치라'는 내용이 담겨 있었다.

그 무렵 조진이 보낸 사자도 같은 목적으로 서강에 들어갔다. 조진의 사자는 무상武相이라 불리는 원수元帥 월길越吉과 재상宰相 아단雅丹에게 진귀한 보물들을 건넸다.

"조조 이래로 은혜를 입어온 위국이 어려움에 처해 있으니, 이를 거절해서는 안 됩니다."

두 재상이 주청하자 국왕 철리길은 위를 돕기로 결정했다. 재상 아단과 원수 월길은 군사 25만 명을 이끌고 출군했다.

서강의 고원에는 황하와 양자강의 상류를 이루는 맑은 물이 산과 산 사이를 굽이돌며 흐르고 있었다. 강물이 대륙으로 흘러들면 황토색으로 흐려지는데, 이 부근에서는 한없이 맑고 깨끗했다.

무사태평에 염증을 느끼고 있던 고원의 병사들은 마침내 뛰어난 무기를 사용할 수 있게 되었다. 강족의 군사는 유럽과 터키, 이집트 등 서역과의 교역이 활발하다 보니 중국 대륙보다 먼저 문화적 영향을 받고 있었다. 그들은 강철로 만든 전차인 철거鐵車와 화포를 가지고 있었고, 아라비아 혈통의 준마를 타고 강한 활과 창칼을 가지고 있었다. 또 군중의 짐은 낙타를 사용했으며, 긴 창을 갖춘 낙타부대도 있었다. 낙타의 목과 안장에는 많은 방울이 달려 있었는데, 그 무수한 방울 소리와 강철로 만든 전차의 바퀴 소리는 그들의 피를 끓게 했다.

강군의 대군이 촉의 경계에 있는 서평관으로 진군해오자, 위기를 느낀 한정韓禎은 기산과 위수의 중간에 있는 공명에게 파발을 띄워 원군을 청했다.

한정의 파발을 받은 공명이 잠시 고민하다 부장들에게 물었다.

"누가 가겠는가?"

관흥과 장포가 자신들이 가겠다고 청했다. 사태가 급박하게 돌아가고 있었고, 또 일거에 그들을 물리치지 못하면 전황은 아군에게 불리해질 것이 분명했다. 이에 젊고 용맹한 관흥과 장포가 안성맞춤이었지만 그들은 서부 지방의 지리에 어두웠다. 그래서 공명은 서량 출신인 마대를 그들에게 붙여주고 군사 5만 명을 내려 출정시켰다.

소나기를 몰고 오는 낮은 구름이 광야를 뒤덮듯, 원군은 서쪽으로 진격하여 강군의 대군과 대치했다. 고원에 서서 적의 형세를 살펴본 관흥이 혀를 내두르며 마대와 장포에게 말했다.

"강철로 된 전차가 즐비하오. 전차는 고슴도치처럼 한쪽에 가시가 돋았고 안쪽에 병사가 있소. 저것을 어떻게 대적해야 할지 모르겠소. 실로 만만치 않은 강적이오."

장포가 말했다.

"장군답지 않은 말만 하시는구려."

마대도 관흥의 말에 웃으며 말했다.

"싸우기도 전인데 어찌 그런 약한 말을 하시오. 어쨌든 내일 일전을 겨뤄 저들의 실력을 시험해본 다음 다시 의논합니다."

다음 날 일전에서 촉군은 강군에게 철저히 농락당하고 말았다. 강군이 보유하고 있는 철거대鐵車隊의 기동력 앞에서 촉군은 속수무책으로 당할 수밖에 없었다. 촉군은 기마전이나 보병전에서 절대적으로 우세했지만, 강군은 수세에 몰리면 가시가 돋은 철거를 이용하여 달려드는 촉군을 찌르고 깔아뭉개고 철거 안에서 화살을 쏘아댔다.

강군의 원수 월길은 손에 철퇴를 들고 허리에 보석을 박은 활을 찬채 준마를 타고 나왔다. 또한 강군의 궁수대는 활을 늘여놓고 하늘이 까맣게 뒤덮일 만큼 검은 활을 쏘아댔다.

그로 인해 촉군은 곳곳에서 패배하고 말았다. 온종일 쫓기던 관흥은 월길의 철퇴에 맞아 산산조각이 날 뻔했다. 먼저 본진으로 돌아와 있던 마대와 장포는 밤이 되어도 관흥이 돌아오지 않자 죽은 줄로만 알았다. 하지만 한밤중이 되자 관흥은 홀로 만신창이가 되어 돌아왔다.

"내 오늘만큼 죽을 고비를 몇 번이고 넘긴 적이 없었네. 그런데 골짜기에서 월준의 부하들에게 둘러싸여 죽을 뻔했을 때, 하늘에 계신 부친의 모습이 보이는 듯하더니 갑자기 힘이 솟아 한쪽의 혈로를 뚫고 무아지경으로 이곳까지 도망쳐왔소이다."

관흥은 평소의 그답지 않게 진심으로 참패를 인정하고 있었다.

"그대뿐만 아니라 우리 모두 대패를 당하여 병력의 절반을 잃고 말았소. 이 책임은 모두 함께 져야 할 것이오."

마대의 말에 장포는 아무 말 없이 그저 눈물을 훔칠 뿐이었다. 세 장수는 오늘의 패배를 설욕할 아무런 방도도 없었거니와 강군을 물리칠 자신감도 없었다.

"어차피 당해내지 못할 것인데 더 이상 그에 맞서는 것은 용기가 아니오. 나는 병사들을 규합하여 요지로 물러나서 우선 적을 막아낼 터이니, 그대들은 서둘러 기산으로 가서 승상을 찾아뵙고 어떻게 하면 좋을지 가르침을 받아오시오. 그때까지 나는 오로지 지키는 데만 주력하며 적을 막아내고 있겠소."

마대의 말에 관흥과 장포는 즉시 기산으로 떠났다.

이윽고 공명은 강군과의 싸움에서 대패를 했다는 소식을 듣고 불안한 마음이 들었다. 그는 장수들을 불러 모아놓고 말했다.

"지금 기산의 전황을 보면, 조진이 수세에 있고 내가 주도권을 쥐고 있소. 즉, 내가 싸우지 않으면 조진은 결코 움직이지 않을 것이오. 나는 서평관으로 갈 것이니, 내가 기산을 비우는 동안 지키기만 하고 절대 적을 자극해서는 안 될 것이오."

공명은 자신이 직접 서평관으로 가기로 결단을 내린 것이었다. 그는 새롭게 군사 3만 명을 편성하고 강유와 장익, 관흥과 장포를 데리고 서둘러 서평관으로 향했다.

서평관에 도착한 공명은 즉시 마대의 안내를 받아 높은 곳에 올라 강군의 군용을 살펴보았다. 그리고 미리 들었던 철거대의 포진을 보고 껄껄 웃으며 말했다.

"저것은 그저 기계의 힘에 불과하다. 어찌 저 정도의 적을 무찌르지 못하겠는가. 강유는 어떻게 생각하는가?"

공명이 옆에 있던 강유에게 물었다.

"적에게는 용맹함은 있으나 지략이 없습니다. 또 기계의 힘은 있지만 정신력이 없습니다. 승상의 지휘와 우리 촉군의 힘으로 물리치지 못한다면 오히려 이상한 것입니다."

공명은 고개를 끄덕이고 산을 내려갔다. 그리고 진영에 들어가자마자 부장들을 불러 말했다.

"드디어 붉은 구름이 들판에 일고 삭풍이 하늘에 구름을 불러오니, 내 계책을 쓸 때가 되었다. 강유는 일군을 이끌고 적 가까이 갔다 내가 붉은 깃발을 움직이는 것을 보면 즉시 후퇴하라. 다른 장수들에게는 나중에 명을 내리겠다."

강유는 유인 전법의 선봉이 되어 강군에게 접근했다. 그러자 월길의 중군이 철거대를 몰고 강유의 군사를 격퇴하러 왔다. 강유의 군사는 물러서다가 멈추고, 또 물러서다 멈추기를 반복했다. 그러자 강족의 대군은 기세가 오를 대로 올라 촉군의 본진까지 돌격해왔다.

싸움의 중반부터 함박눈이 내리고 삭풍이 불어오더니 그 지방 특유의 눈보라로 변했다. 강유의 군사는 모두 진문 안으로 도망쳐 들어가서는 전혀 밖으로 나오지 않았다.

30여 대의 철거는 별 어려움 없이 책문을 무너뜨리고 촉의 본진으로 밀고 들어왔다. 그 뒤를 이어 2천 명의 기마병과 4천여 명의 보병이 함성을 지르며 밀려들었다. 그런데 병영 안에는 얼어붙은 깃발과 휘몰아치는 눈보라만 보일 뿐, 촉군은 한 명도 보이지 않았다. 게다가 눈보라인지 마른 풀잎 소리인지 분간할 수 없는 이상한 소리가 여기저기서 들려왔다.

"너무 깊이 들어가지 말라."

월길은 군사들을 제지한 후 말 위에서 귀를 기울였다.

"거문고 소리다."

월길은 공명이 새로 정예병을 이끌고 왔다는 소식을 들었던 터라 병사들에게 주의를 주었다.

"방심하지 말고 전후를 잘 살펴라."

월길은 더욱 의심스러운 마음이 들어 앞으로 나아가지도 뒤로 물러나지도 못하고 눈보라 속에서 머뭇거렸다. 그러자 후진을 이끌고 뒤따라온 아단이 크게 웃으며 말했다.

"공명은 속임수를 잘 쓴다고 들었소. 이는 그저 사람의 마음을 현혹시키는 어린아이의 장난과 같은 계략인데, 무엇을 그리 주저하고 두려워하시오. 이미 들판에는 눈이 열 길이나 쌓여 물러나기 어렵게 되었소. 철거대를 앞세우고 적의 진영을 초토화시킨 후, 이곳을 점령하고 눈보라를 피하도록 합시다. 만일 공명을 발견하면 사로잡으면 될 것이오."

아단의 말에 힘을 얻은 월길은 다시 철거를 앞세우고, 군사를 나눠 진영의 네 문을 막았다.

본진 깊은 곳에 위치한, 나무가 듬성한 숲에 한 채의 병사兵舍가 있었다. 그런데 그곳에서 한 대의 사륜거가 빠르게 나오더니, 대여섯 명의 장수와 백여 명의 병사에게 호위를 받으며 남쪽 문으로 도망치는 것이 보였다. 강족의 부장들은 공명임을 직감하고 사로잡기 위해 앞다퉈 말을 달려 쫓아갔다.

"기다려라. 수상하다."

월길이 부장들을 말리자 아단이 웃으며 말했다.

"설사 공명에게 계책이 있다 하더라도 이와 같은 대군으로 쫓으면 별 걱정할 바가 없을 것이오. 적의 수장이 눈앞에 있는데, 이를 쫓아 사로잡지 못한다는 게 말이 되겠소."

그사이 공명의 수레는 남쪽 책문을 벗어나 본진 뒤에 펼쳐진 숲을 향해 나아가고 있었다. 아단이 앞으로 나서며 근엄하게 명령했다.

"놓치지 말라."

강족의 기마와 철거, 보병 등이 눈보라를 헤치며 맹렬히 공명의 뒤를 쫓았다.

그때 강유의 군사가 다시 남쪽 책문 밖에 나타났다. 그들은 강족의 대군이 공명을 추격하는 것을 방해하고 있었다.

"성가시구나. 어서 저들을 해치워라."

강군은 공명을 잠시 뒤로하고 강유를 공격했다. 강유는 잘 싸웠지만 본래 군사의 수에서 비교가 되지 않았던 터라 도망칠 수밖에 없었다. 기세를 탄 수만의 강군은 공명의 사륜거를 다시 쫓기 시작했다. 강군은 공명의 뒤를 쫓아 숲을 벗어났다. 곧 하얀 눈이 한가득 뒤덮인 벌판이 나타났다.

강군이 있는 언덕과 벌판 사이에는 끈처럼 좁은 습지가 가로질러 있었다. 기마대와 보병은 즉시 언덕을 내려가 건너편으로 넘어갔다. 그런데 다소 늦게 도착한 철거대가 언덕에서 내려와 구덩이를 건너기 시작한 순간, 갑자기 쿵 하는 굉음과 함께 앞쪽 철거가 자취를 감추고 말았다.

"앗, 떨어졌다. 함정이다."

꼬리를 물고 언덕에서 내려오던 철거병들이 비명을 지르며 철거를 멈추려 했다. 하지만 눈이 쌓인 비탈길에서 철거를 멈출 방도는 없었다. 줄줄이 미끄러져 내리는 철거들은 구덩이로 떨어졌고, 결국 몇십 대의 철거가 땅에서 자취를 감추었다. 이와 같은 상황이 양옆에서도 똑같이 일어났다.

완만한 비탈길 앞에 놓인 구덩이처럼 보였던 습지는 지진으로 땅이 갈라진 균열이었다. 촉군이 수십 리에 걸쳐 있던 균열에 판자를 깔고 흙을 덮고 다시 건초 등으로 덮어두었던 것이다. 그런데 아침부터 많은 눈이 내려 강군이 이를 알아볼 수가 없었던 것이다. 기마병과 보병은 뛰어서 건널 수 있었지만 강족이 믿었던 철거들은 그곳을 건널 수가 없었다.

적들이 계략에 빠진 것을 확인한 촉군은 징과 북을 울리고 함성을 올리며 벌판과 숲 속에서 일제히 일어났다.

마대의 부대는 아단을 사로잡았고 관흥은 말 위에서 월길을 칼로 내리쳐 그동안 쌓인 울분을 풀었다. 강유와 장익, 장포 등의 부대도 큰 활약을 펼쳤다. 살아남은 강병들은 너나없이 항복해왔다.

공명이 아단의 밧줄을 풀어준 후 온화하게 말했다.

"촉의 황제야말로 대한의 정통으로, 나는 칙명을 받고 위를 정벌하고자 했소. 하지만 강국에게는 그 어떤 원한이나 야욕이 없소. 그대는 위에 속은 것이니 돌아가서 내 뜻을 왕에게 잘 전하도록 하시오."

공명은 포로로 잡은 강병들을 모두 풀어주고 돌려보냈다. 그리고 즉시 군사를 기산으로 돌리고, 도중에 표문을 써서 성도에 있는 후주 유선에게 승전보를 올렸다.

한편 위수에 진을 치고 있던 조진은 공명이 기산을 비운 기회를 놓치고 말았는데, 그의 이러한 실기는 위에게 되돌릴 수 없는 실패를 초래했다. 조진은 공명이 기산에 없다는 것을 알고 공격에 나서려 했는데, 이미 그때는 공명이 서부의 강족을 물리치고 돌아오고 있는 중이었다. 게다가 공명은 자리를 비울 때에도 기산의 방비에 충분한 준비를 해두었다. 그 때문에 조진은 오히려 몇 차례 공격에서 패배를 당했고, 이후 서부 방면에서 돌아온 촉군에게 협공을 당했다. 결국 조진은 위수에서 총퇴각을 할 수밖에 없었다.

본래 조진은 이번 전쟁에 임할 때부터 자신이 없었고 별다른 계책도 없었다. 그는 오로지 낙양으로 파발을 보내 중앙의 도움과 지시를 청할 뿐이었다.

114
완성에서 나오는 사마의

공명은 배신했던 맹달이 자신을 도와 낙양을 공격하겠다는 말에 기뻐하고, 다시 조예의 부름을 받은 사마의는 군사를 규합하여 신성의 맹달을 치기 위해 진군한다

위수에서 보낸 파발들이 낙양에 속속 도착했다. 모두가 패전을 알리는 속보였다.

위제 조예는 군신들에게 누가 나라를 구할 것인지 근심 어린 표정으로 물었다. 그러자 화흠이 간했다.

"이렇게 된 이상, 단지 몇 명의 장수를 바꾸는 것은 적의 기세만 올려주는 꼴이 될 것입니다. 즉 황제께서 몸소 위수로 납시어 삼군의 사기를 높일 수밖에 없습니다."

태부 종요가 반대하며 말했다.

"적을 알고 나를 알면 백전백승이라 했습니다. 조진은 처음부터 공명의 상대가 되지 못했습니다. 지금 황제께서 몸소 출정하신다 해도 그다지 큰 효과를 기대하기 어려울 뿐 아니라, 만일 다시 패한다면 위의 존망이 위태로워질 것입니다. 차라리 지금은 재야에 숨어 있는 인물을 뽑아 그에게 인수를 내려 공명을 물리치는 방법밖에 달리 방도가 없습니다."

조예가 위의 원로인 종요에게 물었다.

"그대가 말하는 재야에 숨은 큰 인물이란 누구를 말하는 것이오?"

"그는 다름 아닌 사마의 중달입니다. 연전에 적의 간계에 빠져 시정의 유언비어를 믿고 그를 추방하신 일은 참으로 애석한 일이었습니다. 듣기로 지금 사마의는 고향인 완성宛城에 한거하고 있다 합니다. 지금은 그와 같은 인재가 필요한 때입니다."

조예도 그 일을 두고두고 아쉬워하고 가슴 아파했다. 마침 종요가 그 일을 이야기하자 조예는 비장한 얼굴로 말했다.

"그것은 짐의 일생일대의 잘못이었소. 하나 가슴에 한을 품고 고향에 숨어 지내는 그가 짐의 명을 따르겠소이까?"

"칙명을 내리시면 그는 반드시 황제의 명에 따를 것입니다."

조예는 즉시 조서를 작성해 칙사에게 건넸다.

> 황제인 내가 직접 난가를 타고 장안으로 갈 터이니, 사마의는 남양南陽의 각 곳의 군마를 규합하여 날을 정해 장안으로 나오시오. 그리고 나를 따라 공명을 치도록 하시오.

조예는 사마의에게 평서平西도독의 인수도 내렸다.

한편 기산의 공명은 때가 무르익었다고 생각하고, 연전연승의 여세를 몰아 바로 장안을 취했다. 그리고 일거에 진격하여 적의 심장인 낙양을 공략하기 위한 준비를 하고 있었다. 그러던 어느 날, 백제성을 지키는 이엄의 아들 이풍李豊이 갑자기 찾아왔다. 공명은 심상치 않은 일이 생겼음을 직감하고 그를 만났다. 하지만 이엄은 태연하게 아버지를 대신해 기쁜 소식을 전하러 왔다고 말했다.

"기쁜 소식이란 무엇인가?"

"지난날 관운장께서 형주에서 패하셨을 때, 원인의 제공자 중 하나였던 맹달을 기억하고 계실 것이옵니다."

"물론 잊지 않고 있네. 그런데 맹달에게 무슨 일이 있는 건가?"

이엄이 공명에게 전한 자초지종은 이러했다.

맹달이 위에 투항하고 나서 조비의 신임을 얻었지만, 조비가 죽고 조예가 새 황제가 된 이후부터는 대접이 달라졌고, 근래에는 미움을 받는 것도 모자라, 촉의 신하였던 이력 때문에 의심까지 받아 그의 처지가 곤궁해졌다는 것이다. 또 그의 부하들 중에는 아직도 촉을 그리워하는 자가 많으며, 기산과 위수의 전황을 전해 들은 맹달이 깊이 후회하고 있다는 것이다. 맹달이 그런 심경을 담은 서찰을 백제성의 이엄에게 보내 자신이 귀순할 수 있도록 그 취지를 공명에게 전해달라고 했다는 것이다.

이풍은 이와 같은 경위를 고하고 나서 다시 말을 이었다.

"그래서 실은 아버지께서 맹달을 한번 만나셨습니다. 맹달이 말하길, 자신의 이러한 마음은 위가 5로의 대군을 일으킬 때부터 가지고 있었으며, 이는 승상께서 잘 헤아리고 계실 것이니, 부디 귀순할 수 있도록 중재를 부탁하더랍니다. 만일 자신의 청이 받아들여지면, 승상께서 장안을 공격할 때, 자신은 신성新城과 상용上庸, 금성金城의 군사들을 모아 즉시 낙양으로 쳐들어가겠다고 했답니다."

공명이 손뼉을 치며 말했다.

"참으로 근래에 없던 기쁜 소식이네. 수고했네. 맹달이 본연의 마음으로 돌아가 우리 촉을 돕고, 내가 밖에서 공격하는 한편, 그가 안에서 낙양을 치면 천하는 곧 바로잡을 수 있을 것이네."

공명은 이풍의 노고를 격려하고 주연을 열어주었다. 그런데 그때 파발이 도착했다.

"위왕 조예가 완성에 칙사를 보내 한거 중인 사마의 중달을 평서도독에 봉하고 그의 출사를 재촉하고 있습니다."

"뭐라, 사마의를?"

공명의 취기가 순식간에 사라졌다. 옆에 있던 참군 마속이 의아해하며 물었다.

"승상, 어찌 그리 놀라시는 것입니까? 기껏 사마의 중달이 아닙니까."

공명은 무겁게 고개를 내저으며 말했다.

"내가 헤아려보건대, 위에서 인물이라 할 수 있는 자는 사마의 하나뿐이오. 내가 유일하게 두려워하는 자가 바로 사마의 중달 한 사람이오. 자칫하면 맹달의 내응조차 그자로 인해 수포로 돌아갈지 모르는 일이오."

"그럼 급사를 보내 맹달에게 주의를 주면 어떻겠습니까?"

"그것이 지금 가장 급한 일이오. 당장 파발을 준비하라 이르고 사자를 뽑아두시오."

공명은 그 자리에서 맹달에게 보내는 글을 썼다.

그날 밤, 급사는 맹달이 있는 신성으로 서둘러 달려갔다. 공명의 서찰을 받은 맹달은 이엄이 자신의 뜻을 전해준 것을 알고 만면에 희색을 띠며 서찰을 펼쳐보았다. 그런데 자신의 청은 받아들여졌지만, 마지막에 다소 마음에 들지 않는 내용이 있었다. 그것은 위제의 명으로 사마의가 완성에서 나왔다는 것이다. 하지만 더 거슬렸던 부분은, 사마의의 지략을 지나치게 추어올리며 그에 대비해 만전을 기하라고 절절이 주의를 주는 대목이었다.

"소문대로 제갈량은 의심이 깊은 사람이구나."

맹달은 공명의 주의를 무시하고 회신을 써서 사자에게 건넸다. 마음을 졸이며 기다리던 공명은 사자가 가지고 온 맹달의 회신을 보더니 한탄하며 구겨버렸다.

"아, 맹달이 이렇듯 아둔한 마음가짐을 하고 있을 줄이야. 그는 반드시 사마의의 손에 죽을 것이로다."

공명은 눈물을 흘리며 한동안 천장을 우러렀다.

"승상, 무엇을 그리 한탄하십니까?"

"마속, 맹달의 서찰을 보시오. 설사 사마의가 신성을 공격한다 하더라도 낙양에 올라가 임관식을 치르고 다시 와야 하니, 일러도 한 달의 시간이 있다 하며, 그동안 충분히 방비를 할 터이니 걱정하지 말라고 적혀 있소. 그는 지금 자만에 빠져 사마의 중달을 무시하고 한가로이 호언장담을 늘어놓고 있소. 이래서는 틀렸소."

"어찌 틀렸다 하십니까?"

"방비가 없는 곳을 치고 뜻하지 않은 곳으로 나가는 병법을 모를 중달이 아니오. 그는 분명 낙양에 오르는 일을 뒤로 미루고 완성에서 직접 맹달을 칠 것이오. 그러면 내가 다시 사자를 보내 맹달에게 주의를 주는 것보다 빠를 것이니, 때는 이미 너무 늦고 말았소."

그래도 공명은 바로 맹달에게 경고하는 서찰을 써서 신성으로 보냈다.

"밤낮을 가리지 말고 말을 달려 맹달에게 전하라."

한편 사마의 중달은 관직에서 물러나 고향인 완성에서 지극히 평안하고 한가로운 생활을 보내고 있었다. 그에게는 두 아들이 있었는데, 첫째는 사마사司馬師고, 둘째는 사마소司馬昭였다. 두 아들 모두 담이 크고 지혜로우며 병서를 깊이 익혀 아버지의 눈으로 보아도 믿음직한 청년들이었다.

사마의의 얼굴빛이 어딘지 어두워 보이자 사마소가 물었다.

"아버지, 무슨 걱정이라도 있으십니까?"

"흠, 아무런 걱정도 없느니라."

사마의는 마디가 굵은 손가락을 빗으로 삼아 긴 구레나룻을 쓸어내리고 있었다. 큰아들 사마사가 아비의 어두운 표정을 살피며 말했다.

"저는 알고 있습니다. 지금 아버지의 가슴속에는 울분과 같은 것이 일고 있습니다."

"시끄럽구나. 너희가 무엇을 알겠느냐."

"아닙니다. 분명 그렇습니다. 아버지는 황제의 부름이 없음을 한탄하고 계시는 것입니다."

"뭐라고?"

그러자 둘째 사마소도 큰 소리로 단언했다.

"그것이라면 너무 걱정하지 않으셔도 됩니다. 분명 가까운 시일 안에 황제께서 부르실 것입니다."

사마의는 깜짝 놀라며 두 아들을 흐뭇하게 바라보았다.

그로부터 며칠 지나지 않은 어느 날, 정말로 칙사가 사마의의 집 앞에 당도했다. 사마의는 당연히 칙명을 받들어 즉시 완성의 각 지역에 격문을 돌렸다.

평소에 그의 이름을 따르고 흠모하는 자들이 적지 않아 많은 군마들이 모여들었다. 사마의는 예정한 병사들의 수가 채워지기까지 한가롭게 기다리지 않고 그날부터 행군을 시작했다. 뒤늦게 당도한 군사들은 뒤를 쫓아 그의 군대에 합류했다. 사마의의 군세는 행군이 계속될수록 늘어났다. 사실 그가 그토록 서두른 데에는 그럴 만한 이유가 있었다. 사마의는 시골에 있어도 촉군의 전황을 자세하게 알고 있었고, 또 근래에 신성의 맹달이 배신할 것이라는 정보를 은밀히 듣고 있었기 때문이다.

그러한 소식을 사마의에게 밀고한 사람은 금성의 태수인 신의申儀의 가신이었다. 맹달은 금성과 상용의 태수에게 이미 비밀을 털어놓고 낙양을 공략할 계획을 준비하고 있었던 것이다. 사마의가 며칠 동안 근심을 했던 것도 바로 그 때문이었다. 관직에서 물러난 이래, 근심 어린 기색이 없던 아버지가 평소와 다른 모습을 보이자, 그 이유를 헤아리고 때를 짐작한 그의 두 아들도 대단하지 않을 수 없었다. 사전에 이를 알게 된 것은 어쩌면 위의 국운과 황제의 홍복이라 할 수 있을 것이다. 만일 사마의 일가가 없었더라면 낙양과 장안은 일시에 궤멸당했을 것임에 틀림없었다.

사마의는 낙양으로 향하지 않고 신성을 향해 서둘러 진군했다. 두 아들이 다소 걱정스러운 듯 아버지에게 고했다.

"아버지, 일단 낙양에 올라가서 황제를 알현하고 정식으로 칙명을 받지 않으셔도 괜찮겠습니까?"

"괜찮다. 지금 그럴 시간이 없다."

사마의가 화급을 다툰 이유는 공명이 걱정하며 예상하고 있던 것과 완전히 일치했다.

* * *

사마의 중달의 군대는 이틀에 갈 거리를 하루에 갈 정도로 대단히 신속하게 움직였다.

그에 앞서 사마의는 참군 양기梁畿에게 신성 부근에 다음과 같은 말을 퍼뜨리라고 명했다.

"사마의의 군대는 낙양으로 올라가 황제의 칙서를 받은 후, 공명을 친다고 한다. 그때 공을 세우고 이름을 알리고 싶은 자는 사마의의 군으로 오라."

물론 이는 신성에 있는 맹달을 안심시키기 위한 계략으로, 사마의의 대군은 신성을 향해 진군하는 중이었다. 그러던 중 장안으로 가는 위의 우장군 서황을 만났다. 서황이 그에게 물었다.

　　"지금 위제께서는 장안으로 행차하시어 조진을 독려해 공명을 치려 하는데, 도독은 어디로 가는 중이시오?"

　　"제가 지금 가는 곳은 바로 맹달이 있는 신성입니다."

　　사마의가 서황의 귀에다 대고 사실을 털어놓자, 서황이 기뻐하며 말했다.

　　"그렇다면, 내가 선봉에 서겠소이다."

　　뜻밖의 원군을 얻은 사마의는 그에게 선봉의 일익을 맡겼다.

　　얼마 후, 참군 양기가 사마의에게 뜻밖의 물건을 가지고 왔다. 바로 공명이 맹달에게 보낸 서찰을 훔쳐서 옮겨 적은 것이었다. 그것을 본 사마의가 아연실색하며 말했다.

　　"참으로 위험할 뻔했구나. 만일 맹달이 공명의 말에 따랐더라면, 모든 일이 물거품으로 돌아갔을 것이다. 실로 제갈량은 앉아서 천 리 앞을 내다보는구나. 그가 우리의 움직임을 예상하고 있으니, 한시라도 빨리 신성으로 가지 않으면 성공하지 못할 것이다."

　　사마의는 두 아들을 독려하며 밤낮을 가리지 않고 행군에 박차를 가했다.

　　그런 상황을 전혀 모르고 있는 맹달은 금성의 태수 신의와 상용의 신탐이 자신을 돕기로 한 것에 안심하고 있었다. 하지만 신의와 신탐은 위군이 성에 오면 그들과 내응하여 맹달을 치려는 속셈을 가지고 있었다.

"사마의가 낙양으로 가지 않고 장안으로 향한 듯합니다."

신성의 첩자가 각지에서 수집한 정보를 일일이 맹달에게 보고했다.

"처음에는 낙양으로 가려고 했지만, 도중에 서황을 만나 위제가 수도에 없다는 얘기를 듣고 길을 돌려 장안으로 향하고 있는 듯합니다."

맹달은 그런 소식을 들을 때마다 기뻐했다.

"모든 것이 내가 생각한 대로다. 이제는 날을 잡아 낙양을 공격할 일만 남았다."

맹달은 신탐과 신의에게 파발을 보내 군사를 일으킬 날을 잡도록 재촉했다.

그런데 다음 날 아침, 아직 잠에 빠져 있던 신성의 병사들은 성 아래 한쪽에서 들려오는 북소리에 깜짝 놀라 일어나야만 했다. 맹달도 놀라 옷을 입고 성루로 뛰어 올라갔다. 위의 우장군 서황의 깃발이 해자 근처에서 나부끼고 있었다.

"아니, 어느 틈에!"

맹달은 활을 집어 깃발 아래 보이는 장수를 향해 쏘았다. 화살은 서황의 이마 한가운데에 꽂혔다. 서황은 말에서 고꾸라지고 말았다.

기세를 올리며 급습해온 서황의 군사들은 서전의 초입에서 대장을 잃자 사기가 꺾였다. 성루에서 지켜보고 있던 맹달은 냉정을 되찾고 기세를 올리며 소리쳤다.

"적장 서황이 내 화살에 쓰러졌고, 곧 금성과 상용에서 원군이 올 것이다. 모두 성을 나가 두려움에 떨고 있는 적병을 모조리 베어버려라."

맹달은 금성에 연락을 취하는 한편, 직접 말을 타고 나가 도망치는 위군을 쫓았다. 그런데 적을 쫓아가면 갈수록 적병의 수는 늘어나고 적의 군세는 점점 더 확장되었다. 맹달이 문득 뒤를 돌아보니 천군만마 속 금빛 비단에 '사마의'라는 검은 세 글자가 수놓아져 있었다.

"아뿔싸, 서황의 군사들만 있었던 것이 아니구나."

맹달이 당황해서 후퇴하려 했을 때에는 이미 그의 병사들의 대오가 무너지고 있었다. 맹달이 성으로 돌아와 성문을 열라고 소리치자 대답 소리와 함께 성문에서 튀어나온 것은 신탐과 신의의 군사들이었다.

"역적아, 네 운도 다했다."

"포기하고 천벌을 받아라."

그들은 맹달이 자신의 편이라고 굳게 믿고 있던 두 사람이 틀림없었다. 맹달이 어찌 된 일인지 고함을 쳤지만 신탐과 신의는 그런 맹달을 비웃으며 말했다.

"네가 성으로 돌아온 것은 어리석은 행동이었다. 성곽 높이 휘날리고 있는 것이 촉의 깃발인지, 위의 깃발인지 똑똑히 보아라. 저승길의 선물이다."

성곽 위에서 이보李輔와 등현鄧賢 등의 위의 장수가 빗발치듯 화살을 쏘았다. 맹달은 혼비백산하여 도망치려 했지만, 뒤쫓아온 신탐이 창으로 그의 등을 꿰뚫자 비명 소리와 함께 말에서 떨어져 죽었다.

사마의는 항복한 병사를 거두고 아군을 규합해 승전보를 울리며 신성에 입성했다. 그사이 맹달의 목은 낙양으로 보내졌다. 사마의는 이보와 등현에게 신성을 맡기고 신탐과 신의의 군사와 함께 서둘러 장안으로 향했다.

맹달의 목이 낙양 저잣거리에 내걸리고 그의 죄와 전황이 알려졌다. 촉군을 두려워하던 낙양의 백성들은 갑자기 봄이 찾아온 듯 생기를 되찾고 소리치며 기뻐했다.

"사마의가 일어섰다."

"사마의 중달이 다시 위군을 지휘한다."

위제 조예는 이미 장안까지 행차해 있었다. 사마의가 다가오자 조예가 옥좌 가까이 그를 불러 말했다.

"내 일찍이 그대를 내쫓은 일은 오로지 적의 모략 때문이었네. 지금은 깊이 후회하고 있네. 그대가 이를 원망하지 않고 국난에 달려와 반역을 꾀한 맹달을 응징했으니, 짐은 기쁘기 그지없네. 만일 그대가 없었다면 장안과 낙양은 적의 손에 넘어갔을지도 모를 것이네."

사마의는 감읍하여 고했다.

"황제의 칙명을 받지도 않고 도중에 전단을 벌이는 무례를 범한 죄, 송구하기 그지없사옵니다. 그런데 이처럼 따뜻하게 맞아주시니 신은 몸 둘 바를 모르겠습니다."

"아니오. 질풍과 같은 계략과 번개 같은 공격은 손자와 오자를 능가하는 듯하구려. 병은 때가 중요한 법이오. 앞으로 사태가 긴박할 시에는 짐에게 고하지 말고 부디 경이 판단하여 행동하도록 하시오."

조예는 사마의에게 전례가 없는 파격적인 특권을 부여하며 황금도끼(금부金斧·금월金鉞) 한 쌍을 하사했다.

115
가정 싸움과 읍참마속泣斬馬謖

사마의는 가정 싸움에서 마속을 물리치고,
공명은 거문고를 타서 사마의를 쫓은 후 마속의 목을 친다

위의 대진영이 갖추어졌다.

영주潁州 양적陽翟 사람인 신비辛毘는 자가 좌치佐治로 일찍부터 큰 재주를 떨쳤다. 지금 그는 군사軍師의 직을 맡아 위주 조예를 가까이에서 섬기고 있었다. 또 자가 덕달德達인 손례孫禮는 호군의 대장으로 5만 명의 정예군을 이끌고 조진의 대군에 합세했고, 사마의 중달은 장안의 관關 밖에서 총군 25만 명을 선형진扇形陣으로 포진시켰다. 사마의 중달의 선봉장은 하남河南의 장합張郃이 맡았다. 자가 준의儁義인 장합은 사마의가 직접 황제에게 천거한 장수였다.

사마의가 대전을 앞두고 장합을 불러 말했다.

"적을 과대평가하는 것은 아니지만, 제갈량은 불세출의 영웅이자 당대의 일인자라 할 수 있소. 그러니 그를 치는 것은 쉬운 일이 아니오."

사마의는 그렇게 운을 뗀 뒤, 다시 말을 이었다.

"만일 내가 제갈량의 입장에서 위를 공격하려 한다면, 이 지방은 산과 계곡이 험난하여 길이 10여 곳밖에 없으니, 먼저 자오곡을 통해 장안으로 진입하는 작전을 취할 것이오. 하지만 제갈량은 필시 그렇게 하지 않을 것이오. 이제까지 그의 싸움 양상을 보면, 그는 주의 깊은 용병술로 어떠한 경우에도 절대 지지 않을 만한 땅을 취하여 싸우기 때문이오."

그는 마치 공명의 마음을 손바닥에 펼쳐놓고 있는 듯 설명했다. 장합은 영웅이 영웅을 알아본다는 말을 떠올리며 사마의의 말을 경청했다.

"제갈량은 야곡(미현郿縣의 서남쪽 30리·야곡관斜谷關)으로 나와 미성郿城(협서성·미현)을 취하고, 그곳에서 병사를 나눠 기곡箕谷(부하성府下城 현縣의 북쪽 20리)으로 향할 것이오. 내 대책은 격문을 보내 조진의 군사에게 속히 미성의 주변을 굳게 지키게 하고, 기곡으로 통하는 길에는 기병奇兵을 매복시켜두어 제갈량이 이곳을 지날 때 격파하는 것이오."

"장군께서는 어떻게 하실 것입니까?"

사마의가 목소리를 낮추어 말했다.

"진령秦嶺의 서쪽에 가정街亭이라고 하는 고지가 있고, 그 옆에 열류성列柳城이라는 성이 하나 있소. 이 산과 성이야말로 바로 한중의 목구

멍이라 할 수 있소. 제갈량은 조진이 그다지 현명한 자가 아니라는 것을 알기 때문에 아직 그곳까지는 군사를 돌리지 못했을 것이오. 장합, 그대와 내가 바로 그곳을 치는 것이오."

"참으로 신묘한 계책입니다. 실로 이는 칼로 적의 폐부를 도려내는 것과 같을 것입니다."

"가정을 취하면 제갈량도 한중으로 물러갈 수밖에 없을 것이오. 또한 이로써 병량을 운송하는 길 역시 끊어질 것이오."

"농성의 각 군郡도 병량이 끊기면 붕괴하고 퇴각할 수밖에 없을 것이니, 어느 누가 도독의 계책을 헤아릴 수 있겠습니까."

"계책만을 듣고 그렇게 기뻐하지 마시오. 상대는 제갈량으로 맹달과 같은 부류와 비교가 되지 않으니 속단할 수 없소."

"알겠습니다."

"1리를 나아가면 10리 앞까지 척후를 보내 살피고, 10리를 나아가면 적의 복병을 살피며, 주도면밀하게 행동해야 할 것이오."

"명심하겠습니다."

"그럼 이제 준비를 하시오."

사마의는 장합을 선봉으로 보낸 후 우필祐筆에게 명하여 격문을 쓰게 했다. 그것을 조진의 본영으로 보내 작전의 방침을 전하는 한편, 공명의 유인책에 넘어가 섣불리 군사를 움직이지 않도록 주의를 주었다.

바야흐로 기산(감숙성·공창鞏昌 부근) 일대의 산악과 광야를 경계로 위와 촉의 첫 번째 천하대전이 벌어지려 하고 있었다.

그곳의 광대한 지형은 바로 공명이 직접 선택한 전장이었다. 이 대전에 앞서 촉군이 먼저 지리적인 우위를 점하고 있다는 사실은 말할 필요도 없었다. 공명은 신성이 함락되었다는 소식을 들었을 때, 주위 사람들에게 이렇게 말했다.

"맹달의 죽음은 그리 애달파 할 것이 못 되지만, 사마의가 그리 빨리 대군을 이끌고 왔다 하니, 가정 땅이 심히 염려되오. 그는 바로 가정을 노릴 것인데, 가정은 우리의 목구멍과 같은 요지이오. 잠시도 지체할 수 없으니, 속히 누군가를 보내 그곳을 지켜야겠소."

공명은 누구를 보내야 할지 고민하며 주위를 둘러보았다. 그때 참군 마속이 얼굴을 들며 앞으로 나왔다.

"승상, 저를 보내주십시오."

공명의 심중에는 마속이 들어 있지 않았다. 하지만 마속은 열의를 다해 청했다.

"비록 사마의와 장합이 아무리 명장이라고 해도, 저 역시 오랫동안 병법을 배워왔습니다. 특히 약관의 나이가 지났음에도 아무런 공도 세우지 못한 것은 부끄러운 일이 아닐 수 없습니다. 가정 땅 하나를 지키지 못할 정도라면 앞으로 무인의 몸으로 무슨 쓸모가 있겠습니까. 부디 저를 보내주십시오."

마속은 공명을 아버지처럼 따르며 스승으로 공경하고 있었다. 공명 역시 아비의 심정으로 다년간 그의 성장을 지켜보았다. 본래 마속은 이릉대전夷陵大戰에서 전사한 마량의 동생이었다. 마량과 공명은 문경지교刎頸之交를 나누던 사이로, 마량이 죽자 공명은 그의 유족을 모두 거두어 정성을 다해 돌보고 있었는데, 특히 마속의 재주와 기량을 높이 사서 총애하고 있었다.

유비는 일찍이 공명에게 '마속은 재기才器가 부족하니 중요한 일에는 쓰지 말라'고 했지만, 공명은 어느새 그 말을 잊어버릴 정도로 그를 아꼈다. 마속이 성장하면서 군사와 병법 등에 재능을 보이자 공명은 그의 대성을 마음속 깊이 기뻐하고 있었던 것이다.

그리고 지금, 마속이 간절히 고하자 공명의 마음이 움직였다. 아직 젊은 마속이 맡기에는 너무나 막중한 일이라고 생각했지만, 강한 적을 상대로 어려운 싸움을 겪게 하여 단련시키는 것도 그의 앞날을 위해 좋은 경험이라고 마음을 고쳐먹은 것이었다.

"그대가 가겠는가?"

공명의 말에 마속은 만면에 희색을 띠며 답했다.

"만일 제가 실수를 한다면 제 일문과 권속을 군벌에 처해도 마다하지 않겠습니다."

"진중에는 희언이 없는 법이다."

공명은 지엄하게 다짐을 두고 다시 말했다.

"적의 사마의와 부장 장합은 절대로 만만한 상대가 아니니, 깊이 명심하여 소홀함이 없어야 할 것이다."

공명은 이어서 아문장군 왕평에게 말했다.

"그대는 매사에 신중하고 경솔히 행동하지 않는 법이 없소. 이에 특별히 마속의 부장으로 삼아 보내려 하니, 반드시 가정 땅을 잘 지키도록 하시오."

공명의 주도면밀함은 여기서 끝나지 않았다. 가정 부근의 지도를 펼쳐놓고 지형에 따른 포진 방법을 상세하게 설명했다. 또한 절대로 먼저 장안을 공격하지 말 것이며, 요지를 장악하고 적이 한 명도 오가지 못하도록 하는 것이 장안을 취하는 가장 좋은 방법임을 몇 번이나 강조했다.

"알겠습니다. 존명을 받들어 사수하겠습니다."

마속은 부장 왕평과 함께 병사 2만 명을 이끌고 가정으로 떠났다.

그들이 떠나고 하루 뒤, 공명은 고상高翔에게 군사 만 명을 내리며 명했다.

"가정 동북 쪽 산기슭 옆에 열류성이라는 곳이 있소. 그대는 그곳에 진을 치고 있다가 만일 가정이 위태로우면 즉시 군사를 이끌고 가서 마속을 도우시오."

그래도 공명은 불안함이 가시지 않았다. 군의 대사를 처리하는 데 있어 일말의 사적인 감정이 개입한 것을 스스로도 깨닫고 있었던 것이다. 그런 그는 위연을 후군으로 보내고, 다시 조자룡과 등지의 양군을 기곡 방면으로 보내 엄호하게 했다. 그리고 자신이 속한 본군은 강유를 선봉으로 삼아 야곡에서 미성으로 향했다. 먼저 미성을 취하여 장안으로 진출할 통로를 확보할 생각이었던 것이다.

한편 마속은 가정에 도착하자 바로 지세를 둘러보았다. 그가 큰 소리로 웃으며 말했다.

"아무래도 승상께서 심려가 크다 보니 지나치게 신중을 기하시는 듯하구나. 산이라고 하나 그리 큰 산도 아니고, 겨우 사람이 지날 수 있는 정도의 샛길이 몇 개 있을 뿐인 이곳에, 어찌 위가 대군을 보내겠는

가. 승상의 작전은 항상 신중함의 도가 지나쳐 오히려 아군에게 의심하는 마음을 들게 하는구나."

이윽고 마속은 산 위에 진을 치라고 명령했다. 그러자 부장 왕평이 경계하며 말했다.

"승상이 명하신 취지는, 산의 샛길들의 입구를 막고 차단하는 데 있소이다. 만일 산 위에 진을 치면 위군은 산기슭을 포위할 터이니, 그때는 승상께서 내리신 임무를 완수할 수 없을 것이오."

"그것은 아녀자와 같은 생각으로, 대장부가 취할 바가 못 되오. 이 산이 낮다고는 하나 삼면이 험한 낭떠러지이니 만일 위군이 공격해오면 그들을 맞아들여 치기에 안성맞춤이오."

"승상께서는 싸워 이기라고 명하지 않으셨소이다."

"더 이상 함부로 혀를 놀리지 마시오. 손자가 이르길, 죽을 곳에 들어간 뒤에야 살 길이 생긴다 했소. 나는 어릴 때부터 병법을 배우고 승상조차 무슨 일이 있으면 그 방법을 내게 의논하시곤 했소. 잠자코 내 명에 따르면 될 것이오."

"그럼 참군께선 산 위에 진을 치시오. 나는 군사 5천 명을 이끌고 산기슭에 진을 치고 기각지세掎角之勢를 이뤄 지키도록 하겠소."

마속은 대장의 권위가 훼손당한 기분이 들어 노골적으로 불쾌한 기색을 드러냈다. 그의 마음속에는 특별히 대장으로 선발된 자부심과 평소에 공명의 총애를 받고 있다는 자만심이 있었던 것이다.

가정에 도착한 주장과 부장이 이렇듯 의견을 달리하고 있는 사이, 근처 군에 사는 백성들이 피난을 와 위군이 오고 있다는 소식을 전했다.

미속은 더 이상 지체하지 말고 산 위에 진을 치라고 명했다. 왕평은 군사 5천 명을 이끌고 산기슭에 진을 쳤다. 그리고 두 사람의 포진을 상세하게 그리게 한 다음 공명의 명을 받기 위해 파발을 보냈다.

포진을 끝낸 마속은 산기슭을 바라보며 이를 갈았다.

"왕평, 저자가 끝내 내 명에 따르지 않는구나. 개선한 뒤에 승상 앞에서 반드시 군율을 어긴 죄를 묻겠다."

다음 날, 또 다음 날, 마속은 아군의 고상과 위연 등이 후군을 두어 자신을 돕고 위군을 견제하고 있다는 소식을 들었다. 그러자 그는 더욱 자만심이 들어 위군이 몰려오면 단숨에 산을 내려가 일격을 가하겠다고 마음먹었다.

한편 사마의 중달은 가정에는 아직 촉군이 한 명도 오지 않았을 것이라고 생각하고 있었다. 그런데 선봉을 섰던 장합이 사마의의 선발대인 사마소에게 가서, 가정에 이미 촉군의 깃발이 나부끼고 있다는 말을 전했다. 사마소는 혼자 당해낼 수 없다는 것을 깨닫고 급히 되돌아가 사마의에게 상황을 전했다.

"아아, 과연 제갈량은 귀신과 같은 자로구나. 이미 늦었단 말인가."

사마의는 크게 놀라며 한동안 망연자실했다. 곧이어 사마의는 본진을 움직여 가정, 기곡, 야곡의 세 곳을 철저히 살펴보게 했다.

그리고 어느 날 밤, 사마의는 열 명 정도의 병사를 이끌고 전선을 암행했다. 그리고 달빛을 이용해 은밀히 적진에서 가까운 네 곳의 산을 둘러보았다. 한 고지에서 촉의 진용을 바라보던 사마의가 의아해하며 말했다.

"하늘이 도우려는 건지, 적은 절지絶地에 진을 쳐 패배를 자초하고 있구나."

사마의는 본진으로 서둘러 돌아와 참군들을 불러 모았다.

"가정을 지키는 촉의 대장은 대체 누구인가?"

참군들이 마속이라 말하자 그가 크게 기뻐하며 말했다.

"천려일실千慮一失이라 하더니, 제갈량도 사람을 쓰는 데 실수를 하는구나. 산을 지키고 있는 촉의 대장은 실로 어리석은 자이니, 단숨에 물리칠 수 있을 것이다."

사마의가 장합에게 명령했다.

"산의 서쪽 10리 기슭에 촉의 일진이 있소. 그대는 그곳을 공격하시오. 나는 신탐과 신의, 양군을 지휘하여 산 위의 명맥命脈을 끊을 것이오."

'산 위의 명맥'은 바로 군중에 없어서는 안 될 '물'이었다. 촉군은 그 물을 산 아래에서 퍼오고 있던 것이다.

다음 날, 장합은 왕평군을 고립시키기 위한 행동에 들어갔다. 즉 산 위의 군사와의 연계를 차단하고, 산 위의 군사들이 이용하는 물길을 위군이 끊을 때 방해하지 못하도록 하는 것이었다. 사마의도 직접 대군을 이끌고 와서는 가정의 산기슭을 몇십 겹으로 둘러쌌다.

"붉은 깃발이 움직이면 일시에 공격하여, 기어 올라오는 적병을 모조리 섬멸하라."

마속은 군사들에게 그렇게 말하며 유리한 곳을 점유하고 있었다. 그런데 어찌 된 일인지 적들은 함성과 북소리만 울리고 산 위로 공격해

오지 않았다.

"겁을 집어먹은 것이 분명하다. 그렇다면 산을 내려가 박살을 내도록 하라."

마속은 공을 세우는 것에 집착하여 일을 서둘렀다. 그는 군사들을 이끌고 샛길로 내려갔다가, 적장 두 명의 목을 베어 다시 산 위로 돌아왔다. 촉군은 서전에서 이겼지만 돌아오는 중에 힘이 다 빠져버렸다. 또 산길을 올라오다 적의 추격대의 공격을 받아 많은 사상자가 발생했다.

눈앞의 승패에 집착하던 마속은 당장 그날 밤부터 물 문제에 직면하게 되었다.

"뭐라, 적이 물을 가져오는 통로를 끊었단 말인가?"

마속이 깨달았을 때에는 이미 늦었다. 그 후 물길을 탈환하기 위해 몇 번이나 공격을 시도했지만 피해만 입고 물러날 수밖에 없었다. 날이 지나면서 산 위의 군마는 갈증에 시달렸다. 밥을 지을 물이 없어 생식이나 화식을 할 수밖에 없었다. 아무리 기다려도 비는 내리지 않았다. 또한 밤중에 산을 내려간 병사들은 모두 돌아오지 않았다. 적에게 발각되어 죽은 줄 알았는데, 실은 모두 위에 투항한 것이었다. 그사이 많은 병사가 일시에 산을 내려가 적에게 항복했고, 사마의는 산 위의 곤궁함을 여실히 알게 되었다. 그리고 그때를 놓치지 않고 총공격을 개시했다.

마속도 서남의 샛길을 이용해 단숨에 산을 내려갔다. 사마의는 일부러 길을 열어 마속의 군사들을 지나게 하고는, 그들이 산에서 멀어지자 비로소 포위망을 좁혀 일제히 공격했다.

가정의 배후에 있던 위연과 고상은 마속을 도우러 오는 도중에 사마소의 복병을 만나 치열한 싸움을 벌였다. 여기에 왕평도 합세하자 서로 뒤엉켜 대혼전이 벌어졌다. 어느 쪽이 이기고 어느 쪽이 진 것인지 분간할 수 없을 만큼 온종일 엎치락뒤치락했다.

결국 가정을 둘러싼 격전은 촉의 대패로 끝났다. 산기슭에 진을 친 왕평, 후방군 위연, 열류성의 고상 등이 일제히 군사를 일으켜 마속의 군대를 도왔지만, 10여 일 동안 고립되어 물도 마시지 못한 마속의 군대는 싸울 힘을 상실했고, 위군의 포위망에 갇혀 궤멸되고 말았다.

그럼에도 양군의 싸움은 산과 들에서 2, 3일 동안 계속되었다. 사마의는 위연이 마속을 구출하기 위해 움직일 것을 예상하고, 사마소에게 명하여 그의 측면을 치게 했다. 또한 장합은 많은 수의 기병을 내보내 적장 마속의 목을 치려고 했지만, 왕평과 고상의 군대가 측면을 지원해 뜻을 이루지 못했다. 하지만 위연의 군대도 큰 피해를 입었고 왕평의 군대도 비참하게 패하고 말았다.

나흘째 아침, 촉군은 간신히 군사들을 수습하여 열류성으로 들어가 차선책을 논의하기로 했다. 그런데 열류성으로 향하는 도중에 새로운 적과 조우하게 되었다. 바로 조진의 부도독인 곽회의 군대였다.

곽회는 대도독 조진과 함께 기산에서 공명의 본군과 대치하다 사마의가 가정을 공략한다는 소식을 듣고 공을 빼앗길 것을 염려해 급히 열류성을 취하러 온 것이었다.

"적의 새로운 군대와 싸우는 것은 자살행위와 마찬가지이다."

위연과 고상은 급히 길을 돌려 양평관으로 들어가 수비에 치중했다.

그것을 안 곽회가 서둘러 열류성으로 향했다. 그리고 얼마 후 성 앞에 도착해보니, 성루에 수많은 깃발이 펄럭이고 있었다.

"촉군이 아직 남아 있는 것인가?"

하지만 자세히 살펴보니 그것은 모두 위군의 깃발이었다. 그중 단연 눈에 띄는 붉은색 큰 깃발에는 '평서도독 표기장군 사마의'라고 쓰여 있었다.

"곽회, 무엇을 하러 온 것인가?"

사마의 중달이 성의 높은 누각에 기대어 껄껄 웃고 있었다. 곽회는 크게 놀라며 도저히 사마의에게는 미치지 못한다는 것을 깨닫고 진심으로 그에게 경의를 표했다.

"가정을 빼앗긴 이상, 공명도 도망칠 수밖에 없을 것이오. 그대는 신속히 군대를 이끌고 가 공명을 쫓아 섬멸하시오."

사마의는 곽회를 서둘러 떠나보내고, 장합을 불러 명했다.

"위연과 왕평은 패군을 이끌고 양평관을 지킬 것이지만, 경솔하게 그들을 공격하면 이내 공명은 우리의 후방을 쳐서 전세를 만회하려 할 것이오. 우리는 지금부터 샛길을 이용해 촉군의 후방으로 돌아갈 것이니 그대는 산길을 통해 기곡으로 진출하시오. 그리고 혹여 촉군이 패하여 도망치더라도 그들을 쫓지 말고 무기와 병량, 말 등을 수습한 후 서둘러 야곡을 둘러싸시오. 그 후 서성西城을 점령하고 다음 작전으로 들어가도록 하시오. 서성은 산속에 있는 작은 현이지만, 그곳에는 분명 촉군이 병량을 저장해놓은 곳이 있을 것이오. 멀리 원정을 온 그들의 병량을 빼앗으면 적은 퇴각할 수밖에 없으니 굳이 우리 군사를 희생시킬 필요가 없을 것이오."

사마의는 장합이 기곡으로 떠나자, 신탐과 신의를 열류성에 남겨두
어 지키게 하고, 자신도 군사를 이끌고 진군했다. 그의 전법은 이기면
이길수록 더욱 견실해졌다.

그 무렵 공명은 왕평이 보낸 포진도와 서찰을 받고 당혹감을 감추지
못했다.

"마속, 참으로 어리석은 자로다. 내 그토록 다짐을 두고 일렀건만,
필부 마속이 기필코 아군을 함정에 빠뜨리고 말았구나."

공명은 아랫입술에서 피가 베어날 만큼 입술을 꽉 깨물었다. 장사
양의가 처음 보는 공명의 모습에 놀라 물었다.

"승상, 어찌 그리 탄식하시는 것입니까?"

"이것을 보라."

공명이 왕평의 포진도와 서찰을 내던지며 말했다.

"철딱서니 없는 마속이 요로의 수비를 버리고 일부러 산 위의 험지
에 진을 쳤으니, 이 얼마나 어리석은가. 위군이 산기슭을 둘러싸고 물
길을 끊으면 끝장이라는 것을 몰랐단 말인가. 아무리 젊다고 해도 이
렇게까지 생각이 짧을 줄은 몰랐네."

"그럼 제가 즉시 가서 승상의 명령이라 하고 포진을 바꾸도록 하겠
습니다."

"너무 늦지 않았으면 좋겠지만, 상대는 사마의 중달이네. 필시……."

"밤낮을 가리지 않고 서두르면 되지 않겠습니까."

양의가 군사를 정비하는 사이, 파발이 연이어 도착해 가정과 열류성

이 적의 수중에 넘어간 사실을 고했다. 이윽고 공명은 하늘을 우러르며 절규했다.

"아, 대사를 그르치고 말았구나. 이 모두 내 잘못이다!"

공명은 관흥과 장포를 급히 불러들였다.

"그대들은 각각 기병 3천 명을 이끌고 무공산武功山의 샛길에 매복해 있다 위군이 나타나면 공격은 하지 말고 오직 북을 치며 함성을 지르라. 이에 적들이 놀라 도망치면 그들을 쫓지 말고, 적들의 모습이 완전히 사라진 것을 확인하고 양평관으로 들어가라."

"잘 알겠습니다."

공명은 이어서 장익을 불러 검각劍閣(협서·감숙의 경계)의 산에 길을 만들라고 명한 후, 비장한 어조로 말했다.

"우리는 그곳을 통해 퇴각을 할 것이다."

공명은 이미 총퇴각 외에는 방도가 없음을 깨닫고 주도면밀하게 퇴각 준비를 시켰다. 그리고 마대와 강유의 양군을 후군으로 삼은 후, 비통한 얼굴로 명령했다.

"그대들은 산골짜기에 숨어 있다 적이 오면 이를 막고, 도망쳐오는 아군을 수습한 후에 적당한 때를 가늠하여 후퇴하라."

공명은 마충에게도 명령을 내렸다.

"조진의 진영을 측면에서 공격하라. 조진은 그 기세를 두려워하여 함부로 군사를 움직이지 못할 것이다. 그사이에 우리는 사람을 보내 천수, 남안, 안정에 있는 군사와 관민 모두를 다른 곳으로 옮긴 후 다시 한중으로 들여보낼 것이다."

그렇게 퇴각의 수순이 정해졌다.

공명은 직접 군사 5천 명을 이끌고 가장 먼저 서성현西城縣으로 갔다. 그러고는 그곳에 저장해놓은 병량을 한중으로 옮기기 시작했다. 그때 병사가 와서 보고했다.

"큰일입니다. 사마의가 직접 군사 15만 명을 이끌고 이곳으로 진군해오고 있습니다."

공명의 얼굴빛이 창백해졌다. 주위를 둘러보니 믿을 만한 장수들은 임무를 주어 보냈고, 남은 사람은 모두 문관들뿐이었다. 게다가 데려온 5천 명의 병사 중에서 절반은 병량 운송을 위해 한중으로 보낸 터라 지금 서성현 성안에는 병력이 턱없이 부족했다.

앞쪽 산기슭의 세 갈래 길에서 위의 대군이 깃발을 앞세우고 물밀듯 밀려오고 있었다. 성안의 병사들은 어찌할 바를 모르고 두려움에 떨었다. 공명은 성루에 서서 밀려오는 적병들을 물끄러미 바라보고 있었다.

이윽고 공명이 성안의 병사들을 향해 준엄한 목소리로 명을 내렸다.

"사대문을 모두 열라. 모든 문에는 물을 뿌리고 화톳불을 환하게 피우고 귀인을 맞아들이는 것처럼 청소를 하라."

그리고 한층 높은 목소리로 고했다.

"함부로 소란을 피우는 자는 목을 칠 것이다. 모두 정연하고 침착하게 깃발을 정렬시킨 후 깃발 아래 모여 숲과 같이 침묵을 지키고 움직이지 말라. 사대문을 지키는 병사는 특히 태연하게 서서 적이 다가오더라도 전혀 개의치 말라."

이내 공명은 평소에 두르고 있던 윤건 대신 화양건華陽巾을 두르고,

학창의도 새것으로 갈아입었다. 그리고 동자 두 명에게 거문고를 들게 하고 성루의 가장 높은 곳으로 올랐다. 그는 높은 누각의 네 곳의 문을 모두 열어젖히고 향을 피운 후 거문고를 무릎 위에 걸쳐놓았다.

드디어 위의 선봉이 성 근처까지 몰려왔다. 공명의 모습을 본 선봉대는 어쩐지 의심스러운 마음이 들어 즉시 중군의 사마의에게 보고했다.

"제갈량이 거문고를 타고 있단 말인가?"

사마의는 믿지 못하고 직접 말을 달려 성으로 갔다. 그가 성 아래에서 올려다보니, 달빛이 비치는 높은 누각에 향을 피워놓고 한가로이 거문고를 타는 사람이 있었다.

"아, 제갈량."

청려한 거문고 소리는 바람을 타고 난간을 맴돌다 밤하늘의 달빛에 실려 병사들의 귓전으로 흘러들었다. 사마의 중달은 무슨 일인지 몸을 부들부들 떨었다.

눈앞의 성문들은 활짝 열려 있어 어서 들어오라는 듯했고, 물을 뿌리고 청소를 하고 있는 주위에는 화톳불이 활활 타올랐고, 문을 지키는 병사들은 무릎을 껴안고 앉아 잠들어 있는 듯했다.

사마의는 황급히 소리쳤다.

"물러나라. 후퇴하라."

그의 둘째 아들 사마소가 말했다.

"아버지, 적의 속임수가 분명한데 어찌 후퇴하라 명하시는 것입니까?"

사마의는 세차게 고개를 내저었다.

"사대문을 열고 저런 모습을 보이는 것은 나를 화나게 하여 끌어들이려는 계략이다. 상대는 제갈량, 그의 계책을 헤아릴 수 없으니 여기서 물러날 수밖에 없다."

마침내 위의 대군이 물러가자 공명은 손뼉을 치며 웃었다.

"천하의 사마의도 자신의 꾀에 넘어가는구나. 만일 그의 15만 대군이 성안으로 들어왔더라면, 거문고 하나로 무엇을 할 수 있었겠는가. 이는 천우신조라 할 수 있다."

공명은 부하들에게 말했다.

"성안의 병사는 불과 2천 명이었다. 만일 성을 버리고 도망을 쳤다 하더라도 지금쯤은 붙잡히고 말았을 것이다. 또 사마의는 지금쯤, 이곳에서 물러나 북산北山의 길을 취했을 것이 분명하니, 내 미리 매복시켜 놓았던 관흥과 장포의 공격을 받고 혼쭐이 나고 있을 것이다."

공명은 즉시 서성을 나와 한중으로 옮겨갔고, 서성의 관민들도 모두 한중으로 들어갔다.

공명의 예측대로 사마의의 군대는 북산의 협곡에 이르자 촉의 복병들에게 습격을 받았다. 하지만 관흥과 장포는 그들을 쫓지 않고, 그저 적이 버리고 간 수많은 병기와 병량을 수습해 서둘러 한중으로 향했다.

기산의 전방에 있던 조진의 본군도 공명이 도망쳤다는 소식을 듣고 급히 추격에 나섰지만, 기다리고 있던 마대와 강유의 기습을 받아 대장 진조陳造를 잃고 말았다.

한중에 들어간 공명은 바로 기곡의 산중에 있는 조자룡과 등지에게 전령을 보냈다.

나는 무사히 한중으로 들어왔으니, 경들도 무사히 이곳으로
오기를 바라오.

조자룡과 등지는 우군이 퇴각하는 것을 엄호하기 위해 산중에 남아
있었던 것이다. 두 장수는 우군이 모두 한중으로 들어갔다는 전령을
받고 퇴각 준비에 들어갔다. 조자룡은 먼저 등지의 부대를 선발로 보
내고 부하들과 골짜기에 매복을 했다.

"기산의 촉군이 퇴각하기 시작했으니 한 놈도 살려 보내지 말라."

위의 부도독 곽회가 맹렬히 추격에 나섰다. 그는 부장 소옹蘇顒에게
군사 3천 명을 주며 앞서 쫓을 것을 명했다.

"조자룡이 여기에 있다. 너는 누구냐?"

소옹의 앞에 창을 비껴든 노장이 모습을 드러냈다.

"앗, 조자룡이 아직 남아 있었구나."

소옹은 두려워하면서도 병사들을 독려하며 맞서 싸웠지만 끝내 조
자룡의 손에 죽고 말았다.

조자룡은 조용하고 신속하게 퇴각을 했다. 그러자 다시 곽회의 부하
장수 만정萬政이 더 많은 군사를 이끌고 쫓아왔다.

"너희는 30리 앞 봉우리에서 기다려라. 내가 곧 뒤따라가겠다."

조자룡이 부하들을 보낸 후 장수 몇 명만을 데리고 비탈진 샛길에
우뚝 서서 적을 기다렸다. 그 모습을 본 만정은 감히 다가가지 못하고
되돌아가 곽회에게 상황을 전했다.

"조자룡은 아직 예전의 명성을 잃지 않았습니다. 분명 아군이 큰 피

해를 볼 것입니다."

"기린도 늙으면 노새가 된다 하지 않는가. 그것은 이미 옛날 이야기일 뿐이다."

곽회는 만정에게 공격을 명했다.

조자룡은 언덕 위에 서 있었다. 그가 있는 좁은 샛길의 양옆은 절벽이었기 때문에 한꺼번에 많은 적병이 다가설 수 없었다. 결국 적병들은 조자룡이 휘두르는 창에 추풍낙엽처럼 쓰러졌다.

그사이 날이 저물었다. 두려움에 떠는 적을 뒤로한 채, 조자룡은 말을 내달렸다.

"조자룡이 도망친다."

만정이 뒤를 쫓아 숲 속까지 달려오자 조자룡도 뒤돌아 달려들었다. 만정은 허둥지둥하다 말과 함께 골짜기로 떨어지고 말았다. 조자룡이 내려다보며 만정에게 말했다.

"거기까지 목숨을 거두러 가기는 귀찮구나. 진영에 돌아가면 곽회에게 전하라. 언젠가 반드시 다시 만날 것이라고."

마침내 조자룡은 아군 병사를 한 명도 잃지 않고 한중으로 무사히 들어갔다.

그 후 사마의 중달은 촉군이 모두 한중으로 도망친 것을 확인하고, 서성의 군사를 이동시켰다. 그리고 아직 그곳에 남아 있는 백성들을 모아놓고 훈계를 했다.

"적을 따라 한중으로 도망친 백성들은 위의 인덕을 모르는 자들이다. 너희는 선조 대부터 살아온 이곳을 떠나서는 안 될 것이다."

사마의는 백성들에게 공명이 그곳에 있을 때의 정황 등에 대해 물어보았다. 나이 든 한 남자가 말했다.

"도독께서 대군을 이끌고 이곳 서성을 공격하러 왔을 때, 제갈량 밑에는 2천 명 정도의 약한 병사밖에 없었습니다. 그런데 왜 그렇게 갑자기 물러가셨는지, 저는 도무지 알 수 없어 괴이쩍게 생각했습니다."

사마의는 그제야 비로소 공명의 계책을 알게 되었다. 하지만 얼굴에 아무런 기색도 드러내지 않았다. 그저 나중에 홀로 하늘을 우러르며 길게 탄식할 뿐이었다.

"내 싸움은 이겼지만 끝내 제갈량에게는 미치지 못했구나."

사마의는 각지의 요새를 엄중하게 지키게 하고 장안으로 떠났다.

* * *

장안에 도착한 사마의는 조예를 알현했다.

"농성 각 군의 적을 모조리 쫓아냈지만, 촉의 병마가 아직 한중에 남아 있으니, 위의 안위가 군건하다고는 할 수 없습니다. 이에 황제께서 명을 내리시면 소신, 병마를 이끌고 촉으로 들어가 적의 뿌리를 뽑아 버리겠습니다."

조예는 그의 청을 기꺼이 받아들였다. 그러자 상서 손자孫資가 조예에게 간했다.

"지난날 태조 무조께서 장로를 평정하셨을 때, 군신들에게 이르시길, 남정 땅은 하늘의 감옥과 같고 야곡의 5백 리 길은 바위에 뚫린 구명과 같아 군사를 쓸 만한 곳이 못 된다 하셨습니다. 그럴진대, 촉에 들어가기 위해 그러한 험지에 발을 들여놓으면 오가 우리의 허를 노려 공격해올 것이 틀림없습니다. 그러하니 경계를 더욱 굳건히 하여 지키면서 오로지 국력을 충실히 하고 촉과 오의 허를 기다려야 할 것입니다."

조예는 두 의견 사이에서 망설이다 사마의에게 어떻게 하는 것이 좋을지 물었다.

"그 역시 일리 있는 주장입니다."

사마의는 굳이 반대하지 않았다. 이에 조예는 손자의 방침을 받아들여 장안의 수비에는 곽회와 장합을 두고, 각각의 요로도 만전을 기해 지키게 한 뒤, 낙양으로 돌아갔다.

그 무렵 공명은 한중에서 일찍이 맛보지 못한 패전의 고배를 마시고 후사를 정리하고 있었다. 모든 부대들이 속속 한중으로 돌아왔지만, 아직 조자룡과 등지의 부대가 돌아오지 않고 있었다. 공명은 그들의 무사를 확인할 수 없어 내내 마음을 졸였다.

이윽고 조자룡과 등지의 부대가 전군의 마지막으로 한중에 도착했다. 그들의 비참한 몰골을 보면 얼마나 여정이 험난했고 고전을 했는지 충분히 짐작할 수 있었다. 공명이 직접 마중을 나가 맞이했다.

"장군은 등지의 부대를 먼저 보내고 뒤에 남아 최후군의 대임을 완수했다고 들었소. 장군이야말로 진정한 대장군이라 할 수 있소이다."

공명은 조자룡의 노고를 위로하고 황금 5백 근과 비단 만 필을 상으로 내렸다. 하지만 조자룡은 완강히 사양했다.

"아무런 공도 없이 돌아가는 저희 삼군의 죄가 가볍지 않을 것입니다. 그런데 오히려 은전을 받는다면 승상의 상벌이 명확하지 않다는 비난을 받을 수도 있을 것입니다. 하니 금품은 잠시 창고에 넣어두셨다가, 곧 다가올 겨울에 군사들에게 조금씩이라도 나누어주면 추위를 녹일 수 있지 않을까 싶습니다."

공명은 깊이 감탄했다. 일찍이 선제 유비가 그를 두텁게 중용하고 깊이 신임한 이유를 새삼 깨달았다. 그와는 반대로 공명의 가슴속에는 아직 해결하지 못한 괴롭고 어려운 일이 남아 있었다. 바로 마속에 대한 문제였다.

"왕평을 부르라."

마침내 공명은 무거운 어조로 명령을 내려 군법회의를 열었다. 이내 왕평이 모습을 드러냈다. 공명은 가정의 패인을 왕평의 죄라고 생각하지 않았지만, 부장으로서 마속을 보좌하라고 보냈으니 먼저 그의 말을 들어보기로 했다.

"숨김없이 당시의 전후 상황을 고하도록 하라."

왕평은 모든 것을 고했다.

"가정에서의 포진은 현지에 임하기 전부터 승상께서 각별히 지시한 바도 있고 하여, 한 점의 소홀함이 없도록 만전을 기하고자 했습니다. 하지만 참군은 부장인 제 말을 받아들이지 않았습니다."

군사재판이라 왕평은 마속을 감쌀 수가 없었다. 왕평이 다시 말을 이었다.

"처음에 가정에 도착하자 참군은 무슨 생각인지 산 위에 진을 친다고

했습니다. 제가 부당함을 주장했지만 화까지 내며 제 말을 듣지 않았습니다. 할 수 없이 저는 일부의 군사를 거느리고 산기슭에서 서쪽으로 10리 떨어진 곳에 진을 쳤습니다. 하지만 위의 대군이 밀물처럼 공격해 오자 5천 명의 병사로는 도저히 막아낼 수 없었고, 산 위의 본군도 물길이 끊기자 진영을 탈출하여 위에 항복하는 자가 속출했습니다. 일단 그곳의 방비가 무너지자 위연과 고상, 그리고 다른 군대가 도와도 달리 어쩔 방도가 없었습니다. 그 후의 비참한 정황은 다른 장수에게 들어 보시길 바라옵니다. 저는 시종일관 승상의 명에 어긋남이 없도록 최선을 다하고자 했사오니 이 점만은 하늘을 우러러 부끄럼이 없습니다."

"알았네. 물러가라."

공명은 다시 위연과 고상을 불러 그들의 말을 들은 뒤, 마지막으로 마속을 부르라 명했다.

"마속, 그대는 어릴 적부터 병서를 읽어 전법에 밝으며 나 역시 그대를 가르치는 데 노력을 게을리하지 않았다. 그런데 내가 직접 상세하게 지시를 했음에도 불구하고, 이번 가정의 방비에서 되돌릴 수 없는 큰 잘못을 저지른 것은 어인 연유인가?"

"예……."

"예라니? 내 그토록 가정은 우리 군의 목구멍에 해당하는 곳이니, 목숨을 걸고서라도 한 치의 소홀함이 없이 신중을 기해 지키라고 입이 달도록 당부하지 않았더냐."

"면목이 없습니다."

"참으로 어리석은 자로다."

"왕평이 뭐라 고했는지 모르겠사오나, 그토록 많은 위의 대군이 공격하면 어느 누구라도 이를 막아내기 어려웠을 것입니다."

"닥쳐라. 왕평의 용맹함은 너와는 근본이 다르다. 그는 산기슭에 작은 진채를 쌓고 전열을 갖추고 너의 군대가 무너진 후에도 대오를 흐트러뜨리지 않았기 때문에 적이 잠시나마 근접할 수 없었던 것이다. 그에 비해 너는 왕평의 진언도 물리고 자신의 주장만을 고집하여 산 위에 진을 치는 어리석음을 범하지 않았느냐."

"하지만 병법에 따르면 높은 곳에 임하여 낮은 곳을 내려다보는 것은 그 기세가 이미 파죽지세라 했습니다."

"어리석은 자로다. 선무당이 사람을 잡는다 하더니, 바로 네가 그러하구나. 마속이여, 네 유족들은 이 공명이 잘 돌보도록 하겠다."

공명은 그렇게 말하고는 얼굴을 돌리고 무사들에게 명했다.

"여봐라, 저자를 당장 끌고 가 참수에 처하도록 하라."

마속은 목 놓아 통곡하며 잘못을 뉘우쳤다.

"승상, 제가 잘못했습니다. 만일 제 목을 치는 것이 대의를 바로잡는 일이라면 소인은 죽어도 여한이 없을 것입니다."

그 말을 들은 공명도 눈물을 흘리지 않을 수 없었다. 하지만 무사들은 공명의 명대로 마속을 끌고 나갔다. 그리고 원문轅門 밖에서 그의 목을 치려고 했다.

"잠깐, 잠시 멈춰라."

바로 그때 성도에서 사자로 온 장완이 그들을 제지한 후 공명에게 간했다.

"승상, 천하가 어지러운 이때, 어찌 마속과 같은 유능한 선비의 목을 치려고 하십니까. 이는 나라의 손실이 아닙니까."

"장완, 그대와 같은 인물이 어찌 내게 그런 말을 하는가. 손자가 이르길, 천하를 평정하려는 자는 법을 다룸에 있어 명확해야 한다고 했소. 바야흐로 사해가 나뉘어 서로 다투고 사람과 사람 간의 도리가 모두 무너진 이때, 법을 버리고 무엇으로 세상을 바로잡을 수 있겠소이까."

"하지만 마속은 실로 아까운 인물입니다. 그렇게 생각하지 않으십니까?"

"그러한 사사로운 정이 오히려 마속이 저지른 죄보다 더 큰 잘못이오. 하지만 그처럼 아까운 인물이었던 만큼 더욱 용서할 수 없소이다. 여봐라, 아직도 목을 치지 않았느냐? 무엇을 하고 있느냐, 어서 형을 집행하라."

공명은 사람을 보내 재촉했다. 이윽고 마속의 수급이 공명의 눈앞에 놓였다. 그것을 본 공명은 얼굴을 소매로 가리고 바닥에 엎드려 통곡했다.

"마속, 나를 용서하라. 죄는 내 어리석었음에 있었으니……."

때는 촉의 건흥 6년 5월 여름, 마속의 나이는 아직 서른아홉 살에 지나지 않았다. 마속의 수급은 한 장의 군율과 함께 진중에 효시梟示되었다. 얼마 후, 그의 수급은 육신과 함께 관에 넣어졌고 성대하게 장례가 치러졌다. 또 마속의 유족은 공명의 보호를 받으며 부족함이 없는 생활을 약속받았지만, 끝내 공명의 마음만은 치유되지 않았다.

'죄는 자신에게 있다'라는 공명의 자책감은 스스로 자신의 몸에 칼을 들이댈 정도였다. 하지만 지금 촉은 위기에 빠져 있었고, 또 선제 유비의 유언도 있었다. 공명은 자신에게 내려진 중책을 생각하면 죽을 수도 없었다. 이에 공명은 성도로 돌아가는 장완을 통해 황제에게 표문을 올려 자신의 죄를 깊이 사죄했다.

신, 제갈량 삼군을 지휘하는 자리에 있는 연유로 아무도 신의 죄를 벌하는 자가 없습니다. 이에 소신 스스로 벼슬을 세 자리 내리고 승상의 관직에서 물러나고자 합니다. 그리고 감히 바라옵건대, 제 목숨은 잠시 보존할 수 있기를 청하는 바입니다.

황제 유선은 대패의 소식을 듣고 상심하던 차에 공명의 표문을 보고는 더욱 가슴 아파했다. 그래서 자신의 뜻을 적은 서찰과 함께 칙사를 보냈다.

승상은 나라의 큰 원로이시오. 한 번의 실수가 있다 하여 어찌 관위를 깎을 수 있겠소이까. 부디 본연의 직에 머물며 분발하여 나라를 다스리도록 하시오.

하지만 공명은 다시 황제에게 표문을 올렸다.

이미 마속을 베고 법의 지엄함을 분명히 했는데, 제 스스로 그것을 어긴다면 장차 어찌 군기를 바로잡고 정사를 돌볼 수 있겠습니까.

조정에서는 어쩔 수 없이 그의 청을 받아들여 승상의 직을 폐했다. 이에 공명에게 우장군의 직책을 명하고 군마를 총독하는 임무를 내렸다. 공명은 삼가 황제의 명을 받들었다.

어떠한 강국이라도 대패를 당하면 그 후에는 사기가 떨어지고 민심도 흉흉해지는 것이 보통이다. 하지만 촉의 백성들은 실망하지 않았고 오히려 다음을 기약했다.

공명이 눈물을 삼키고 마속을 벤 것은 그의 죽음으로 다른 사람들을 살린 것과 같았다. 그로 인해 패군의 군령과 기율은 한층 엄정해졌고, 또 공명이 스스로 관위를 내려 자신의 책임을 통감한 태도는 전군의 마음에 깊이 각인되었다.

"총사의 허물은 전군의 허물이다. 승상께만 그 죄를 물어서는 안 된다. 어디 두고 보자."

촉군의 위에 대한 적개심은 한층 깊어졌다.

공명은 마속의 죽음을 헛되이 하지 않기 위해서라도 공을 세운 사람에게 상을 내렸다. 일전에는 조자룡의 무용을 위로했지만, 왕평이 가정의 싸움에서 군령을 충실히 따른 점을 높이 사 그를 참군으로 승격시켰다.

어느 날, 칙령을 받아 한중에 와 있던 칙사 비의가 공명을 위로하며 말했다.

"서성의 많은 백성이 각하를 흠모하여 한중으로 옮겨왔다는 말을 듣고 촉의 백성들이 모두 기뻐하고 있습니다."

공명이 불쾌한 표정을 지으며 말했다.

"하늘 아래 한漢의 땅이 아닌 곳이 없는데, 그대의 말은 국가의 위력이 아직 부족하다는 말과 마찬가지이오."

"강유라는 인재를 얻었다 하니, 황제께서도 크게 기뻐하셨습니다."

"강유 하나를 얻은 것이 가정의 대패를 대신할 순 없소이다. 하물며 죽은 병사들은 말해 무엇 하겠소. 군중에서 아첨은 금물이오."

옆에서 보면 도가 지나치다고 생각할 정도로 공명은 자책하며 삼가고 있었다. 또 다른 사람이 그에게 이렇게 말한 적도 있었다.

"각하께서는 이미 마음속으로 다시 군사를 일으켜 위에 복수할 일을 도모하고 있지 않으십니까?"

공명은 고개를 저으며 말했다.

"자고로 지략만으로는 전쟁에서 이길 수 없소. 또 일전의 대전에서 촉은 위보다 병력이 많았는데도 지고 말았소. 헤아려보니 지략도 아니고 병수도 아니오."

공명은 잠시 눈을 감고 조용히 심호흡을 한 후 이어 말했다.

"대군은 필요하지 않소. 오히려 장병의 수를 줄이고 훈련을 중시해야 할 것이며, 여기에 군기가 가장 중요하오. 또 만일 내가 잘못을 했을 때에는 모두들 기탄없이 직언을 하게 해야 하오. 그것이 충성일 것이오. 이와 같은 점을 모두 철석같이 지키고 마음을 합하면 언젠가 오늘의 치욕을 씻을 수 있을 것이오."

그 말을 전해 들은 한중의 군민은 모두 공명처럼 자신을 책망하고는 매일처럼 절차탁마切磋琢磨했다.

공명도 권토중래捲土重來를 기약하며 오로지 위와의 다음 싸움을 준비하는 데 심혈을 기울였다.

* * *

위는 가정의 대승으로 강대함을 만방에 과시했다. 위의 내부에서는 그 여세를 몰아 촉을 공략하여 화근을 뿌리 뽑아야 한다는 주장까지 일어날 정도였다.

사마의 중달은 그런 주장에 황제의 마음이 움직일 것을 염려하며 황제에게 간했다.

"촉에는 제갈량이 있고, 검각의 험지가 있으니, 결코 망언에 귀를 기울이지 마십시오."

그렇다고 사마의가 그저 태평하게 안주만 하고 있었던 것은 아니다. 그는 공명이 가정으로 진출하여 실패했으니, 다음에는 반드시 진창陳倉으로 나올 것이라고 예상하고 있었다. 그래서 황제에게 청하여 진창 길목에 난공불락의 성을 쌓고 잡패장군雜覇將軍 학소郝昭에게 성을 지키도록 했다.

학소는 태원太原 사람으로 전형적인 무인이었다. 그는 충성심이 강했고, 그를 따르는 부하들 역시 모두 용맹했다. 학소가 황제의 앞에 나아가 고했다.

"불초 소신이 진창을 지키게 되었으니 장안과 낙양에 대해서는, 높은 곳에서 홍수를 내려다보는 것처럼 마음 편히 지니시고 아무 염려하지 마십시오."

조예는 학소에게 진서장군의 인수를 내린 후 그를 진창으로 보냈다.

촉에 대한 방비가 일단 마무리되는가 싶더니, 오와 접해 있는 양주揚州의 사마대도독 조휴가 표문을 보내왔다.

> 오의 파양鄱陽태수 주방周魴은 일찍부터 위를 섬기고 싶다는 마음을 비춰왔습니다. 그가 근래 밀사를 보내 일곱 가지 이해득실을 들어 오를 칠 계책을 보내왔습니다. 한번 살펴보시기 바랍니다.

조휴의 표문은 즉시 조정에서 의논에 부쳐졌고, 주방의 말에 대한 진위 여부가 검토되었다. 사마의가 말했다.

"주방은 오에서 지략에 능한 장수입니다. 아무래도 거짓인 듯싶습니다. 하지만 만에 하나 그의 말이 사실이라면 이때를 놓쳐서는 안 됩니다. 그러하오니, 대군을 세 곳의 길로 나눠 배치한 다음, 만일 그의 계략에 빠지더라도 절대로 지지 않을 방비를 취하여 임한다면, 군사를 보내도 별다른 지장이 없을 것입니다."

그로부터 한 달 뒤, 낙양의 군대가 환성皖城, 동관東關, 강릉江陵 세 곳의 길을 통해 속속 남하했다. 그런 움직임은 즉시 오에게 전해졌고, 건업의 손권은 마치 기다리고 있었다는 듯 은밀히 군사를 움직였다.

보국대장군輔國大將軍 평북도원수平北都元帥에 임명된 육손은 오군吳郡의 주환과 전당錢塘의 전종全琮을 좌우 도독으로 삼고, 강남 81 주의 정예병을 세 곳의 길을 따라 세 편으로 나누어 북상했다. 도중에 주환이 육손에게 고했다.

"조휴는 위 조정의 일문으로 비록 양주를 지키고 있었지만, 반드시 지략과 용맹을 겸비했다고 할 수 없습니다. 제가 듣기로 조휴는 이미 주방의 위계僞計에 넘어가 진퇴양난의 형세에 빠졌다 하니, 그가 도망칠 길은 대략 두 곳밖에 없습니다. 첫째는 협석夾石이고 둘째는 계차桂車입니다. 게다가 이 두 곳의 길이 매우 험하니 군사를 심어놓고 치기에 좋을 것입니다. 만일 원수께서 허락하신다면 저와 전종이 협력하여 조휴를 사로잡겠습니다. 이 일만 성공하면 수춘성壽春城을 취하는 것은 손바닥에 침을 뱉는 일보다 쉬울 것입니다."

가만히 주환의 말을 듣고 있던 육손이 말했다.

"내게 다른 생각이 있으니 잠깐 기다리시오."

그리고 육손은 제갈근에게 군사를 내주고 그를 강릉 지방으로 보내 그곳으로 내려온 사마의 중달의 군대를 막게 했다.

조휴는 적의 계략에 쉽게 넘어갈 사람이 아니었는데, 주방이 오랜 시간 공을 들이자 결국 주방의 말을 믿게 되었다.

조정에서 조휴의 의견을 수렴해 군사를 일으켜 남하하자, 조휴는 대군을 이끌고 환성으로 가 주방을 만났다.

"조정에서 그대가 제안한 일곱 가지 계책을 받아들여 우리 위의 대군이 세 길에서 남하하고 있소. 그러니 그대의 계책에 한 점의 거짓도 있어서는 안 될 것이오."

"만일 아직도 의심스러우시면 인질이든 그 무엇이든 말씀하십시오."

"의심하는 게 아니라 이는 보통 문제가 아니기 때문이오. 그대의 계책이 잘 풀려 오를 물리친다면 위는 그대의 공로를 높이 사 귀히 대할 것이오. 동시에 이 조휴의 명예도 높아질 것이오."

"도독께서는 여전히 일말의 의심을 품고 있으신 듯합니다."

"그것은 어쩔 수 없는 일 아니겠소. 만일 그대의 말에 조금이라도 거짓이 있다면 내 입장이 어떻게 되겠소이까."

"지당한 말씀이십니다."

주방은 갑자기 단검을 꺼내더니 자신의 상투를 잘라냈다. 그리고 그것을 조휴 앞에 놓더니 머리를 숙이고 오열했다. 깜짝 놀란 조휴가 말했다.

"아니, 이게 무슨 짓이오. 어찌 머리를……."

"제 목을 쳐서라도 진심을 보여드리고 싶은 심정입니다만, 이렇게 제 상투라도 올려 맹세하는 바입니다."

주방이 어깨를 들썩이며 통곡하자 조휴의 눈시울도 뜨거워졌다.

"미안하오. 그만 내가 허튼소리를 하고 말았소. 부디 고정하시오."

조휴는 완전히 의심이 풀렸다. 그는 주연에 참석하여 주방과 동관 진출에 관한 의견을 교환하다 자신의 진영으로 돌아갔다.

그 후 건위장군建威將軍 가규賈逵가 조휴를 찾아와 말했다.

"아무래도 머리를 잘라 딴마음이 없음을 표한다는 것 자체가 왠지 수상합니다. 도독, 섣불리 움직이시지 않는 것이 좋을 듯합니다."

"움직이지 말라고?"

"주방이 선도하여 동관으로 나갈 예정이 아닌지요?"

"물론 그렇소."

"여기에 머물며 조금 더 정세를 지켜본 후에 움직이는 것이 어떻겠습니까."

조휴가 콧잔등을 찡그리며 힐난하듯 말했다.

"흠, 그사이에 그대가 동관으로 가서 공을 세우겠는가? 그것도 좋을 듯하네."

다음 날, 조휴는 부장들에게 동관으로 진군하라는 명령을 내리고 군마를 이끌고 출발했다. 가규는 견책을 당해 진중에 남겨지게 되었다.

주방은 병사를 이끌고 나와 조휴를 맞이한 후 앞장서서 길을 안내했다. 말 위에서 조휴가 물었다.

"뒤편에 보이는 저 험준한 산은 어디이오?"

"석정입니다."

"동관은?"

"저곳을 넘으면 어렴풋이 보일 것입니다. 저곳에 진을 치면 동관은 손안에 들어온 거나 다름없습니다."

조휴는 만족한 표정을 짓고 석정의 산 위에서 요소마다 군사를 배치했다. 그런데 이틀 후, 척후병이 와서 고했다.

"서남쪽 산기슭에 그 수가 얼마인지 알 수 없지만, 오의 병사가 있는 듯합니다."

조휴는 의심스러운 마음이 들었다. 주방이 그 부근에는 오의 병사가 한 명도 없다고 했기 때문이다. 이윽고 새로운 보고가 올라왔다.

"어젯밤에 주방과 그의 부하 수십 명이 모두 종적을 감췄습니다."

"주방이 사라졌단 말인가?"

조휴는 크게 후회하며 소리쳤다.

"이 천하의 사기꾼이 나를 속이기 위해 자신의 상투까지 잘랐구나. 장보張普, 산기슭에 있는 오군들을 모조리 죽여라."

이미 위험에 빠져 있는데도 조휴는 사태를 제대로 파악하지 못했다. 장보는 조휴의 명을 받자 즉시 군사를 이끌고 산을 내려갔다. 그런데 척후가 본 오군은 오에서도 명성이 높은 서황군의 정예였다. 장보는 얼마 지나지 않아 비참하게 패배하고 도망쳐왔다.

"처음부터 적은 수의 병사로는 당해낼 수 없었습니다."

조휴는 얼굴에서 당혹감을 감출 수 없었지만 휘하의 대군을 믿고 큰소리를 쳤다.

"그렇다면 기병奇兵을 써야겠구나. 내일 진시辰時(오전 7시 반부터 8시 반)를 기해 나는 군사 2천 명을 이끌고 산을 내려가겠다. 그리고 싸우다 짐짓 도망을 칠 것이니 그대들은 설교薛喬의 부대와 함께 군사 3만 명을 이끌고 석정의 남북으로 갈라져 매복하고 있으라. 서성을 사로잡는 것은 손바닥을 뒤집는 일보다 쉬울 것이다."

하지만 그날 밤에 오군이 먼저 군사를 움직여 기습을 해왔다. 결국 조휴의 계책은 실행을 하기도 전에 그 싹이 잘리고 말았다.

본래 주방과 육손은 미리 짜고 조휴군을 그곳에 끌어들였으며, 조휴군을 섬멸하기 위해 대군을 이용하여 포위망을 친 것이었다. 육손은 위군이 군사를 움직일 조짐을 보이자 그날 밤 바로, 병력을 배치하고 석정의 뒤편으로 돌아가 남북의 산기슭에 견고한 포진을 친 다음, 직접 군사를 지휘하여 정면에서 치고 올라갔던 것이다.

그보다 조금 앞서, 오의 주환이 석정의 뒷산으로 올라가 은밀히 움직이고 있었다. 그러다가 복병의 상황을 시찰하기 위해 오고 있던 장보와 조우하고 말았다.

한밤중에 어두운 산허리에서 마주했기에, 처음에 장보는 주환을 아군 병사라고 생각했다.

"어느 부대인가? 대장은 누구인가?"

장보의 질문에 주환이 어둠을 틈타 가까이 다가가서 소리쳤다.

"우리는 오의 정예로, 대장은 바로 나 주환이다."

주환은 단칼에 장보를 베어버렸다.

야밤의 기습전은 그렇게 갑자기 시작되었고, 아침을 기해 행동에 나서려던 위의 본군은 혼란에 빠지고 말았다. 조휴는 이를 막아낼 방도를 찾지 못하고 무너지는 아군과 함께 협석 방면으로 도망쳤다. 하지만 충분히 대비를 하고 있었던 오군은 멈추지 않고 공격을 가했다. 사상자는 헤아릴 수 없었고 투항한 병사만 해도 만 명에 이르렀다.

요행히 포위망에서 벗어난 위의 병사들은 말과 무구 등을 내던지고 조휴의 뒤를 쫓아갔다. 그러한 절체절명의 위기에서 조휴를 구한 것은 후진에 남아 있던 가규였다. 가규는 조휴군이 걱정되어 직접 일군을 이끌고 달려오는 도중에 도망쳐오는 조휴를 만나 그를 구하여 돌아올 수 있었다.

조휴의 군대가 대패를 당하자 다른 두 곳에 있던 사마의와 만총의 군대도 전세가 불리해졌다. 이윽고 세 곳의 위군은 어쩔 수 없이 모두 퇴각할 수밖에 없었다.

한편 육손은 막대한 노획품과 수만에 달하는 포로를 데리고 건업으로 돌아왔다. 손권은 직접 궁문까지 나와 그를 반겼다.

"그대의 공이 참으로 크오. 실로 그대는 오의 기둥이오."

손권은 자신의 머리를 잘라 위계를 성공시킨 주방의 공도 잊지 않았다.

"그대의 공은 오랫동안 죽백竹帛에 남을 것이오."

주방은 일약 관내후에 봉해졌다.

116
후출사표

공명은 다시 출사표를 올린 후 학소가 지키는 진창을 공격하고,
사마의는 촉군의 병량이 부족함을 알고 장기전을 도모한다

　촉과 오의 동맹 관계는 변함없이 유지되고 있었다. 즉, 위가 5로를
통해 촉을 공격해오자 공명이 등지를 사자로 보내 오에 수교를 제안
하고, 이에 화답한 손권이 장온을 사자로 보내오면서 맺어진 양국의
순치脣齒의 관계는 지금까지 유지되고 있었던 것이다.
　그러한 정세를 감안하면, 위가 가정에서 촉을 물리친 이후 동오와
싸울 수밖에 없었던 이유는, 그저 단순히 조휴의 표문과 주방의 위계
때문이었다고는 할 수 없었다. 더 큰 요인은 바로 촉과 오의 동맹에 있
었던 것이다. '위가 오를 공격할 시에는 촉은 즉시 위의 배후를 친다.

또한 위와 촉이 싸우면 오는 위의 측면을 칠 의무가 있다'라고 하는 조문에 의해 기산과 가정에서 싸움이 벌어지자, 오는 당연히 위의 측면을 향해 군사행동을 일으키지 않으면 안 되는 입장이었다. 그에 대해 위 역시 충분한 경계를 기울이고 있었다. 그런 삼국의 정세 속에서 주방의 위계僞計가 이루어졌기 때문에, 그것을 도화선으로 하여 위와 오의 전단이 펼쳐진 것이라고 보는 것이 옳을 것이다.

조휴가 패배하여 물러나자, 오의 손권은 전과와 동맹의 의무를 이행한 것을 다소 과장되게 글로 적어 촉의 유선에게 보냈다.

> 오가 맹약을 중시하는 바가 이와 같으니, 귀국은 안심하시고
> 공명으로 하여금 위를 치게 하십시오. 오는 항상 동맹국의 신의를 가지고 수미상응하여 위의 경계를 위협할 것입니다.

그 이후 위의 동정을 살펴보면, 조휴는 석정의 대패를 크게 부끄러워하여 낙양으로 도망쳤는데, 얼마 지나지 않아 등창으로 죽고 말았다. 조휴는 나라의 원로이자 황제의 친족 중 한 사람이었다. 조예는 그를 위해 성대하게 장례를 지냈다.

남쪽 경계에 있던 사마의 중달이 오를 억제하기 위해 급히 낙양으로 올라왔다.

"도독은 무슨 일로 그렇게 당황해서 낙양으로 올라온 것이오?"

대신들이 묻자 사마의가 대답했다.

"아군은 가정에서는 승리했지만 오에게 패했습니다. 공명은 반드시

이 기회를 노려 다시 군사를 일으킬 것이 분명합니다. 농서의 땅이 위급해지면 누가 공명을 막을 것입니까? 바로 저밖에 없을 것입니다. 이에 급히 올라온 것입니다."

사마의의 말에 대신들이 비웃었다.

"사마의가 의외로 어리석은 구석이 있구려. 오는 강하고 촉은 약하다고 생각하고 있는 듯하오. 오를 이기지도 못했는데, 일전에 촉을 한번 이겼다고 하여 이번에도 다시 촉을 이길 수 있다고 생각하다니."

사마의는 그들의 말에 신경 쓰지 않았다.

그 무렵 공명은 한중에 머물며 군의 재편을 마무리하고 있었다. 또한 장비와 군량도 계획한 대로 확보한 후에 위의 허점을 엿보고 있었다.

오의 대승을 전해 들은 유선이 삼군에게 술을 보내왔다. 공명은 하룻밤 주연을 열어 장졸들의 노고를 위로했다. 그런데 주연이 한창 무르익었을 즈음, 일진광풍이 불어 정원에 있는 노송의 가지가 부러졌다. 공명은 문득 눈썹을 찡그렸지만, 장졸들의 여흥을 깨지 않기 위해 아무렇지 않은 듯 계속 술을 마셨다. 그때 병사가 들어와 조자룡의 아들인 조통趙統과 조광趙廣이 왔다고 고했다.

공명의 얼굴에 당혹한 기색이 스쳐갔다.

"아아, 자룡의 아들이 찾아왔단 말인가. 노송이 쓰러지고 말았구나."

공명은 한탄하며 손에 들고 있던 술잔을 바닥에 내던졌다.

공명의 예감은 적중했다. 이윽고 조자룡의 두 아들이 들어와 고했다.

"어젯밤, 아버지께서 돌아가셨습니다."

공명이 슬퍼하며 말했다.

"자룡은 선제 이래의 공신이자 나라의 기둥이었다. 그의 죽음은 크게는 나라의 손실이자 작게는 내 팔 하나를 잃은 것과 같다."

그 소식은 즉시 성도에도 전해졌다. 후주 유선은 목 놓아 통곡했다.

"지난날 당양에서 자룡이 나를 구하지 않았다면, 짐이 어찌 오늘날까지 그 목숨을 부지할 수 있었겠는가. 아, 슬프도다."

유선은 조자룡에게 순평후順平侯라는 시호를 내렸다. 그리고 국장을 치러 성도 교외에 있는 금병산에 그를 묻어주었다. 또 그의 맏아들 조통을 호분장군虎賁將軍으로, 둘째 아들 조광을 아문장牙門將으로 봉하고 부친의 묘를 지키게 했다.

이윽고 한중의 공명이 양의를 사자로 보내왔다. 양의는 유선을 알현하고 공명이 보낸 표문을 올렸다. 그것은 공명이 두 번째 북벌의 결의를 피력한 이른바 '후출사표'였다. 유선은 공명의 표문을 펼쳐보았다.

> 한과 역적은 양립할 수 없으며, 왕업은 천하의 한 지역에 안거
> 할 수 있는 것이 아니옵니다. 역적을 토벌하지 않음은 앉아서
> 망할 때를 기다리는 것과 같사오니, 어느 편을 마땅히 취해야
> 할지는 의논의 여지가 없사옵니다.

공명은 먼저 표문의 모두에서 대의명분을 밝히고 있었다. 그가 품은 이상과 주전론에 대해 성도에 있는 문관들 사이에서 동의하지 않는 주장이 있었기 때문이다. 이어서 공명은 표문에 다음과 같이 밝혔다.

이 위업은 결코 일조일석—朝—夕에 이룰 수 있는 일이 아니며 위를 멸하는 일의 어려움과 인내를 요하는 것임은 말할 필요도 없을 것입니다.

공명은 신중하면서도 비장한 어조로 위의 강대한 전력과 촉의 불리한 지세와 약점을 논하고 있었다. 그리고 지금 자신이 한중에 머물며 전포를 벗지 않는 이유를 여섯 항목에 걸쳐 고했다. 또 선제의 명을 받은 이래 잠을 이루지 못하고 자리에 앉아도 편치 못하여, 오로지 자신에게는 선제의 유고에 보답하고자 하는 일념과 나라를 위한 충심만이 있음을 피력했다. 표문의 마지막은 다음과 같았다.

바야흐로 백성들은 궁하고 병사들은 지쳐 있으나 대사를 단념할 수는 없습니다. 소신이 오직 한 주州의 땅에 머문 채 스무 배의 적과 오랫동안 마주하며, 아직 전포를 벗지 못한 이유이기도 하옵니다. 이제 오직 신은 죽음을 각오하고 신명을 다할 뿐, 대사의 성패와 이해利害에 대해서는 신이 감히 판단할 수 있는 바가 아닙니다. 이에 삼가 표문을 올려 성단聖斷을 구하는 바입니다.

전흥 6년 11월 겨울

조휴가 죽은 이래, 위의 관중에서는 전과 같은 기세나 전의를 찾아볼 수 없었다. 이에 공명은 서성의 방비도 약해질 것으로 판단하고, 표문을 올려 출정의 뜻을 고한 것이었다.

후주 유선이 공명의 출사를 허락하자 양의는 급히 한중으로 돌아갔다. 황제의 윤허를 얻은 공명은 반년 동안 신중하고 면밀히 준비하여, 촉의 군마 30만을 즉시 일으켜 진창陳倉(면현沔縣의 동북 20리)으로 출정했다.

그때 공명의 나이는 마흔여덟, 때는 혹한의 한겨울로 진창의 험한 봉우리와 네 곳의 산의 준령은 하얀 눈으로 뒤덮여 있었다. 사람의 눈썹과 숨결은 물론이고 말의 고삐까지 얼어붙는 듯한 추위가 기승을 부릴 때였다.

공명의 출병 소식은 위의 경계에 있는 상비군에 의해 낙양으로 전달되었다.

"촉의 제갈량이 수십 만 대군을 이끌고 침략했으니, 속히 대응에 나서야 할 것입니다."

그 무렵 낙양은 오에게 당한 패전의 충격에서 아직 벗어나지 못하고 있었다.

"장안의 전선을 굳게 지키며 공명을 물리칠 장수로 누구를 임명하는 것이 좋겠는가?"

위제 조예가 군신들에게 물었다. 그 자리에는 대장군 조진도 있었다. 조진이 면목이 없다는 듯 말했다.

"신, 지난번 농서를 지킬 때 공은 적고 죄가 커서 남몰래 참회하며 부끄럽게 생각하고 있었습니다. 소신이 근래에 믿음직한 장수 한 명을 얻었습니다. 그는 60근이 넘는 큰 칼을 휘두르고 천리정완마千里征輐馬

를 타면서 두 섬이나 되는 철태궁鐵胎弓을 잘 쏘며, 몸의 두 곳에 유성추流星鎚를 감추고 다니는데, 그것을 한 번 던지면 쓰러지지 않는 자가 없고 백 번 던지면 한 발도 빗나가는 법이 없습니다. 바라건대 이 장수를 신의 선봉으로 명하여주십시오."

조예는 칙령을 내려 즉시 그를 불러들였다. 이윽고 한 장수가 나타났다. 그의 키는 7척이고 눈은 누렇고 얼굴은 검은데 허리는 곰과 같았으며 등은 호랑이를 닮아 있었다.

"오, 참으로 대단하구나."

조예는 기쁜 눈으로 그를 바라보다 조진에게 그의 고향을 물었다.

"왕쌍, 그대가 직접 말씀드리도록 하라."

왕쌍은 허리를 숙이며 대답했다.

"신 왕쌍, 농서 적도狄道 출생으로 자는 자전子全이라 하옵니다."

"내 이런 맹장을 얻음은 전군의 길조와 같으니, 이제 어찌 촉군을 근심하겠는가."

조예는 바로 그 자리에서 왕쌍을 호위장군虎威將軍으로 임명하고 전부대선봉前部大先鋒으로 삼았으며, 비단 전포와 함금 갑옷을 하사했다. 그리고 조진에게는 전과 같이 총사령관의 인수를 내렸다.

"너무 부끄러워하지 마시오. 그대는 대도독으로 전쟁에 임하여 일전의 교훈을 살려 제갈량을 무찌르도록 하시오."

조진은 낙양의 15만 군사를 이끌고 장안으로 가서 곽회와 장합의 군사와 합세했다. 그러고는 전선 각 곳의 요새에 군사들을 배치하고 만반의 준비를 했다.

한편 촉군은 진창의 길목으로 진군해오다 좁은 험로와 삼면의 험봉에 둘러싸인 성과 마주쳤다. 그 성은 위가 공명이 다시 공격해올 것을 예상하고 쌓은 진창성으로, 그곳을 지키는 장수는 바로 학소郝昭였다.

"길도 험하고 눈도 많이 내리는 데다 학소가 지키고 있어 성을 지날 수 없을 듯합니다. 이에 길을 돌려 태백령太白嶺을 넘어 기산으로 나가는 것이 어떻겠습니까?"

부장들이 공명에게 말했지만 공명은 받아들이지 않았다.

"성 하나를 함락시키지 못하고 기산으로 가봤자 위의 대군을 이길 순 없소. 진창 길목의 북쪽은 가정에 해당하오. 이 성을 취하여 아군의 근거지로 삼아야 하오."

공명은 위연에게 명하여 매일 성을 공격하게 했지만, 성은 난공불락이었다.

촉의 진중에 학소와 동향 친구인 근상勤祥이라는 사람이 있었다. 마침 그가 자진하여 공명에게 한 가지 계책을 올렸다.

"학소와 저는 친밀한 사이였는데, 제가 서천을 떠돌아다니면서 서로 연락이 끊어졌습니다. 이번에 제가 학소에게 가서 항복하도록 설득하겠습니다."

공명은 근상의 청을 받아들였다.

이윽고 근상은 진창성 아래로 나가 소리쳤다.

"옛 벗인 근상이 오랜만에 학소를 만나러 왔느니라."

학소가 성곽에서 근상의 얼굴을 확인하고는 문을 열어 친근하게 맞아들였다.

"참으로 오래만이네."

"자네도 무탈한 듯하여 다행이네."

"그런데 어쩐 일로 여기까지 왔는가?"

"내 자네에게 반드시 만나게 할 사람이 있어서 왔네."

"그래? 그게 누군가?"

"바로 제갈공명이네."

학소는 그 말을 듣자 갑자기 얼굴빛을 바꾸며 말했다.

"어서 돌아가게, 어서."

"왜 그리 화를 내는가?"

"나는 위를 섬기고 자네는 촉을 섬기고 있네. 그런 말을 한다면 친구로서 만날 수가 없네."

"친구가 아니면 내 어찌 이렇게 그대를 위해 왔겠는가. 어찌 자네는 몇천의 병사로 수십만의 촉군을 당해내려고 하는가. 승패는 이미 정해졌네."

"시끄럽네."

학소는 자리에서 벌떡 일어나 성문을 가리키며 말했다.

"이제 그만 돌아가시게."

"내 촉의 명을 받고 온 자로, 또 자네와의 우정을 생각하더라도 이대로는 돌아갈 수 없네."

"거기 누가 없느냐?"

학소는 부하 장수를 불러 눈앞에서 명령했다.

"손님을 말 등에 붙들어 매라."

부장이 근상을 말 등에 태우고는 성문을 열어젖혔다. 그러자 학소가 직접 창으로 말의 엉덩이를 후려쳤다. 말은 깜짝 놀라 성 밖으로 달려나갔다.

근상은 공명에게 있는 그대로 이야기했다.

"예전부터 의리가 강한 자였습니다."

공명은 학소의 사람됨이 아까워 근상에게 다시 한 번 가서 설득해볼 것을 명했다. 근상은 이번에는 갑옷과 무구를 갖추고 당당하게 성의 해자 앞으로 갔다.

"백도伯道(학소의 자)는 내 말을 들으시게."

근상이 성을 향해 외치자 학소가 성루 위에 모습을 드러냈다.

"유자孺子(근상의 자)는 또 무슨 일인가?"

근상이 학소를 설득하기 위해 말했다.

"이 성은 도저히 촉의 대군을 막을 수 없네. 승상은 그대의 됨됨이와 재주를 아까워하시어 나를 다시 보내셨네. 이 기회를 놓치지 말고 성문을 열어 촉에 항복하시게. 그리하여 우리 서로 오랫동안 교우의 즐거움을 함께 나누도록 하세."

"자네와 나는 일찍이 학문을 나누던 벗이었지만, 전쟁에서는 모르는 사이일 뿐이네. 내 위의 인수를 받았으니, 비록 백 명의 병사라고는 하나 나를 믿어준 신의를 어찌 저버릴 수 있겠는가. 나는 무인이고 자네는 필부에 불과하네. 어서 물러가지 않으면 화살이 자네를 가만두지 않을 것이네."

학소가 성곽 위에서 몸을 감추자마자 수많은 화살이 쏟아지기 시작했다. 근상은 어쩔 수 없이 돌아와서 다시 공명에게 고했다.

"제 힘으로는 어찌할 수 없을 듯합니다."

공명은 즉시 결단을 내렸다.

"이렇게 된 이상, 내가 직접 지휘하여 성을 빼앗을 수밖에 없겠구나."

* * *

공명은 한중에 머물던 1년 동안 군의 기구 정비부터 병기까지 대개혁을 단행했다. 가령 돌격과 속도에 있어 산기대散騎隊와 무기대武騎隊를 새롭게 편제한다거나, 말을 잘 다루는 부장을 그 부대에 배속시키는 것이었다. 또 기존의 궁노수弓弩手의 위치와 활용도가 낮았던 것을 감안하여 자신이 새로 발명한 위력적인 신무기를 가미하여 독립된 부대로 편제하고, 그 부장을 연궁사連弓士로 부르기도 했다.

연궁이라는 것은 공명이 발명한 신무기로, 한 번 쏘면 길이가 여덟 치 정도의 짧은 무쇠 화살이 열 발씩 날아가게 되어 있었다. 대연궁大連弓은 비창현飛槍弦이라고도 하는데, 다섯 명이 시위를 당겨서 쏘면 철갑도 뚫을 수 있었다. 또한 석탄石彈을 쏘는 석노石弩도 두었다. 치중輜重에는 목우木牛와 유마流馬라고 하는 특수한 운송수단도 새로 만들어졌고, 병사의 철갑투구나 갑옷 등도 개량되었다.

그 외에도 공명이 발명한 무기는 헤아릴 수 없이 많았다. 그리고 무엇보다 후세에 가장 큰 영향을 끼친 것은 군사학의 진보였다. 팔진법 외에 종래의 손오(손자와 오자)나 육도六韜와 같은 병서와 병법 등에서 두드러지게 발전된 양상을 보였다. 그것은 후대의 전쟁 양상에도 획기적인 변혁을 가져왔다.

학소는 이렇듯 좋은 장비를 보유한 촉의 대군을 맞아 대적해야만 했다. 진창성에는 병사가 겨우 3, 4천 명뿐이었으니, 학소가 얼마나 고전을 했는지는 말할 필요도 없을 것이다. 그럼에도 성이 쉽사리 함락되지 않았던 것은 명장 아래 약졸이 없다는 말처럼, 학소의 단호하고 용맹한 지휘 아래서 병사들이 일치단결하여 막아낸 덕분이었다.

마침내 공명이 직접 진두에 서서 총공격을 개시했다. 운제雲梯나 충차衝車와 같은 새로운 무기까지 투입되었다. 운제란 성벽에 쉽게 오르도록 사다리를 설치한 차량을 말한다. 병사들은 망루 위에서 방패로 둘러싸고 성곽을 내려다보며 연노連弩와 석노石弩를 쏘다가 적이 물러서면, 운제를 성곽에 걸쳐놓고 단숨에 성안으로 돌격해 들어간다. 또 충차란 기중기와 같은 공이가 몸체에 달려 있는 수레를 말한다. 세 명의 병사가 톱니바퀴를 돌리면 무엇이든 들어 올릴 수 있었다. 몇백 대의 운제와 충차가 일제히 성벽을 향해 다가오자, 학소는 북소리를 신호로 일제히 불화살을 쏘게 하고 기름항아리를 집어 던졌다. 운제와 충차는 순식간에 불길에 휩싸여버렸다.

운제와 충차가 불에 타자 공명은 해자를 메우라고 명령했다. 그러자 촉의 병사들이 흙을 모아 밤낮으로 해자를 메우기 시작했다. 그것을 본 성안의 병사들은 성벽을 더욱 높이 쌓았다.

"이번엔 땅을 파라!"

촉군이 땅을 파서 성안으로 들어오려 하자, 이번에는 학소가 길옆에

갱도를 만들어 물을 흘려보냈다.

결국 공명의 모든 시도는 실패로 돌아갔다. 공명이 그 정도로 애를 먹은 공성전은 이전에도 없었고 앞으로도 없을 것이었다.

"벌써 20일이 지났구나."

공명이 난공불락의 성을 바라보며 탄식하고 있을 때, 전방에서 '위의 선봉인 왕쌍의 깃발이 다가오고 있다'는 급보가 날아왔다.

공명은 발을 동동 굴렀다.

"벌써 적의 원군이 왔구나. 사웅謝雄, 그대가 가서 막으라."

공명은 사웅에게 명하고 공기龔起를 부장으로 임명했다. 그리고 각각 병사 3천 명을 내려 왕쌍의 군대를 막게 하는 한편, 성안의 군사가 기습할 것을 대비해 진영을 20리 밖으로 물렸다.

진영을 물린 후 자중하고 있던 공명에게 상황이 불리하게 돌아가고 있음을 알리는 보고가 속속 들어왔다. 그러는 중에 선진으로 출정했던 사웅의 부대가 비참한 몰골로 도망치듯 돌아와 고했다.

"사웅 장군이 적장 왕쌍에 의해 돌아가시고, 이진으로 나갔던 공기 장군 역시 왕쌍의 칼에 두 동강이 났습니다. 위의 왕쌍은 실로 천하무적이었습니다."

공명은 깜짝 놀라며 말했다.

"왕쌍의 군대와 성안의 병력이 연합하면 대사를 그르칠 염려가 있다. 더는 지체할 수 없구나."

공명은 요화와 왕평, 장의에게 출정 명령을 내렸다.

그사이 위의 원군은 한겨울 추위에도 아랑곳하지 않고, 왕쌍을 선봉으로 험로를 헤치며 행군에 박차를 가했다. 그들을 막기 위해 나갔던 촉군은 서전에서 패배를 당했고, 두 번째로 출정한 요화와 왕평의 부대 역시 무참히 패하고 말았다.

게다가 두 번째 격전에서는 왕쌍에게 쫓기던 장의가 60근 칼이 머리 위에 떨어지는 것을 피해 도망치다 등에 유성추를 맞았다. 유성추는 무거운 철환을 쇠사슬에 매단 일종의 분동分銅이었다. 왕쌍은 그것을 몇 개씩 가지고 있다가 기회를 노려 적에게 던지곤 했다.

왕평과 요화가 장의를 구해 퇴각했지만, 장의는 생명이 위중한 상태였다. 상황이 그렇다 보니 촉군은 기를 펼 수 없었고 위군의 기세는 하늘을 찌를 듯했다. 왕쌍의 2만 선봉군은 진창성에 가까이 가서 봉화를 올려 원군이 온 것을 알린 후, 성 밖 일대에 진을 쳤다. 왕쌍은 크고 작은 수레를 길게 늘어놓고 위에 나무를 쌓고 목책을 연결했다. 그러고는 길게 참호를 팠는데 실로 견고한 포진이었다.

공명은 손을 쓸 방도를 찾지 못해 며칠을 허무하게 흘려보냈다. 강유가 공명에게 다가가 말했다.

"승상, 너무 조급해하시지 말고 마음을 편히 가지십시오."

"강유, 그대에게 좋은 생각이라도 있단 말인가?"

"제가 생각하기에는 이럴 때일수록 집착을 버리는 것이 중요할 듯합니다. 대군을 거느리고 보람 없이 진창성 하나에 집착하는 것이야말로 적이 바라는 바가 아니겠습니까?"

"흐음, 그렇군. 집착을 버리는 것이 해결의 실마리라 할 수 있겠군."

강유의 말을 듣고 공명은 크게 깨달은 바가 있었다. 마침내 공명은 작전을 바꾸었다. 진창의 골짜기에는 위연의 일군을 머물게 하여 포진을 굳게 하고, 왕평과 이회에게는 가까운 가정 방면의 요로를 지키게 하며, 공명 자신은 한밤중에 은밀히 진창을 벗어나 마대와 광흥, 장포 등의 대군을 이끌고 기산으로 가는 것이었다.

한편 위의 장안 대본영에서는 대도독 조진이 왕쌍의 승전보를 받고 기뻐하며 말했다.

"공명이 서전에서 저리 패하다니 이젠 그의 위세도 예년만 못하구나. 이미 승패는 난 것과 마찬가지다."

그때 선봉의 중호군中護軍 비요費耀가 기산 골짜기에서 길을 잃은 촉병 한 명을 사로잡아 왔다. 조진은 분명 적의 첩자라고 생각하고 직접 그를 심문했다.

"저는 절대로 첩자가 아닙니다. 사실은……."

병사가 주위를 둘러보며 머뭇거렸다.

"장군께 중요한 일을 말씀드리고자 하는데, 사람들이 있는 곳에서는 어려우니, 부디 헤아려주십시오."

조진이 청을 받아들여 좌우의 사람들을 물렸다. 그러자 촉병은 자신이 강유의 시종이라고 밝힌 뒤, 품속에서 한 장의 서찰을 꺼냈다.

조진이 서찰을 펼쳐보니, 틀림없는 강유의 필적이었다.

저는 대대로 위의 녹을 먹어왔지만 지금은 그만 공명의 위계에 빠져 촉에 있습니다. 천수군에 있는 노모와 위의 은혜는 잊으려야 잊을 수가 없습니다. 그런데 드디어 학수고대하던 때가 눈앞에 왔으니, 만일 이러한 제 마음을 가련히 여기고 충정을 믿어주신다면, 다른 서찰에 쓴 계책을 이용하여 촉군을 치시기 바랍니다. 그때 저는 공명을 사로잡아 위의 진영에 바치겠습니다. 한 가지 바람이 있다면, 그 공으로 제가 다시 위를 섬길 수 있게 중재를 해주셨으면 하옵니다.

강유는 구구절절 눈물로 하소연하고 있었다. 그리고 또 한 장의 서찰에 자신의 계책을 상세하게 적어놓았다.

조진의 마음이 움직였다. 설사 공명을 사로잡지 못한다 하더라도 촉군을 무찌르고 강유를 다시 아군으로 만든다면 일석이조의 전과였다. 조진은 촉병의 수고를 치하하여 돌려보낸 후, 비요를 불러 강유의 계책을 의논했다.

"강유는 우리가 촉군을 공격하다 거짓으로 패하여 도망치면, 그때를 노려 촉군의 안에서 불을 피우고 그것을 신호로 협공을 하자는 것이네."

"흐음……."

"그대는 어찌 기뻐하지 않는가?"

"공명은 현명한 자이고 강유도 결코 어리석은 자가 아닙니다. 필시 속임수일 것입니다."

"그렇게 의심한다면 끝이 없을 것이네."

"어찌 됐든 도독께서 움직이시는 것은 찬성할 수 없습니다. 우선 제가 일군을 이끌고 시험해보겠습니다. 만일 제가 공을 세운다면 그 공은 도독께 돌리고, 실패하면 제가 책임을 지겠습니다."

비요는 5만 명의 병사를 이끌고 야곡으로 향했다. 그러다 협곡에서 촉의 초병을 발견하여 쫓아가니 꽤 많은 적병이 공격해왔다. 일진일퇴, 며칠 동안 작은 싸움이 반복되었다.

날이 갈수록 촉군의 수는 점점 늘어나기만 했다. 반대로 위군은 밤 낮으로 적의 기습 전술에 시달렸고 병사들은 지쳐갔다. 그런데 바로 그날, 네 곳의 협곡에 북소리와 뿔피리 소리가 울리고 홀연히 깃발들이 일어서더니 공명이 사륜거를 타고 기마무사들의 호위를 받으며 앞으로 나왔다.

비요는 멀리서 그 모습을 보고 좌우의 부장들에게 말했다.

"무엇을 그리 두려워하는가. 내 공명과 마주할 날을 기다리고 있었다. 단숨에 적진으로 공격해 들어간 뒤, 우리의 계략대로 짐짓 도망을 치도록 하라. 그러면 적의 후진에서 불길이 일 것이니, 그것을 신호로 회전하여 일제히 적을 섬멸하라. 적 가운데 우리와 내통하는 자가 있으니 승리는 따놓은 당상이다."

그리고 조진은 말을 타고 나가 사륜거를 향해 소리쳤다.

"패군의 장이 부끄러움도 모르고 다시 나왔구나."

공명이 사륜거 위에서 외쳤다.

"너는 누구냐? 그것은 조진에게 할 말이 아니더냐."

공명이 상대도 하지 않으려 하자 비요가 다시 외쳤다.

"어찌 금지옥엽과 같은 도독께서 부끄러움도 모르는 너와 같은 자를 상대하시겠느냐."

공명이 세 곳의 산을 향해 부채를 들자 마대와 장의 등의 군사가 산에서 물밀듯 밀려 내려왔다. 위군은 작전대로 서둘러 퇴각하기 시작했다.

싸우다 도망치고 싸우는 척하다 다시 도망치고, 위군은 오직 도망만 치며 촉군의 후방에서 불길이 일기만을 기다렸다. 비요도 말 위에서 오직 불길만을 기다리며 30리 정도를 퇴각했다. 이윽고 촉의 후방에서 검은 연기가 피어오르는 것이 보였다.

"드디어 강유가 불을 피워 신호를 보내는구나."

비요는 순식간에 말 머리를 돌리며 명령을 내렸다.

"자, 회군하라. 되돌아가서 촉군을 협공하라."

대장의 예언이 적중하자 위의 군사들은 기세를 올리며 촉군을 향해 노도와 같이 달려들었다. 위군의 맹렬한 반격에 순식간에 형세는 역전되었다. 촉군은 비명을 지르며 앞다퉈 도망치기 바빴다.

"공명의 사륜거는 어디로 사라졌느냐?"

비요는 검을 빼들고 공명을 쫓기 시작했다. 그런 기세라면 공명을 따라잡는 것도 시간문제로, 그의 목을 단칼에 베는 것도 어렵지 않을 듯했다.

"공명을 잡아라. 일개 병사 따위에는 눈길도 주지 말라."

마치 산사태라도 일어난 것처럼 5만 명의 병사가 골짜기를 뒤덮으며 몰려갔다. 어느새 강유가 불을 놓은 산에서 뜨거운 불기운이 치솟았다. 마른나무들을 집어삼킬 듯 맹렬히 타오르는 불길에 사방의 산들에 쌓여 있던 눈이 탁류가 되어 골짜기로 흘러들었다.

그런데 어느 순간, 적병들이 종적도 없이 사라지더니 계곡의 입구가 바위와 나무로 봉쇄되었다.

'대체 강유의 반군은 어디에 있단 말인가.'

문득 이런 생각이 들었을 때, 갑자기 비요의 몸이 떨려왔다. 적의 속임수에 넘어간 것을 깨달았기 때문이다. 하지만 때는 이미 늦었다. 큰 나무와 바위, 초약과 기름에 젖은 장작 등이 양옆의 산에서 굴러떨어져 말과 병사 들을 덮쳤다.

"당했다. 적의 속임수다."

비요는 앞다퉈 도망치는 아군 병사들에게 휩쓸려 산의 샛길로 달아났다. 그러자 골짜기의 기슭에서 한 무리의 군마가 금고金鼓를 울리며 모습을 드러냈다. 바로 강유의 군사였다. 비요는 강유를 보자마자 핏대를 세우며 욕을 퍼부었다.

"불충한 역적 놈! 잘도 나를 속였구나. 각오하라."

강유는 만면에 웃음을 띠며 말을 달려 그에게 다가갔다.

"누군가 했더니 비요였구나. 함정에 학이 아니라 까마귀가 걸려들었구나. 싸우기도 귀찮으니 어서 투구를 벗고 항복하여라."

"은혜도 모르는 배은망덕한 놈이 잘도 지껄이는구나."

비요가 고함을 치며 달려들었으나 도저히 강유의 상대가 되지 않았다. 비요는 다시 말 머리를 돌려 도망치려 했지만, 어느새 돌아갈 길도 막혀버렸다. 촉군이 산 위에서 기름과 장작을 가득 쌓은 수레를 수없이 떨어뜨리고 횃불을 던지자 불길이 산의 높이만큼 치솟았다.

비요는 더 이상 어찌할 방도가 없었다. 이윽고 그는 자신의 목덜미를 칼로 찔러 자결하고 말았다.

"항복할 자는 이것을 붙잡아라."

절벽 위에서 몇 가닥 밧줄이 내려왔다. 위의 병사들은 너나없이 밧줄에 매달려 기어올랐지만 살아남은 자는 반도 되지 않았다.

강유는 공명의 앞에 나가서 사죄했다.

"이 계책은 제가 낸 것이지만 아무래도 성공하지 못한 듯합니다. 제일 중요한 조진을 놓쳤으니 말입니다."

공명은 그의 말에 동감을 표했다.

"애석하게도 대계大計를 작게 쓰고 말았네. 대계는 좋은 것이나 그를 작게 이용하여 큰 전과를 얻는 것이 기략의 묘미인 것을……"

* * *

사마의가 오의 경계에서 물러나 낙양에 머무르고 있는 것을 두고 위의 사람들은 그가 한가로움을 탐한다고 비난했다. 하지만 며칠 사이에 촉의 공명이 기산으로 대군을 이끌고 진출하여 위군을 물리쳤다는 소식이 전해지자 사람들은 사마의의 선견에 크게 감탄했다. 그 대신 비난의 화살은 도독인 조진에게 향했다.

마음이 심란한 조예는 사마의를 불러 대책을 물었다.

"두려워해야 할 것은 촉군보다 바로 공명의 존재이오. 대체 어떻게 하면 좋겠소?"

"너무 심려하지 마십시오. 스스로 물러가도록 하면 될 것입니다."

사마의가 의젓하게 대답했다.

"그렇게 만들 방법을 가지고 있는 것이오?"

"있습니다. 공명의 군사는 대략 한 달 정도의 병량밖에 보유하고 있지 않을 것입니다. 왜냐하면 지금은 겨울이니 눈이 많고 길도 험준합니다. 따라서 공명은 속전속결을 계획했을 터입니다. 이에 저는 장기전을 취할 것입니다. 조진 도독에게 사자를 보내 이러한 취지를 알리시고, 요충지를 굳게 지키며 섣불리 싸우지 않도록 명을 내려주십시오."

"알았네. 내 즉시 그리하겠네."

"산세의 눈이 녹을 무렵이 되면 촉군의 병량도 떨어져서 어쩔 수 없이 퇴각을 할 것입니다. 바로 그때가 기회입니다. 퇴각하는 적을 쫓아 공격하면 반드시 적을 물리칠 수 있을 것입니다."

"그러한 선견이 있으면서 그대는 어찌 진두에 서서 계책을 도모하지 않는 것이오?"

"제 목숨이 아까운 것이 아니라, 동오가 어찌 움직일지 헤아리기 어렵기 때문입니다."

"동오가 다시 공격을 하겠소이까?"

"동오는 자신들이 먼저 움직이지 않고 촉의 동정을 살피고 있기 때문에 방심할 수 없습니다."

그 후 며칠 동안 조진이 보내온 소식은 모두 위에 이롭지 못한 것뿐이었다. 마침내 조진이 원군을 청해오자, 사마의가 황제에게 고했다.

"지금은 조진 도독이 분발하여 버틸 때입니다. 황제께서는 공명의 허실을 살피고 계략에 넘어가지 않도록 지엄하게 경계하십시오."

사마의는 좀처럼 군사를 움직이지 않고 말로써 황제에게 진언했다. 그러한 사마의의 태도에는 자신은 총도독이 아니면 움직이지 않을 것이라는 심사가 담겨 있었다.

소정에서는 조진에게 한기韓曁를 사자로 보내 방침을 전하기로 했다. 사마의가 낙양성 밖까지 한기를 배웅 나와 말했다.

"내 잊은 것이 있는데, 이것은 조 도독의 공을 위해서라도 반드시 전해주시오. 촉군이 퇴각할 때, 절대로 성질이 급하거나 경솔한 자에게 쫓게 해서는 안 되오. 경솔하게 쫓으면 반드시 제갈량의 계략에 빠질 것이오. 이 점을 조정의 명으로 삼아 전해주시오."

사마의는 그렇게 말하고는 유유히 낙양으로 돌아갔다.

조진의 본영에 도착한 태상경太上卿 한기는 조진에게 황제의 방침을 전했다. 조진은 한기가 돌아가자 부도독 곽회에게 말했다.

"이는 조정의 의견이 아니라 바로 사마의 중달의 생각이 분명한데, 그대는 어떻게 생각하는가?"

"제갈량의 생각을 잘 헤아리고 있는 듯합니다."

"하지만 만일 촉군이 물러가지 않을 경우에는 어떻게 해야겠는가?"

"왕쌍에게 계책을 내려 샛길들을 봉쇄하면, 촉군은 병량이 바닥나 물러갈 수밖에 없을 것입니다."

"일이 그렇게만 된다면 좋을 것이네만……."

"제게 또 다른 묘책이 있습니다."

곽회의 묘책은 조진의 마음을 움직이기에 충분했다. 연전연패의 오명에서 벗어나고 싶었던 조진은 곽회의 계획을 따르기로 했다.

촉군의 가장 큰 약점은 대군의 병량이었다. 날이 지날수록 공명은 병량을 확보하기 위해 위험도 감수할 것이 분명했다. 그러한 적의 약점을 이용해 적을 함정에 빠뜨리자는 것이 곽회의 생각이었다.

그로부터 한 달 뒤, 위의 손례는 병량을 가득 실은 것처럼 위장한 수천 대의 수레를 이끌고 기산의 서쪽에 있는 산악지대를 행군했다. 후방에서 진창성과 왕쌍의 진영으로 보내는 군량이라는 것은 한눈에 봐도 알 수 있었다. 그런데 수레에는 모두 파란 천이 덮여 있었고, 그 밑에는 유황과 염초, 기름과 장작 등이 숨겨져 있었다. 바로 이것이 곽회의 계책이었다.

곽회는 기곡과 가정의 요지에 대군을 배치한 후, 자신이 직접 지휘에 임하기 전에 장료의 아들인 장호張虎와 악진의 아들인 악침樂綝에게 미리 지시를 해두었다. 그리고 진창의 왕쌍군과 연합하여 촉군이 무너졌을 때의 배치에도 만전을 기했다.

"수천 대의 수레가 기산의 서쪽을 넘어 진창 길목으로 병량을 싣고 가는 모습이 보입니다."

척후가 전한 소식에 공명의 본진에 있던 부장들은 만면에 희색을 띠었다. 그 무렵, 촉군은 악전고투하는 상황에서도 얼마 되지 않는 식량밖에 조달하지 못했고, 병량도 한 달분밖에 남아 있지 않았다. 하지만 공명은 부장들에게 엉뚱한 질문을 했다.

"수송대의 수장은 누구인가?"

"척후병의 말로는 자가 덕달인 손례라고 했습니다."

"손례에 대해 아는 자는 없는가?"

"그는 위왕도 중히 여기는 상장군입니다."

예전에 위에 살았던 한 장수가 말했다.

"지난날 위왕이 대석산大石山에 사냥을 갔을 때, 한 마리 거대한 호랑이가 갑자기 위왕에게 달려들었는데, 손례가 호랑이를 막고 칼로 찔러 죽인 후부터 위왕의 신뢰와 총애를 받게 되었습니다."

"그런가?"

공명은 의문이 풀린 듯 웃으며 부장들에게 말했다.

"그와 같은 상장군이 병량을 운송할 리가 없네. 이는 분명 수레 안에 화약이나 마른 장작 등이 쌓여 있을 것이네. 그런 얄팍한 속임수로 나를 속이려들다니……."

공명은 즉시 장수들을 불러 모아 적의 계략을 이용하여 적을 칠 준비에 들어갔다.

이윽고 공명은 제일 먼저 마대에게 군사 3천 명을 내리고, 마충과 장의에게도 각각 군사 5천 명을 내려 어딘가로 출발시켰다. 그 외에 오반과 오의, 관흥과 장포도 군사를 이끌고 신속하게 진영을 떠나게 했다. 그리고 공명 자신도 직접 기산의 정상으로 올라가 서쪽 방면을 바라보았다.

한편 위의 수송대의 움직임은 대단히 느렸다. 2리를 행군하고는 척후를 보내 앞을 살피고 5리를 행군하고는 다시 척후를 보내 앞을 살폈다. 위의 척후병이 연이어 손례에게 고했다.

"공명의 본진이 움직이기 시작했습니다."

"마대와 마충, 장의 등이 속속 적의 진영을 떠났습니다."

손례는 즉시 조진에게 상황을 보고했고, 조진은 선봉인 장호와 악침에게 명을 내렸다.

"오늘 밤, 기산의 서쪽에 불길이 보이면 촉병이 우리의 계략에 빠진 것이니, 그때를 기다려 공명의 본진을 공격하라."

기산의 서쪽에 머물던 손례의 수송대는 날이 저물기 시작하자 야영 준비에 들어가는 척했다. 그러고는 화약과 염초 등을 실은 천여 대의 수레를 여기저기 놓아두고 촉군이 공격해오기를 기다렸다.

서남풍이 강하게 불고 있었다. 손례를 비롯한 위군은 잠이 든 척 가장하고는 적이 공격해오는 것을 숨죽여 기다리고 있었다. 그런데 적의 모습이 보이기도 전에 누군가 수레에 불을 놓았다. 처음에는 아군의 실수라고 생각했던 손례가 촉병의 소행이라는 사실을 알고 소리쳤다.

"공명이 우리 계략을 간파했다. 적의 함정이다."

천여 대의 수레가 불에 타고 있었고, 어느새 촉군은 두 방향에서 활과 돌을 쏘아대고 있었다. 북소리와 함성이 울려 퍼지고 불길이 하늘을 빨갛게 태우자 위군은 대혼란에 빠졌다. 바람이 불어오는 쪽에서는 촉의 장의와 마충이, 그 반대쪽에서는 마대의 군사가 공격해 들어왔다.

위병은 자신들이 계획한 천여 대의 화차火車 속에 갇혀 불을 뒤집어쓴 채 싸울 수밖에 없었다. 게다가 골짜기 사이나 산속 좁은 길에 매복해 있던 위군은 각각 고립되어 손례의 지휘를 받을 수도 없었다. 그렇게 위군은 불에 타 죽거나 길을 잃고 헤매다 적에게 붙잡혀 죽임을 당했다. 그 수가 얼마인지는 헤아릴 수조차 없었다. 결국 손례의 계책은 실패로 끝을 맺었다.

한편 멀리서 불길이 일기만을 기다리던 악침과 장호의 선봉은 촉군이 함정에 빠진 줄 알고 공명의 본진을 향해 돌진했지만 적의 모습은 찾을 수도 없었다. 그런데 그 순간 사방에서 함성 소리가 들려왔다. 촉의 오반과 오의의 군대였다. 위군은 연못 속의 고기처럼 도망치기 바빴다. 그곳에서 달아난 위군은 도중에 관흥과 장포의 공격을 받아 결국 몰살당하고 말았다.

날이 밝으면서 비참한 몰골의 병사들이 하나둘씩 조진의 본진으로 돌아오기 시작했다. 조진은 또다시 참패를 당했다. 낙담한 조진은 이제 공포심마저 느꼈다. 대도독인 그는 곽회의 계책을 탓할 수도 없었다.

"앞으로는 절대 섣불리 움직이지 말고, 적의 계략에도 넘어가지 말고, 오로지 굳게 지키기만 하라."

조진은 도가 지나칠 만큼 수비에만 치중했다.

그사이 눈이 녹고 산과 들에는 아지랑이가 피어오르고 있었다. 한 마리 새가 아지랑이를 가로지르며 날아다녔다. 공명은 몽롱하게 펼쳐진 산과 들판을 가만히 바라보았다. 그리고 어느 날, 서찰을 써서 진창 어귀에 있는 위연에게 보냈다. 그것을 알게 된 양의가 의아해하며 물었다.

"위연에게 퇴각을 명하셨다 하는데, 어인 연유이십니까?"

"진창만이 아니라 이곳에서도 퇴각할 것이오."

"그럼 어디로 나가려 하십니까?"

"한중으로 물러가려 하오."

"저는 무슨 의중인지 모르겠습니다."

"어째서 말이오?"

"얼마 전에 큰 승리를 거두었고, 이제 천지의 눈도 녹았습니다. 드디어 사기를 충천하여 진군할 때가 아닙니까?"

"그렇기 때문에 물러날 때라 생각한 것이오. 위가 오로지 굳게 지키기만 하고 싸우지 않는 것은 우리의 근심을 잘 모르기 때문이오. 우리의 근심은 바로 병량의 부족함이오. 다행히 적은 우리의 병량이 고갈되기만을 기다릴 뿐, 병량을 운송하는 길을 끊으려고는 하지 않소. 만일 지금 우리가 물러나지 않으면 아군은 얼마 지나지 않아 심각한 상황에 직면하게 될 것이오."

"그 점은 저희도 근심하는 바이지만, 일전의 대승으로 많은 전리품을 확보하여 얼마간은 버틸 수 있습니다. 이제 기세를 몰아 나아가면서 식량을 확보하면 장안을 공격할 수 있지 않겠습니까?"

"근래 적의 동정을 헤아려보면, 필시 일전의 대패 소식이 낙양까지 올라갔을 것이오. 그렇다면 적은 반드시 대군을 보내올 것이오. 후방에 충분한 병량과 병력을 보유한 적을 어찌 이길 수 있겠소. 패하여 물러나는 것보다 이기고 돌아가는 것이 득책이라 할 수 있소. 물러남은 싸우는 중의 일이고, 떠남은 작전에 의한 행동이라 할 것이니, 너무 분해하지 마시오."

공명은 양의를 통해 부장들의 불만을 다독이려는 듯했다.

"그러나 위연에게 보낸 사자에게 계책을 내려두었으니, 물러남에 있어서도 무턱대고 물러나는 것은 아니오. 곧 위연이 적장 왕쌍의 목을 가지고 올 것이오."

공명의 예상대로 관흥과 장포와 같이 젊은 장수들은 퇴각에 대해 불만을 표시했다. 하지만 양의는 그들을 달래며 은밀히 퇴각의 준비에 착수했다. 그는 진중의 병력을 조금씩, 그리고 서서히 줄이면서 후퇴시켰다. 그러면서도 마지막까지 징과 북을 치는 병사를 남겨두었는데, 평소와 다름없이 징과 북을 치며 군사들을 훈련시키고 있는 것처럼 가장하기 위해서였다.

한편 대패 이후 오로지 수비에만 전념하던 조진의 본진에 좌장군 장합이 낙양에서 일군을 이끌고 가세했다. 조진이 장합에게 물었다.

"그대는 낙양을 떠날 때, 사마의를 만나지 않았나?"

"제가 여기에 합류하게 된 것은 바로 사마의 중달의 계책에 의한 것입니다."

"역시, 사마의의 말에 따라 온 것인가?"

"아닙니다. 낙양의 폐하는 물론이고 중신들도 일전의 패전에 근심이 크십니다."

"그것은 내 부덕함 때문이오. 실로 면목이 없소이다."

"승패는 병가지상사라 했으니 너무 심려치 마십시오. 그런데 근래의 전황은 어떠한지요?"

"요 며칠 동안 전황이 아군에게 유리하게 전개되고 있소. 큰 싸움은 없었지만 여러 곳에서 아군이 이기고 있소이다."

"그것은 안 될 말씀입니다."

"아니, 어째서 말이오?"

"제가 낙양을 떠날 때, 사마의가 각별히 경계해 마지않았습니다."

"아군이 이기면 안 된다고 했단 말이오?"

"그런 뜻이 아닙니다. 사마의는 촉군이 비록 병량이 부족하더라도 절대로 가볍게 물러나지 않을 것이라고 했습니다. 하지만 만일 적이 한동안 적은 수의 병사로 출몰하여 패하고 도망친다면 무언가 큰 계책을 꾀하고 있음이 분명하며, 반대로 대군을 움직이든지 허세를 부린다면 아직 퇴진의 시기가 멀었다고 보는 것이 정확할 것이니, 이 점을 도독께 잘 전하라고 했습니다."

조진은 무언가 짚이는 데가 있는 듯 급히 노련한 간자들에게 공명의 본진을 살피게 했다. 이윽고 그들이 돌아와 보고했다.

"기산의 어디에도 적이 보이지 않습니다."

"제갈량은 한중으로 총퇴각을 했다 합니다."

조진은 머리를 쥐어뜯으며 후회했다.

"또 그자에게 속았구나."

장합은 즉시 군사를 이끌고 공명을 쫓아갔지만 때는 이미 너무 늦고 말았다. 또 진창 어귀에서 왕쌍과 대치하고 있던 위연도 공명의 서찰을 받고는 즉시 퇴각을 하기 시작했다. 이를 알게 된 왕쌍은 즉시 위연의 뒤를 쫓아갔다.

"위연, 왕쌍이 여기 왔으니 어서 돌아오라."

왕쌍이 말 위에서 소리치며 위연의 군사를 쫓았다. 그런데 그가 적을 쫓는 속도가 너무 빠르다 보니 그의 뒤에는 30여 명의 기마무사밖에 뒤따르지 못했다. 급히 말을 몰고 온 기마병 한 명이 적장 위연은 아직 뒤편에 있다고 왕쌍에게 주의를 주었다.

왕쌍이 깜짝 놀라 뒤를 돌아보니 진창성 밖에 있는 자신의 진영에서 검은 연기가 피어오르고 있었다. 그는 당황해서 말을 돌려 진창 협곡의 입구까지 왔다. 바로 그때 위쪽에서 바위가 떨어져 왕쌍의 부하들이 깔려 죽고 말았다.

"왕쌍, 어디로 가느냐?"

갑자기 위연이 한 무리의 군사를 이끌고 나타나 소리쳤다. 말에서 떨어진 왕쌍은 도망치지도 못하고 자신의 실력도 발휘하지 못한 채, 위연의 칼에 목이 떨어지고 말았다. 위연은 왕쌍의 수급을 창에 걸고 유유히 한중으로 돌아갔다.

117
공명과 중달의 기산 대치

공명은 오의 황제에 오른 손권에게 위를 칠 것을 요청하며 세 번째 북벌에 나서고,
대도독이 된 사마의는 기산으로 나가 공명과 대치한다

위와 촉이 장기간에 걸쳐 치열한 소모전을 펼치자 이를 가장 기뻐한
것은 두말할 필요도 없이 동오였다.

그 무렵 오후 손권은 오랜 세월 품어온 야망을 밖으로 드러냈다. 위
의 조제와 촉의 유선처럼 자신을 황제라 칭한 것이었다.

4월, 손권은 무창武昌의 남쪽 근교에 성대한 단을 쌓고 대례식전을
거행하여 세상에 대사면령을 내렸다. 그리고 그날을 기해 황무黃武 8
년의 연호를 황룡黃龍 원년으로 개호하고 선왕인 손견에게 무열황제武
烈皇帝라는 시호를 올리며, 오의 황제의 자리에 올랐다.

손권의 장남인 손등孫登은 황태자가 되었고, 제갈근의 맏아들인 제갈각諸葛恪을 태자좌보太子左輔로, 장소의 아들 장휴張休를 태자우필太子右弼로 삼았다. 또 승상 고옹과 상장군 육손을 무창성에 두어 태자를 지키게 하고 손권 자신은 건업으로 돌아갔다.

제갈각은 공명의 조카인데 자질이 총명하고 목소리가 한없이 맑고 깨끗했으며, 어릴 때부터 재주가 비범했다.

그가 여섯 살 때 일이었다. 어느 날, 오주 손권이 장난삼아 한 마리 나귀를 궁전의 정원으로 끌고 오게 했다. 그러고는 나귀의 얼굴에 하얀 분을 칠한 뒤, 제갈근의 자 자유子瑜를 붙여 '제갈자유諸葛子瑜'란 글을 썼다. 제갈근의 얼굴이 다른 사람들보다 길어서 이를 놀린 것이었다. 그것을 본 사람들이 웃음을 터뜨렸다. 그런데 아버지 제갈근 옆에 있던 제갈각이 갑자기 붓을 들고 정원으로 뛰어 내려가 나귀의 얼굴에 '지려之驢'라는 두 글자를 덧붙였다. 사람들이 보니 '제갈자유지려諸葛子瑜之驢', 즉 '제갈자유의 당나귀'라는 뜻이 되었다. 그렇게 제갈각은 지혜를 발휘하여 놀림거리가 된 부친을 구해냈다.

위와 촉이 싸울수록 오의 국력은 그들보다 우위에 서게 되었다. 오의 원로인 장소는 오로지 병력을 키우고, 산업을 진흥시키고, 학교를 세워 학문을 권장하고, 농사에 힘을 쏟으며 훗날에 대비했다. 그리고 한편으로는 촉에 특사를 보내 촉의 선전을 종용하면서 손권이 제위에 오른 일을 전했다.

오의 특사는 성도는 물론이고 공명이 있는 한중에도 보내졌다. 한조의 통일을 이상으로 내걸었던 공명은 하늘의 태양이 세 개가 되자 심기가 몹시 불편했다. 하지만 작금의 시류는 그것을 주장할 때가 아니었다. 만일 손권이 제위에 오른 것을 비판하면 오는 즉시 위와 손을 잡을 것이 분명했다.

공명은 사자를 보내 예물과 함께 축하의 뜻을 전하며 다음과 같이 주장했다.

> 우리 촉군이 계속해서 위를 공격하여 그들을 피폐하게 했으니, 지금 귀국의 강대한 힘으로 위를 공격한다면 반드시 무너뜨릴 수 있을 것입니다.

공명은 그렇게 오를 설득하는 한편, 본국의 조정에 대해서도 때가 도래했음을 알렸다.

오제 손권은 급히 육손을 건업으로 불러들여 의견을 물었다.

"촉의 요청을 어떻게 하면 좋겠소?"

"동맹의 맹약이 있으니 받아들이지 않을 수 없습니다. 하지만 어디까지나 촉이 주가 되어야 합니다. 오는 오로지 위의 허를 살피다 결정적인 순간, 공명보다 한발 앞서 낙양에 입성하도록 해야 합니다."

"잘 알겠소."

손권은 흡족해하며 웃었다.

한편 진창의 수장인 학소가 병에 걸려 중태에 빠졌다는 정보를 입수한 공명은 세 번째 기산 출병을 결행했다. 이윽고 학소는 낙양에 급보를 보내 자신을 대신할 장수와 원군을 청했다. 장안에 있던 곽회는 시간이 걸릴 것을 염려하여 우선 장합에게 3천 명의 군사를 내려 즉시 그를 진창성으로 보냈다. 그러고 나서 낙양에 보고를 했지만, 이미 때는 늦었다. 학소는 죽고 진창은 벌써 촉에 함락되었던 것이다.

촉이 그토록 빨리 진창성을 함락시킬 수 있었던 것은, 공명의 신속함이 빛을 발했기 때문이다. 공명은 강유와 위연의 부대에게 지름길을 이용하여 은밀하게 진창성 배후로 나가도록 명령했다. 그런데 막상 그들이 도착해 진창성 안으로 기습병을 보내 불을 놓고 일시에 성으로 들어갔을 때는, 이미 공명이 성을 함락시킨 뒤였다. 그러니 위의 장합이 아무리 서둘렀다고 하더라도 제때에 도착하기란 애초부터 불가능했던 것이다.

강유와 위연이 공명에게 물었다.

"승상의 계책은 참으로 귀신과도 같습니다. 어찌 저희보다 먼저 이곳에 와 계십니까?"

공명이 웃으며 말했다.

"나는 그대들이 떠난 후, 관흥과 장포와 함께 밤낮을 가리지 않고 길을 재촉하여 온 것이오."

공명은 성안을 둘러보며 난군 중에서 학소의 주검을 찾게 했다.

"학소는 적이지만 그의 충혼은 존경을 받아 마땅하니, 시신을 저리 놓아두어서는 안 될 것이다."

공명은 병사에게 학소의 시신을 거두어 성대하게 장례를 치러줄 것을 명령했다. 그리고 위연과 강유에게 말했다.

"진창성은 함락되었으니 그대들은 즉시 산관散關을 공격하시오. 때를 놓치면 위의 군마가 충원되어 진창과 같이 될 수도 있을 것이오."

강유와 위연은 즉시 산관으로 떠났다. 산관의 방비는 예상대로 허술하여 어려움 없이 빼앗을 수 있었는데, 반나절도 지나지 않아 위의 기세등등한 군대가 공격을 해왔다.

"과연 승상의 선견지명대로 위의 대군이 왔구나."

강유와 위연이 감탄하며 망루에 올라 적의 대군을 보니 일찍부터 명성을 들어온 위의 좌장군 장합의 깃발이 바람에 펄럭이고 있었다. 하지만 장합은 산관조차 촉군의 손에 넘어간 것을 확인하고는 실망하며 급작스레 군사를 물렸다. 촉군이 관을 나서 위군을 쫓자 장합의 군사는 기세에 눌려 장안으로 도망쳤다.

"이제 이곳도 평정했습니다."

강유와 위연이 공명에게 전황을 보고했다. 공명은 즉시 전군을 이끌고 진창에서 야곡으로 진군하여 건위建威를 공략한 뒤, 기산으로 나아갔다.

기산은 두 번에 걸쳐 출병했을 때의 주된 전쟁터였다. 또한 촉군은 두 번 모두 이곳에서 퇴각을 해야만 했으니, 공명에게는 실로 통한의 땅이라 할 수 있었다. 공명이 부장들을 모아놓고 고했다.

"적들은 이전 두 번의 승리에서와 마찬가지로 내가 반드시 옹성雍城과 미성郿城의 두 곳을 칠 것이라 생각하고 그곳을 굳게 지킬 것이오. 이에 나는 반대로 음평陰平과 무도武都를 급습할 것이오."

공명은 음평과 무도를 빼앗아 적의 세력을 그쪽으로 분산시키는 작전을 취했다. 그런데 적의 병력을 분산시키기 위해서는 자신의 병력도 나눠야만 했다. 공명은 왕평과 강유에게 각각 군사 만 명을 내어주어 그곳들을 공략하게 했다.

곽회는 장안으로 돌아온 장합의 보고와 공명이 기산으로 진출했다는 소식을 듣고 충격을 받았다.

"그렇다면 촉은 옹성과 미성을 공격할 것이다. 장합, 그대는 이곳을 지키시오. 나는 미성을 지키고, 옹성은 손례를 보내 막도록 해야겠소."

곽회는 즉시 군사를 나눠 두 곳으로 급히 보냈다. 장합은 파발들을 보내 기산의 전황을 낙양에 고하면서 군사의 증강을 요청했다.

위의 조정은 큰 충격에 빠졌다. 그 무렵에는 오의 손권이 제위에 오른 일도 전해졌고, 촉과 오가 특사를 교환하여 촉의 요청에 따라 무창의 육손이 대병력을 정비하고 위를 공격하려는 움직임을 보이던 참이었다.

위의 조정은 강적인 촉과 대적인 오, 과연 어디에 병력을 집중해야 할 것인가를 두고 의견이 분분했다. 그렇게 되자 황제 조예는 사마의에게 의견을 물어볼 수밖에 없었다. 조예는 급히 사마의를 불렀다. 하지만 사마의는 황제의 앞에 나와서 별다른 말을 하지 않았다.

이윽고 조예가 방책을 묻자, 사마의는 그제야 자신의 생각을 막힘없이 피력하기 시작했다.

"너무 깊이 고민할 필요가 없을 것입니다. 제갈량이 오와 연합한 것은 당연한 일입니다. 오가 이에 호응한 것도 역시 동맹국으로 당연한 일일 것입니다. 하지만 오에는 육손이라는 인재가 병권을 잡고 있습니다. 그는 필시 공격할 듯하면서 공격하지 않으며, 안으로 군비를 충실히 하면서 쉽게 움직이지 않으며, 촉의 공격과 위의 방비를 살피며 오로지 때를 기다릴 것입니다. 그러니 오의 태도는 허이고 촉의 공격은 실이니 실에 전력을 기울이고 후일 허를 처리하면 될 것입니다."

"과연 지당한 말이오."

조예는 사마의의 말을 듣고 무릎을 치며 감탄했다.

"경은 실로 대장군감이오. 경이 아니면 어느 누가 제갈량을 무찌를 수 있겠소."

조예는 그 자리에서 사마의를 대도독에 봉하고 전군 지휘권인 총병장인總兵將印을 사마의에게 내린다는 조서를 작성했다. 그러자 사마의가 몹시 불편한 기색을 드러냈다. 이윽고 사마의가 황제에게 고했다.

"총병장인을 황제의 칙명으로 거두어들이시는 것은 대도독 조진의 체면을 생각하면 실로 유감스러운 일입니다. 그러니 제가 직접 가서 받도록 하겠습니다."

사마의는 장안으로 출발하여 병으로 누워 있는 조진을 만났다. 그는 문안을 하면서 가벼운 한담을 나눈 후 이야기를 꺼냈다.

"지금 오의 육손과 촉의 공명이 손을 잡고 우리 위를 공격해온 것을 알고 계십니까?"

"그게 정말이오?"

조진은 깜짝 놀라 눈물을 흘리며 말했다.

"내가 이렇게 병상에 있으니 아무도 내게 그런 사실을 말해주지 않는구려."

사마의가 그를 위로하며 말했다.

"제가 도울 터이니 군중의 일에 너무 가슴 아파하지 마십시오."

"이런 몸으로는 나라의 위기를 돌볼 힘이 없소이다. 부디 그대가 이것을 받아 나라를 환란에서 구하도록 하시오."

조진은 총병장인을 꺼내 사마의에게 건넸다. 사마의는 몇 번을 사양했다.

"조정에는 내가 나중에 주청을 올릴 것이니, 경은 아무 걱정도 하지 마시오."

조진의 간곡한 부탁에 사마의도 더 이상 사양하지 못하고 받아들이며 대답했다.

"그럼 일단 제가 맡아두겠습니다."

* * *

건흥 7년 4월, 기산에서 촉의 제갈공명과 위의 사마중달이 처음으로 정면에서 대치하는 장관이 펼쳐졌다.

그때까지 싸움에서 사마의는 오직 낙양에 머물며 진두에 서지 않았다. 서전인 가정의 대전에서는 자신이 직접 양평관까지 진군했지만, 거문고 사건 이후 공명이 즉시 한중으로 돌아갔기 때문에, 두 사람이 건곤일척의 일전을 겨루는 모습은 실현되지 못했다.

공명도 사마의의 비범함을 알고 있었고, 사마의도 일찍부터 공명의 신출귀몰한 재기를 알고 있었다. 서로가 서로에 대해 잘 알고 있는 셈이었다. 여기에 사마의 군사 10만 명은 새롭게 투입된 정예였고, 그

선봉에 선 것은 백전연마의 용장 장합이었다.

기산에 도착한 날, 사마의가 곽회와 손례에게 물었다.

"공명이 기산의 세 곳에 진을 치고 있는데, 그대들은 그가 이곳에 온 이래로 몇 번이나 적들을 시험해보았는가?"

"도독께서 오셔서 친히 지휘를 하시리라 생각해서 아직 한 번도 싸운 적이 없습니다."

"제갈량은 반드시 속전속결을 원할 터인데, 그가 이렇듯 느긋하게 있다는 것은 뭔가 큰 계책을 꾸미고 있다는 것이오. 농서의 각 고을에서는 아직 아무런 정보도 올라오지 않았소이까?"

"모두들 오로지 수비에만 전념하고 있는 듯합니다. 단지 무도와 음평에 보낸 자만이 아직도 돌아오지 않고 있습니다."

"그렇다면 공명은 그 두 곳을 공격하려는 것이오. 그대들은 지름길을 이용하여 급히 두 곳에 원군을 보내 만전을 기한 후 기산의 뒤편으로 나오시오."

그날 밤, 곽회와 손례는 수천 명의 병사를 이끌고 농서의 샛길을 우회했다. 가는 도중 두 사람은 말 위에서 이야기를 주고받았다.

"그대는 공명과 중달, 둘 중 누가 더 뛰어나다고 생각하시오?"

"글쎄, 비록 적이지만 공명이 다소 낫지 않은가 싶소이다."

"하지만 이번 작전 등을 보면 공명보다 중달이 낫지 않은가 싶소. 기산의 뒤편에서 중달이 나온다면 공명조차 당황할 것이오."

밤이 샐 무렵, 갑자기 선두에 있는 병마가 소란스러워졌다. 앞쪽 소나무 숲 속에서 '한의 승상 제갈량'이라는 큰 깃발이 펄럭이고 있었고,

산 위에서 군마가 먼지를 일으키며 몰려오고 있었다.

두 사람이 수상하다는 말을 나누기도 전에 한 발의 포성이 울렸다. 그 소리를 신호로 사방의 산에서 북소리가 일어나더니 곽회와 손례의 5천여 군사를 완전히 포위했다.

"농서의 두 곳은 이미 우리 손에 들어왔으니, 너희는 투구를 벗고 항복하라."

사륜거를 탄 공명이 곽회와 손례를 향해 다가오며 말했다.

"눈앞에 공명을 보고도 어찌 그냥 보낼 수 있겠는가."

두 장수가 고함을 치며 달려들었다. 하지만 왕평과 강유의 부대에게 저지당하고 부하들도 차례로 적의 칼에 쓰러지자 두 장수는 도망을 치기 시작했다. 장포가 자신의 이름을 대며 그들을 쫓았다. 적은 혼신의 힘을 다해 도망쳤고, 장포도 그런 적을 너무 급히 쫓다가 말이 무언가에 걸려 넘어지는 바람에 골짜기 밑으로 굴러떨어지고 말았다. 뒤따르던 장포의 부하들이 도망치는 적을 제쳐두고 모두 골짜기 밑으로 내려갔다. 장포는 바위에 머리를 부딪쳐 큰 부상을 당하고 기절해 있었다.

곽회와 손례도 비참한 몰골로 돌아왔다. 그 모습을 본 사마의가 오히려 두 사람에게 사죄를 했다.

"이번 실패는 그대들의 죄가 아니라 제갈량의 지략이 나를 뛰어넘었기 때문이오. 하지만 내게 다른 계책이 없는 것이 아니니, 그대들은 옹성과 미성으로 가서 굳게 지켜주시오."

사마의는 하루 종일 생각에 잠겨 있다가 이윽고 장합과 대릉戴陵을 불렀다.

"무도와 음평의 두 성을 빼앗은 공명은 치세를 위해 당분간 그곳에 머물 것이오. 기산의 본진에는 여전히 공명이 있는 것처럼 깃발이 펄럭이지만, 이는 필시 허세일 것이오. 그대들은 오늘 밤 각각 군사 만 명을 이끌고 기산의 본진을 측면에서 공격하시오. 나는 정면에서 공격해 일거에 공명의 중추를 깰 것이오."

그날 밤, 장합은 사전에 조사해둔 샛길을 따라 이경부터 삼경에 걸쳐 기산의 측면으로 우회했다. 그곳으로 가는 길은 험준한 바위산의 좁은 길뿐이었다. 반쯤 나아가자 나무를 쌓은 수레들이 몇 겹으로 길을 막고 있었다. 촉군이 만들어놓은 방루였다. 장합이 병사들을 독려하며 방루를 넘어가자 갑자기 사방에서 불길이 일어났다.

"어리석은 중달이 또다시 같은 실수를 범하여 부하들을 위태롭게 했구나. 공명은 무도와 음평이 아니라 바로 여기 있다."

산 위에서 큰 소리로 외치고 있는 사람은 틀림없이 공명이었다. 이에 장합이 소리쳤다.

"위의 대국을 두려워하지 않고 몇 번이나 침범을 한 공명은 거기 그대로 있으라."

장합이 무턱대고 말을 몰아 산길을 오르려고 하자, 공명이 산 위에서 다시 껄껄 웃으며 말했다.

"하룻강아지 범 무서운 줄 모른다더니, 지금 네 모습이 바로 그러하구나."

공명이 좌우 병사에게 명하자마자 나무와 바위가 일시에 굴러떨어졌다.

장합의 말은 다리가 부러진 채 쓰러졌다. 장합은 말을 버리고 산기 슭으로 달아나다 대릉이 적의 포위망에 빠지는 것을 보고 다시 돌아갔다. 그는 대릉을 구한 후 함께 도망을 쳤다.

진영으로 돌아온 공명이 말했다.

"지난날 당양 싸움에서 장비와 장합이 싸워 우열을 가리기 힘들었을 때, 당시 위에는 장합이 있다는 말이 유행할 정도였다. 오늘 밤 그의 용맹함을 다시 확인할 수 있었다. 장합은 언젠가 촉에 큰 화근이 될 자이니, 기회가 왔을 때 반드시 그를 제거해야 할 것이다."

한편 위의 본진에서 그 소식을 들은 사마의 중달은 놀라움을 감추지 못했다.

"제갈량이 또 내 생각을 앞질렀구나. 그의 용병은 실로 귀신과 같다."

사마의는 공명이 적이라는 사실도 잊고 그저 감탄만 했다.

"그렇지만 그 역시 사람에 지나지 않을 것이니, 내 어찌 이 정도 패배에 굴하겠는가."

이윽고 사마의는 마음을 다잡고 밤낮으로 머리를 싸매며 다음 작전을 계획했다.

한편 두 번의 싸움에서 승리를 거둔 촉군은 사기가 하늘을 찌를 듯했다. 게다가 촉군은 위군의 풍부한 장비와 군마와 무구 등의 수많은 전리품도 획득했다. 그 후 사마의의 군은 더 이상 움직임을 보이지 않았다. 공명은 어쩔 수 없이 그러한 대치 상태에서 보름을 보내야만 했다. 하루는 공명이 부장들을 모아놓고 의논했다.

"움직이는 적은 치기 쉽지만, 전혀 움직이지 않는 적은 어떻게 할 수

가 없소. 이러는 사이에 아군의 병량이 고갈되면 형세는 저절로 역전
될 수밖에 없을 터인데, 과연 어떻게 해야 하겠소?"

그때 성도에서 비의가 사자로 찾아왔다.

* * *

일전에 공명은 가정에서의 패배를 책임 지고 승상의 직을 조정에 반
환했다. 그런데 황제는 조서를 통해 공명에게 다시 승상의 직에 복귀
하라고 명을 내렸다.

"그 후로 큰 공도 세우지 못했고 아직 대사도 이루지 못했는데, 어찌
승상의 직에 복귀할 수 있단 말인가."

공명이 완곡하게 사양하려 하자, 주위 사람들이 병사들의 사기를 위
해서라도 승상의 직을 다시 맡아야 한다고 간절하게 청했다. 이에 공
명은 마침내 조정의 뜻을 따르기로 했다.

"우리도 일단 돌아가도록 할 것이오."

칙사 비의가 성도로 돌아간 후 갑자기 공명은 한중으로의 퇴각을 명
했다.

그 소식을 전해 들은 사마의가 말했다.

"이는 분명 제갈량의 계략일 것이니, 오로지 지키기만 하고 움직이
지 말라."

하지만 장합이 내키지 않는 듯 말했다.

"적은 병량이 떨어진 것입니다. 추격해서 전멸시켜야 합니다."

"아니오. 한중은 작년에도 풍작이었고, 올해도 마찬가지이오. 병량이 없는 것이 아니라 그저 운송에 곤란함을 겪고 있는 것이오. 필시 이것은 우리를 움직이게 하려고 자신들이 먼저 움직이는 제갈량의 유인책일 것이오. 잠시 척후병의 보고를 기다리도록 합시다."

이윽고 척후병의 보고가 속속 올라왔다.

"공명의 대군이 30리를 물러간 후 다시 주둔했습니다."

하지만 그 이후 열흘 동안 아무런 변화도 보이지 않았다. 얼마 후 다시 촉군이 더 멀리 물러나고 있다는 보고가 전해지자 사마의가 부장들에게 말했다.

"그것 보시오. 30리마다 계책을 꾀하고는 우리가 추격해오기를 유인하고 있지 않소이까. 섣불리 그의 의도대로 따라가서는 안 되오."

다음 날도 또 30리 물러났다는 보고가 왔고, 다시 이틀 후에 촉군이 또 30리를 행군하고 멈추었다는 보고가 들어왔다. 하지만 부장들의 생각과 사마의의 견해에는 큰 차이가 있었다. 부장들은 득달같이 사마의를 찾아갔다.

"공명이 물러가는 모습을 보면 완병지계緩兵之計입니다. 한쪽으로는 퇴각하고 한쪽으로는 대치하는 진형을 취하는 것은 손해를 보지 않으려는 퇴각의 방책입니다. 이를 뻔히 보면서 추격하지 않으면 천하의 웃음거리가 될 것입니다."

부장들이 그렇게까지 말하자 사마의의 마음도 다소 움직였다. 특히 장합이 강력하게 추격할 것을 주장하자 드디어 사마의도 생각이 바뀌었다.

"알았소. 그대들은 용맹한 병사들을 이끌고 추격하시오. 단 도중에 하룻밤 야영을 하고 병마를 충분히 쉬게 한 후 일시에 촉군의 진영을 치시오. 나도 후진으로 병사들을 이끌고 갈 것이오."

정병 3만 명과 사마의의 중군 5천 명은 시위를 떠난 화살처럼 급히 추격을 개시했다. 그러다 날이 저물자 사마의는 추격을 멈추고 전군에게 휴식을 명하며 다음 날을 대비하게 했다.

공명은 후군의 척후병에게서 사마의 일행에 대한 보고를 받고 처음으로 엷은 미소를 지었다. 마른침을 삼키면서 기다리고 기다리던 소식이었기 때문이다.

그날 밤, 공명은 부장들을 모아놓고 비장한 목소리로 훈시를 했다.

"이 일전의 중대함은 말할 필요도 없을 것이오. 촉의 운명이 바로 오늘에 달려 있소. 아군 한 명이 적 열 명을 상대한다는 각오로 모두 목숨을 아끼지 말고 싸워야 할 것이오."

공명은 다시 말을 이었다.

"적의 배후로 우회하여 후방을 칠 용장이 필요한데, 과연 누가 좋겠는가? 누가 죽음을 각오하고 자처하여 이 어려운 임무를 완수할 수 있겠는가?"

아무도 대답하는 사람이 없었다. 그도 그럴 것이 공명은 이 막중한 임무를 맡기 위해서는 지략과 용맹함과 담력까지 겸비한 장수가 아니면 안 된다고 전제를 두고 있었던 것이다.

공명의 눈길이 위연의 얼굴로 향했다. 하지만 위연은 고개를 숙인 채 아무 말도 하지 않았다. 그때 왕평이 벌떡 일어서며 결연한 어조로 말했다.

"승상, 제가 가도록 하겠습니다."

공명이 왕평에게 물었다.

"만일 실패한다면 어찌하겠는가?"

왕평은 비장한 목소리로 대답했다.

"성공하는가 성공하지 못하는가는 생각하지 않습니다. 승상께서는 오로지 지금, 이 일전이야말로 촉의 흥망에 관계되는 대사라고 말씀하셨습니다. 이에 제 부족함을 돌아보지 않고 그저 죽음으로써 나라에 보답하고자 할 뿐입니다."

"그 한마디로 족하오. 하지만 위의 대군은 전군에 장합, 후군에 사마의로 나눠져 있으니, 그 사이는 이른바 사지死地와 같소. 내 계책은 그러한 사지에 뛰어들어 목숨을 버리고 싸우라는 위험한 병법이오. 그럼에도 가겠소?"

"예, 목숨을 잃는 한이 있더라도 가겠습니다."

"그럼 일군을 더 붙여주겠소. 누구 왕평의 부장으로 갈 자는 없는가?"

"제게 명을 내려주십시오."

전군도독 장익이었다.

"적의 부장 장합은 만부부당萬夫不當의 용장으로 그대는 상대가 되지 않을 것이오."

그 말을 듣고 분기탱천한 장익이 고했다.

"승상은 무슨 말씀을 그리하십니까? 죽음을 각오하고 임하면 두려울 것이 무에 있겠습니까. 만일 제가 실패한다면 후일 제 목을 치십시오."

"그대의 결심이 그렇다면 청을 받아들이겠소. 오늘 밤, 왕평과 장익은 각각 군사 만 명을 이끌고 은밀히 길을 되돌아가서 중간의 산에 매복하시오. 그리고 내일, 위의 전군이 지나가는 것을 확인하면 왕평은 장합의 후방을 공격하고, 장익은 사마의의 전면을 공격하도록 하시오. 이후에는 내게 다른 계책이 있으니, 그대들은 오로지 그곳에서 죽을 각오를 하고 적과 싸우도록 하시오."

공명이 명을 내리자 왕평과 장익이 일어서서 공명에게 고했다.

"그럼, 마지막 인사를 올리겠습니다."

두 사람은 인사를 한 후 바로 군사를 이끌고 떠났다. 공명은 그런 그들의 뒷모습을 바라보다 강유와 요화를 불러 각각 군사 3천 명을 내리며 왕평과 장익의 뒤를 쫓아, 싸움이 벌어질 인근의 산 위에서 대기하라고 명했다. 그리고 두 사람이 떠나기 전에 비단주머니를 건네며 말했다.

"결정적인 순간이 오면 그때를 판단하여 이것을 열어보시오."

공명은 이어서 오반, 오의, 마충, 장의를 차례로 불렀다.

"그대들은 진영에 있으면서 적이 공격해오면 정면에서 맞서 싸우시오. 필시 내일 위군이 전력으로 부딪혀오면 이를 감당해낼 수 없을 것이니, 한 번 공격하고 한 번 물러나며 완급을 가하다, 이윽고 관흥의 일군이 공격을 감행하면 바로 그때를 노려 일제히 전력을 다해 적에 맞서시오."

공명은 마지막으로 관흥을 불러 명령을 내렸다.

"그대는 일군을 이끌고 이 부근 산속에 숨어 있으시오. 그리고 내일 내가 산 위에서 붉은 깃발을 움직이면, 일시에 나와 적을 공격하시오. 이번 싸움은 예전의 싸움과는 다르다는 것을 명심해야 하오."

그렇게 모든 준비를 끝낸 공명은 잠깐 눈을 붙인 후 이른 새벽 산 위에 올랐다. 그날 아침 구름은 낮게 깔렸고 태양은 구름을 진홍빛으로 물들이고 있었다. 아직 싸움이 일어나기도 전이었는데, 이미 하늘은 핏빛으로 붉게 물들어 있었다.

때는 6월 한여름이었다. 촉의 마충, 장의, 오의, 오반이 진을 치고 있는 네 곳의 진영에 위의 장합과 대릉의 3만 군사가 쳐들어오자 일진일퇴, 치열한 전투가 벌어졌다.

촉군은 완급을 조절하며 20리를 물러났다가 다시 50리를 나아갔다. 아침부터 공격에 나서 공세를 늦추지 않았던 위군은 무더운 날씨 속에서도 쉬지 않고 적을 추격했다. 어느덧 해가 중천에 떠오르고 오시午時가 가까워지자 위군도 조금씩 지치기 시작했다. 그때 갑자기 산 위에서 붉은 깃발이 움직였다. 마침내 공명의 신호가 떨어진 것이었다.

때를 기다리고 있던 관흥의 5천 병사는 골짜기 안에서 질풍처럼 달려나와 위군의 측면을 공격했다. 일단 물러났던 촉의 네 진영의 군사들도 즉시 말을 돌려 장합과 대릉에게 대반격을 가했다.

촉군의 피해도 컸지만, 위군의 피해도 막심했다. 게다가 촉의 장익과 왕평의 양군이 배후에서 협공을 가하자 3만 명에 달하는 위군은 궤멸 직전까지 궁지에 몰렸다.

이윽고 위의 주력인 사마의 중달의 군사가 도착했다. 처음부터 죽음을 각오하고 사지에 들어갔던 왕평과 장익은 사마의의 군사를 보자 몸을 내던지며 돌진했다. 아비규환 속에 함성 소리와 피가 천지를 뒤덮었다.

"바로 지금이다."

촉의 강유와 요화는 공명에게서 받은 비단주머니를 열어보았다.

> 그대들 양군은 이곳을 떠나 사마의가 없는 위수의 본진을 공
> 격하라.

강유와 요화는 산을 타고 봉우리를 넘어 위수 방면으로 내달렸다. 얼마 후 사마의는 그 사실을 알고 당황했다.

"앗, 장안이 위험하다!"

그는 위군에게 갑자기 총퇴각의 명을 내렸다. 사마의의 주력군과 전군은 급히 위수를 지키기 위해 말을 돌렸다.

밤으로 접어들자 핏빛의 달이 떴다. 땅에 쓰러진 양군의 시체는 만 명이 넘을 정도였다.

"이겼다. 우리가 이겼다."

양군은 서로의 승리를 주장했다. 양군의 피해는 호각이었지만 이번 싸움에서 죽은 장수의 수는 촉군보다 위군이 많았다. 하지만 그 무렵, 부상을 당해 성도로 돌아갔던 장비의 아들 장포가 죽었다는 소식이 전해졌다.

"아, 장포가 죽었구나."

공명은 목 놓아 통곡하다 이내 피를 토하고 혼절했다. 그러다 열흘이 지나서야 간신히 회복했지만, 공명은 좀처럼 이전과 같이 건강한 상태를 보이지 못했다.

"내가 병이 들었다는 것을 밖으로 전하지 말라. 만일 사마의가 이 사실을 알면 일시에 공격해올 것이다."

공명은 경계를 늦추지 않으며 한중으로 돌아갔다. 나중에 그 사실을 알게 된 사마의는 기회를 놓쳤다며 크게 후회했다.

그 후 사마의는 요지의 방비를 굳게 하고 낙양으로 돌아가 황제에게 전황을 보고했다. 한편 공명도 오랜만에 성도로 돌아가 승상부에서 물러난 후 한동안 요양에만 전념했다.

118
진법 대결을 펼치는 공명과 중달

위는 촉의 검문각을 공격하다 큰비를 만나 물러가고, 병에서 회복한 공명은
다시 기산으로 진출하여 사마의와 진법 대결을 펼친다

7월의 어느 가을날이었다. 조진이 조정에 나와 고했다.

"오랫동안 병상에 누워 있다 이제 건강을 회복했사오니, 다시 군무를 맡기를 청하옵니다. 소신, 듣기로 공명이 병이 들어 성도로 돌아가 한중에 없다고 합니다. 바로 지금이 촉을 쳐서 나라의 화근을 없애야 할 때인 줄 아옵니다."

위제 조예는 시중 유엽에게 물었다.

"촉을 쳐야겠는가, 아니면 그만두는 편이 좋겠는가?"

유엽이 즉시 답했다.

"치지 않으면 백 년의 후회를 남길 것입니다."

그 후 유엽이 집에 돌아가 있는데, 조정의 무인과 대관 들이 번갈아 찾아왔다.

"이 가을에 대군을 일으켜 촉을 쳐야 한다고 황제께 말씀하셨다는 것이 사실입니까?"

"그대들은 촉의 산천이 얼마나 험한지 모르는 듯하구려. 촉을 과소 평가하고 있는 것이 위의 우환이라 할 것이오. 황제께서도 이를 잘 알 고 계실 것인데 어찌 그런 경거망동을 할 수 있겠소이까."

유엽은 강하게 부정했다.

양기楊曁는 유엽의 말에 모순이 있다는 것을 알아채고 황제에게 직 접 물었다.

"촉을 치실 마음을 버리신 것이옵니까?"

"그대는 서생이니 병법을 논할 상대가 아니네."

"하지만 유엽은 그런 바보 같은 싸움은 하지 않는 것이 좋다고 했습 니다."

"유엽이 그리 말을 했단 말인가?"

"예, 모두들 선제의 책사였던 유엽의 말을 믿고 있습니다."

조예는 즉시 유엽을 불러 물었다.

"그대는 일전에 내게 촉을 치라고 권하지 않았소. 그런데 밖에 나가 서는 치면 안 된다고 말하다니, 대체 그대의 진심은 무엇이란 말이오?"

유엽이 태연하게 답했다.

"신의 생각은 결코 바뀌지 않았습니다. 촉의 험한 산천으로 들어가 병마를 움직임은 우리 스스로 국력을 소모하고 위군을 사지에 밀어넣는 것과 같사옵니다. 저들이 온다면 어쩔 수 없지만, 우리가 먼저 공격해서는 안 되니, 촉을 쳐서는 안 될 것입니다."

조예는 기묘한 표정으로 그의 말을 듣고 있었다. 그런데 곁에 있던 양기가 물러가자 유엽이 목소리를 낮추며 은밀히 고했다.

"촉을 치는 일은 대사 중의 대사입니다. 그런데 어찌하여 황제께서는 양기나 궁중의 사람들에게 그런 대사를 밝히셨습니까?"

조예는 그제야 깨달았다.

"아, 그렇구나. 내가 경솔했소. 앞으로 주의하겠소이다."

그 무렵 형주에서 오의 동정을 살피고 있던 사마의가 돌아와 조예에게 고했다.

"오는 촉을 도울 듯이 행동하고 있지만 이는 어디까지나 조약에 의한 것으로 진심이 아닙니다."

그리고 그로부터 열 달 후, 위의 40만 대군이 촉의 경계에 있는 검문각을 공격했다. 낙양의 조정과 백성들 모두 깜짝 놀랄 만큼 대규모의 원정이었다. 다행히 공명이 병에서 회복한 후였다. 공명은 왕평과 장의를 불렀다.

"그대들은 각각 군사 천 명을 이끌고 나가시오. 그리하여 진창의 길목을 막고, 위군을 막으시오."

두 사람은 아연실색했다. 40만의 대군을 불과 2천 명의 군사로 어떻게 막을 수 있을 것인지, 죽으러 가라는 말처럼 들렸던 것이다.

왕평과 장의가 실의에 찬 모습으로 가만히 있자 공명이 다시 말을 이었다.

"근래에 천문을 살펴보니 태음필성太陰畢星에 비의 기운이 가득했
소. 이는 필시 이달 안에 10년 이내에 없던 큰비가 온다는 것이니, 위의
40만 대군이 검문각을 치기 위해 오더라도 진창의 험로와 험지, 여기
에 큰비까지 내리면 적은 도저히 움직일 수 없을 것이오. 먼저 그대들
을 보낸 후, 적이 지쳐 있을 때를 틈타 내가 직접 대군을 이끌고 나가
적을 칠 것이오."

"승상을 의심하다니, 참으로 송구스럽습니다. 그럼 저희는 즉시 떠
나겠습니다."

용기를 얻은 왕평과 장의는 즉시 군사 2천 명을 이끌고 진창으로 향
했다. 그들은 진창에 도착하자마자, 큰비를 대비해 높은 지대에 진을
쳤다. 그리고 한 달분의 식량을 비축해놓았다.

한편 위의 40만 대군은 조진을 대사마 정서대도독으로, 사마의를 대
장군 부도독으로, 유엽을 군사로 삼아 비장한 결의를 다지며 진군해
나갔다. 그러다 진창 길목에 들어섰는데, 길가의 마을이 모두 불에 타
서 벼 한 섶, 닭 한 마리도 구할 수가 없었다.

"이는 모두 공명의 지시일 것이다. 참으로 얄미울 정도로 주도면밀
하구나."

그렇게 다시 며칠을 행군해나갔다. 하루는 사마의가 조진과 유엽에
게 말했다.

"더 이상 앞으로 나아가서는 안 될 것입니다. 어젯밤, 천문을 살펴보
니 가까운 시일 안에 큰비가 올 듯합니다."

조진과 유엽은 의심스러운 표정을 지었지만 사마의의 말에 따라 그 날부터 한곳에 머물렀다. 대나무를 베어 처소를 만들고 10여 일 정도 머무르고 있는데, 정말로 며칠 동안 큰비가 내렸다. 강수량이 대단해서 수레는 말할 것도 없고 사람과 말도 빗물에 휩쓸려갔으며, 무기와 식 량도 모두 물에 잠겼다. 임시로 만든 가옥마저 물에 잠기자 위군은 산 위로 진영을 옮겼다. 여기에 길은 급류로 변하고 절벽은 폭포로 변하 고 골짜기는 호수가 되어버렸다.

큰비가 30여 일 동안 이어졌다. 병자와 익사자가 속출하고 식량은 바닥이 나고 후방과의 연락도 끊어져 40만 대군은 완전히 물에 고립되 고 말았다. 그러한 상황이 낙양에 전해지자 조예는 근심에 휩싸였다. 조예가 제단을 쌓고 기청제祈晴祭를 올렸지만 아무런 효과도 없었다. 처음부터 출병을 반대했던 태위 화흠과 성문교위 양부, 산기황문시랑 왕숙 등은 황제에게 속히 군사를 물리라는 청을 올렸다.

황제의 칙서가 진창에 도착했을 무렵 비는 그쳤지만, 위군의 비참한 형상은 말로 표현할 수 없을 정도였다. 칙사도 울고 조진과 유엽도 통 곡했다. 사마의가 참회하며 말했다.

"하늘을 원망하기보다 자신의 어리석음을 탓할 수밖에 없습니다. 이렇게 된 이상, 속히 퇴군하여 병사의 손실을 막도록 해야 할 것입 니다."

사마의는 물이 빠진 골짜기마다 후군을 배치하고, 주력부대도 두 편 으로 나눠 한 부대가 물러가면 다음 부대가 물러가는 식으로 신중을 기하며 퇴군했다.

그 무렵 공명은 촉의 주력을 적성赤城까지 진출시켜두었는데, 위군이 철군하고 있다는 소식을 듣고 명을 내렸다.

"지금 적을 쫓으면 반드시 중달의 계책에 빠질 것이니, 이를 쫓는 것은 어리석은 짓이다. 그대로 내버려두어라."

그 후 공명은 조금도 군사를 움직이지 않았다.

* * *

위의 전군이 멀리 물러간 후, 공명은 대군을 여덟 부로 나누었다. 그러고는 기곡과 야곡의 두 길을 이용해 기산으로 나가 전열을 펼치라고 명했다.

"장안으로 나가는 길은 다른 길도 있는데, 승상께서는 어찌 항상 기산으로 나가려 하십니까?"

제장의 질문에 공명이 대답했다.

"기산은 장안의 머리에 해당하는 땅이니, 농서의 각 고을에서 장안으로 가려면 반드시 기산을 지나야 하오. 또한 앞으로는 위수를 바라보고 뒤로는 야곡을 의지하며 몇 겹의 산과 언덕, 골짜기를 거느린 지세이오. 이는 천혜의 방패이자 벽이며 참호와 방루가 되고 있으니, 이런 지형은 어디에도 없소이다. 그래서 장안을 취하려면 먼저 기산 땅의 지리를 선점하지 않으면 안 되는 것이오."

사람들은 그제야 공명의 뜻을 알아차렸다. 또한 몇 번이나 고전을 하면서도 싸움터를 바꾸지 않는 공명의 신념에 감복했다.

그 무렵 위군은 간신히 험지를 빠져나와 한숨을 돌리고 있었다. 퇴각하는 길목마다 남겨둔 복병들도 차례로 돌아왔다.

"나흘 동안 숨어 있었지만, 촉군이 쫓아올 기색을 보이지 않아 물러났습니다."

사마의는 그곳에서 7일 동안 머물며 촉군의 동정을 살폈다. 하지만 촉군은 계속해서 아무런 움직임을 보이지 않았다. 그러자 조진이 사마의에게 말했다.

"일전의 큰비로 산의 구름다리도 끊기고 산길도 무너져 적들은 움직이지 못할 것이오. 어쩌면 우리가 퇴군한 것도 아직 모르고 있는 것이 아닌가 싶소."

"그럴 리 없습니다. 촉군은 반드시 우리의 뒤를 쫓아올 것입니다."

"어찌 그리 생각하시오?"

"제갈량이 추격을 하지 않는 것은 우리의 복병이 두려워서입니다. 그는 이러한 맑은 날을 기해 기산 방면으로 진출할 것입니다."

"나는 그리 생각하지 않소이다."

"아닙니다. 분명 제갈량은 기산으로 나올 것입니다. 전군을 두 편으로 나눠 기곡과 야곡 두 길로 말입니다."

"하하하."

"지금이라도 기곡과 야곡에 급히 군사를 보내 매복을 시켜놓아야 합니다."

그래도 조진이 좀처럼 믿지 않자 사마의가 다시 힘주어 말했다.

"지금 도독과 제가 각각 군사를 두 편으로 나눠 기곡과 야곡으로 가야 합니다. 만일 열흘 동안 제갈량이 오지 않으면, 어떤 벌도 달게 받겠습니다."

"어떤 벌을 받겠소이까?"

"제 얼굴에 붉은 칠을 하고 여장을 한 후 도독께 사죄하겠습니다."

"그거 재미있겠구려."

"하지만 만일 도독께서 잘못 생각하신 거라면, 어떻게 하시겠습니까?"

"글쎄, 어떻게 하면 좋겠소?"

"이는 큰 내기이니, 한쪽만 벌을 받아서는 의미가 없습니다."

"알겠소. 만일 그대의 말이 맞는다면 나는 위제께 받은 옥대와 명말 한 필을 그대에게 내리겠소."

"알겠습니다. 감사히 받겠습니다."

"아직 감사해하기는 이르지 않소이까."

"이미 받은 것과 마찬가지입니다."

사마의가 껄껄 웃어 보였다.

그날 밤, 사마의는 기산의 동쪽에 있는 기곡으로 향했고, 조진도 군사를 이끌고 기산의 서쪽인 야곡 어귀에 매복했다.

복병들은 싸움터에 있는 병사들보다 훨씬 큰 고충을 겪었다. 올지안 올지 모르는 적을 대비하여 밤낮으로 긴장 상태를 유지해야만 했고, 불을 엄하게 금하고 해충과 독사의 위협을 견디며 꼼짝도 할 수 없었기 때문이다.

"수장이라는 자가 고집을 피우고 내기를 하여 이 많은 병사들을 고

생하게 하다니⋯⋯."

부장 한 명이 부하에게 불평을 늘어놓고 있는데, 마침 진지를 시찰하던 사마의가 그 말을 듣게 되었다. 사마의는 진중에 돌아오자 좌우의 무사에게 명해 그 부장을 데려오도록 했다.

"자네가 방금 불평을 한 자인가?"

"아닙니다. 불평을 한 것이 아닙니다."

"닥쳐라. 내가 두 귀로 똑똑히 들었거늘."

부장은 황망히 입을 닫았다. 사마의가 다시 말했다.

"자네는 내가 내기를 위해 병사를 움직였다고 오해를 하고 있는 듯하지만, 그것은 내 상관인 조진 도독을 설득하고 촉군을 막기 위한 것이지, 사심이 있어서가 아니다. 만일 적을 무찌르면 황제께 자네들의 공도 청할 생각이었다. 그러니 함부로 수장의 언행을 비난하고 부하들에게 불만불평을 늘어놓아 군의 사기를 떨어뜨려서는 안 될 것이다."

사마의는 즉시 그의 목을 치도록 명했다. 부장의 목이 진중에 걸리자, 간담이 서늘해진 복병들은 매복의 고충을 견디며 공명의 군사가 오기만을 기다렸다.

이윽고 촉의 네 장수 위연, 장의, 진식, 두경이 그 길에 이르렀다. 그때 야곡의 공명이 보낸 사자 등지가 도착했다.

"승상께서 기곡을 통과할 때, 부디 적의 복병을 잘 살피고 한 발도 소홀하게 나서서는 안 된다고 하셨습니다."

등지의 말을 들은 진식과 위연이 웃으며 말했다.

"위군은 30일 동안이나 물에 빠져 있어 병자도 많고 무기도 쓸모없어져 모두 퇴각했소. 그런데 어찌 이곳에 다시 나올 여력이 있겠소."

등지가 경계하며 말했다.

"승상의 통찰은 틀린 적이 없었습니다."

그 말에 위연이 비꼬듯 답했다.

"승상이 그 정도로 선견에 밝으면 가정에서 그렇게 패하지는 않았을 것이오. 나는 일거에 기산으로 나가 다른 자들보다 먼저 진을 치겠소. 그때 승상이 부끄러워하는지 안 하는지 그대도 똑똑히 보시오."

등지는 위연을 설득하지 못하고 급히 야곡으로 돌아가 공명에게 보고했다. 등지의 말을 들은 공명이 말했다.

"위연이 근래 나를 경시하고 있는 듯하더니, 드디어 그가 일을 저지르겠구나. 아, 어쩔 수 없는 것인가."

공명이 자신의 부덕을 한탄하며 말했다.

"지난날 선제께서 위연은 용맹하지만 반골의 상이라 말씀하셨소. 나도 그것을 모르던 바는 아니지만, 그만 그의 용맹을 아까워하여 오늘에 이르고 말았소. 지금 그를 없애지 않으면 훗날 큰 화를 볼 것이오."

그때 파발이 도착했다.

"어젯밤 기곡의 길에서 제일 먼저 나갔던 진식이 적의 복병에 둘러싸여 몰살당했다 합니다. 이제 5천 명의 병사 중 겨우 8백 명만이 남은 상태입니다. 또한 위연의 부대도 사지에 빠졌다 합니다."

공명이 급히 등지에게 말했다.

"등지, 당장 기곡으로 가서 진식을 잘 달래도록 하시오. 자칫하면 죄를 두려워하여 위에 투항할 염려가 있소이다."

공명은 등지를 보낸 후, 한동안 눈을 감고 깊은 고민에 빠져 있었다. 이윽고 공명이 조용히 눈을 떴다.

"마대와 왕평을 부르고, 마충과 장익도 속히 들라 전하라."

공명은 네 명의 장수에게 지시를 내리고 그들을 서둘러 떠나보냈다. 그다음으로 관흥과 오의, 오반, 요화 등을 불러 각각 은밀히 계책을 내린 후, 공명 자신도 직접 대군을 이끌고 당당하게 전진했다.

한편 위의 대도독 조진은 야곡 방면의 요로에서 군사를 매복하고 있었다. 그는 7일이 지나도 촉군이 오지 않자, 사마의와의 내기에서 자신이 이겼다며 내심 회심의 미소를 짓고 있었다.

"내가 이기면 사마의가 얼마나 부끄럽게 여길 것인가. 그가 얼굴에 붉은 칠을 하고 여장을 한 모습은 실로 가관일 것이다."

그런 와중에 약속한 열흘이 가까워졌다. 척후가 달려와 조진에게 보고했다.

"숫자는 얼마인지 모르겠지만, 촉병이 앞쪽의 골짜기에 모습을 드러냈다고 합니다."

"적은 얼마 되지 않을 것이다."

조진은 진량秦良에게 병사 5천 명을 내주며 명을 내렸다.

"열흘이 되면 내가 내기에 이기는 것이니 이틀 정도 그곳에 매복하면서 적을 막도록 하라."

진량은 곧장 넓은 골짜기로 나가 매복해 있었다. 그런데 어느 순간부터 촉군의 수가 늘어나기 시작했다. 무시할 수 없을 만큼 적군의 수가 늘어나자 진량은 즉시 깃발을 올리며 위군이 있다는 것을 과시했다. 그러자 촉군은 그날 밤부터 아침에 걸쳐 속속 물러가는 듯했다.

진량은 적이 두려운 마음에 길을 바꾼 것이라 생각하고 급히 추격을 감행했다. 골짜기의 길을 따라 5, 6리를 쫓아가 널따란 기슭까지 나갔다. 하지만 적의 모습은 어디에도 보이지 않았다.

"자취도 남지 않을 정도로 꽁무니를 빼고 도망친 것이로구나."

진량이 말을 마치는 순간, 사방에서 함성이 일어나고 북소리가 울려 퍼졌다. 그리고 곧 화살이 비 오듯 쏟아지면서 진량은 적에게 포위당하고 말았다.

뿌연 먼지를 일으키며 달려오는 무리는 촉의 오반, 관흥, 요화였다. 위군은 깜짝 놀라 사방으로 도망쳤지만 길목마다 촉군이 가득했다. 진량도 포위망을 뚫고 한쪽으로 도망치려고 했지만, 쫓아온 요화의 칼에 목이 떨어지고 말았다.

"항복하는 자는 살려줄 것이니, 투구와 갑옷을 벗어라."

높은 곳에서 목소리가 들려왔다. 공명과 그의 부장들이었다. 순식간에 위군이 내던진 무기와 깃발 등이 산처럼 쌓였다. 공명은 계곡에 시신들을 버리게 한 후, 무구나 깃발 등을 수습하여 아군 병사들을 위군으로 위장시켰다.

이윽고 조진은 진량의 부하라 칭하는 전령에게서 보고를 받았다.

"어제 계곡에 있던 적군을 기습해 모두 섬멸했으니 안심하십시오."

그리고 그날 밤, 사마의 중달이 보낸 사자가 와서 고했다.

"기곡에 나타난 촉군의 선봉인 진식의 5천 적병을 섬멸했습니다. 도독이 계신 곳의 상황은 어떻습니까?"

조진은 거짓말을 했다.

"우리 쪽에는 아직 적병이 한 명도 보이지 않았다. 내기는 내가 이긴 것이라고 사마의에게 전하도록 하라."

그렇게 열흘이 지난 후 조진이 부장들에게 말했다.

"사마의는 내기에서 지는 것을 두려워하여 적이 나타났다는 말을 했지만, 기곡 방면에 촉군이 나타났는지 어떤지는 알 바가 아니다. 나는 반드시 사마의가 붉은 칠에 여장을 하고 사죄하는 모습을 봐야 겠다."

그때 밖에서 북소리가 들려왔다. 모두 놀라 진영 앞으로 나가보니, 진량의 부대가 돌아오고 있었다. 그들은 손까지 흔들며 당당하게 다가오고 있었다. 조진은 한 점의 의심도 없이 똑같이 손을 흔들며 그들을 맞이했다. 그런데 몇십 걸음 앞까지 다가온 그들이 일제히 소리를 치며 창을 겨누고 달려들었다.

"저기 대도독 조진이 있다. 조진을 놓치지 마라."

조진은 대경실색하며 진중으로 도망쳤다. 그와 동시에 진영의 뒤편에서도 맹렬한 불길이 치솟았다. 앞에는 관흥과 요화, 오반, 오의가 있었고, 뒤에는 마대와 왕평, 마충, 장익 등이 북을 울리며 공격하고 있었다.

불길이 치솟고 피와 살이 타들어가는 냄새가 진동했다. 서로 살기 위해 짓밟고 도망치는 모습은 실로 아비규환과 같았고, 대도독 조진의 생사조차 알 수 없을 정도였다.

간신히 몸 하나만을 보존한 조진은 무아무중에 채찍을 휘두르며 말을 타고 도망쳤다. 하지만 촉군은 그를 놓치지 않고 일제히 추격에 나섰다.

조진은 다행히 한쪽에서 달려나온 한 무리의 군사를 만나 겨우 목숨을 부지할 수 있었다. 얼마 후 조진이 한숨을 돌리고 살펴보니, 그들은 사마의의 군사들이었다.

"도독, 어떻게 된 것입니까?"

사마의가 짐짓 모른 체하며 조진에게 묻자 그가 면목이 없다는 듯 말했다.

"기곡에 있던 그대가 어떻게 내가 위험한 줄 알고 도우러 온 것이오? 대체 어떻게 된 일인지 알 수가 없구려."

"도독께서도 잘 알고 계셨을 것입니다. 분명 촉군이 이곳으로 올 것이란 사실을 말입니다."

"내 잘못이오. 내기는 내가 졌소이다."

"내기 따위는 아무래도 괜찮습니다. 하지만 제가 사자를 보냈더니 야곡 방면에는 아무 이상도 없고, 또한 촉군은 한 명도 보이지 않는다고 하서서, 진심으로 그렇게 생각하신다면 큰일이라고 생각해 서둘러 온 것입니다."

"옥대와 명마를 그대에게 줄 터이니 이 일에 대해 발설하지 말아주시오."

"그것은 받을 수가 없습니다. 그보다 부디 충분히 경계하시길 바랍니다."

조진은 크게 부끄러워하며 곧 위수의 강기슭에 있는 진지로 향했다. 그리고 그 이후 진두에는 모습을 보이지 않고 병상에 누워 후회를 거듭했다.

공명은 예정대로 기산에 포진을 펼쳤다. 그리고 전군을 위무하고 상벌을 내려 모든 일을 마무리했지만, 한 가지 처리하지 않은 문제가 남아 있었다. 바로 진식과 위연의 문제였다.

이윽고 공명은 진식과 위연을 불러들여 죄를 물었다.

"적의 복병을 충분히 경계하라고 일렀거늘, 내 명을 무시하고 많은 병사들을 죽음으로 몰아넣은 것은 어찌 된 것인가?"

진식과 위연은 서로에게 책임을 전가했다. 공명이 두 사람의 말을 끝까지 듣고 다시 입을 열었다.

"진식, 그대가 목숨을 부지하고 얼마간의 병사를 보존할 수 있었던 것은 위연이 이진에서 도왔기 때문이 아니더냐. 참으로 비겁한 자로다."

공명은 당장 진식의 목을 치게 했다. 그리고 위연에게는 책임을 묻지 않았다. 위연이 반골이라는 것을 알면서도 그를 살려둔 것은, 나라의 중요한 일에 그의 무용이 쓰일 날이 많을 것이라 생각했기 때문이다. 공명이 이러한 고충을 감수해야 할 만큼 촉은 위에 비해 좋은 장수가 적었다.

* * *

어느덧 가을로 접어들었다. 위는 위수를 앞에 두고 촉은 기산을 뒤로한 채 두 진영이 대치하고 있었다.

하루는 공명이 적의 진영을 바라보며 말했다.

"조진이 중태인 듯하구나."

야곡에서의 패퇴 이후, 위의 대도독 조진이 병이 들었다는 풍설이 일찍부터 전해지고 있었다. 촉의 부장들이 공명에게 조진이 중태라는 것을 어떻게 알 수 있는지 묻자, 공명이 대답했다.

　"그의 병이 가볍다면 장안으로 돌아갔을 것이오. 그런데 아직도 위수의 진중에 머물고 있다는 것은 그의 병이 깊기 때문이오. 병사들의 사기에 영향을 끼칠 것을 염려하여 적은 그 사실을 비밀로 하고 있는 것이오."

　공명이 다시 말을 이었다.

　"내 예상이 맞는다면 필시 조진은 열흘 안에 죽을 것이오."

　공명은 사자를 통해 위의 진영에 있는 조진에게 전서戰書를 보냈다. 공명의 전서를 받은 조진은 격앙된 반응만 보일 뿐, 아무런 회신도 하지 않았다. 그런데 그로부터 7일 뒤에 검은 천으로 덮인 관을 실은 수레와 하얀 깃발과 기치를 든 병사들이 기마병들의 호위를 받으며 은밀히 장안으로 떠났다. 그 소식은 척후를 통해 촉의 진중에도 전해졌다.

　"조진이 마침내 죽었구나."

　공명은 그렇게 단언하며 전군에게 군령을 내렸다.

　"머지않아 위군은 이제까지 볼 수 없었던 군용을 갖추고 공격해올 것이 틀림없다. 그러니 방심하지 말도록 하라."

　한편 위에서는 '공명이 글로써 조진을 죽였다'는 말이 널리 퍼졌다. 사실 중병에 걸려 있던 조진은 공명의 전서를 읽고 극도로 흥분했고, 그 후 병이 위독해지더니 얼마 지나지 않아 죽고 말았던 것이다.

　그러한 소문이 전해지자 위제와 조정의 신하들의 촉에 대한 적개심은 불같이 타올랐다. 이에 조예는 사마의에게 하루빨리 조진의 원한을 갚아줄 것을 명했다. 사마의는 공명에게 받은 전서에 대한 회신을 보냈다.

　　조진은 죽었지만 사마의가 있으니, 내일 서로 출군하여 결판
　　을 내도록 하자.

　공명은 사마의의 전서를 읽고 적의 사자에게 흔쾌히 응한다는 뜻을 전했다.

　때는 8월 가을, 양군은 기산의 높은 산과 유유히 흐르는 위수의 강물을 마주 보며 그 일대에 진을 펼쳤다. 강을 끼고 화살을 쏘던 양군은 마침내 북을 치며 앞으로 나왔다. 위의 문기門旗가 열리더니 사마의를 중심으로 각 대장들이 강변까지 나오는 것이 보였다. 그와 동시에 공명도 병사들의 전열을 가르며 사륜거를 타고 모습을 드러냈다.

　사마의가 큰 소리로 외쳤다.

　"본시 남양에서 밭을 갈던 필부가 자신의 분수도 모르고 천수를 거스르며 함부로 싸움을 걸어 위의 평화로운 백성들을 괴롭히는 것이 대체 몇 번에 이르는가. 아직도 깨닫지 못했다면 내 너를 죽여 너의 썩은 시신을 기산의 새와 동물의 먹이로 뿌릴 것이다."

　"일찍이 위의 서고에서 살며 병서의 끄트머리를 갉아먹던 쥐새끼와 같은 자가 오늘날 투구를 쓰고 진두에 나와 요망한 혀를 놀리다니 참으로 가소롭기 그지없구나. 내 선제로부터 탁고託孤의 유지를 받들었

는데 어찌 위와 같은 하늘을 이고 살 수 있겠느냐. 내 그 이래로 병마를 조련하고 절취부심해온 것은 오로지 역적의 무리를 주살하고 한조의 천하를 회복하고자 함이었다. 너희와 같은 일신의 부귀영화를 탐하고 명예와 이익을 위해 싸움을 하는 자들과는 근본이 다름을 알라. 우리는 하늘의 병사이고 너희는 사악한 역적의 병사이니 부끄럽지도 않은가."

"남양의 촌부가 잘도 지껄이는구나. 그렇다면 누가 옳은지 한번 겨뤄보자."

"싸움에는 표리表裏가 있으니, 정법正法의 싸움으로 하겠느냐, 아니면 기병奇兵으로 하겠느냐?"

"먼저 정법으로 정정당당하게 싸우자."

"정법의 싸움에도 세 가지가 있으니, 장수와 진법과 병 중에 어느 것으로 하겠느냐?"

"먼저 진법으로 싸우자."

"만일 네가 패한다면 어찌하겠느냐?"

"다시는 삼군의 지휘를 잡지 않을 것이다. 만일 네가 패한다면 너도 깨끗하게 촉으로 돌아가 앞으로 두 번 다시 위의 경계를 넘보지 않겠다고 약조를 하라."

"좋다. 약조하겠다. 먼저 너부터 일진을 펼쳐보아라."

공명이 사마의에게 말했다.

사마의가 말을 돌려 중군으로 달려갔다. 그러더니 황색 깃발을 흔들어 각 부대와 병사를 배치한 후 다시 돌아왔다.

"제갈량, 지금의 진법을 알고 있는가?"

"그 정도의 진법은 촉의 일개 병사도 알고 있는 것이다. 혼원일기진
混元一氣陣이 아니더냐."

"그렇다면 이번에는 네가 진을 펼쳐보아라."

공명은 사륜거를 타고 중군으로 돌아가 부채를 한 번 움직이고는 다
시 돌아왔다.

"보았느냐?"

"어린아이 장난 같구나. 지금 네가 펼친 진은 팔괘진이구나."

"그럼 이 진을 깰 수 있겠느냐?"

"참으로 쉬운 일이다."

"그럼 어디 깨보아라."

"이미 그 진법을 알고 있는데, 어찌 그것을 깨는 법을 모르겠느냐.
잘 보아라."

사마의는 즉시 대능, 장호, 악침 세 장수를 불러 방법을 알려주었다.

"지금 공명이 펼친 진에는 여덟 개의 문이 있소. 각각 휴休, 생生,
상傷, 두杜, 경景, 사死, 경驚, 개開라고 하오. 그중 개와 휴와 생의 세 개
문이 길吉이고, 경과 두와 경과 사와 경의 다섯 문은 흉凶이오. 그대들
은 즉시 동쪽의 생문, 서남의 휴문, 북의 개문, 이렇게 삼문으로 공격해
들어가면 반드시 이 진법을 깨고 아군을 대승으로 이끌 것이오. 단단
히 준비를 하고 내가 일러준 대로 시행하시오."

위의 삼군은 일제히 북을 울리고 징을 쳐 아군의 사기를 북돋았다.
세 장수는 길문을 골라 맹공을 개시했다. 하지만 공명이 부채를 한 번

휘저을 때마다 팔진도의 팔문이 순식간에 변했다. 위군은 아무리 공격해도 진법을 깨고 안으로 들어갈 수가 없었다. 각 진마다 중중첩첩重重疊疊으로 문이 있어 곳곳에서 분열되고 말았다. 마침내 대능과 악침의 군사 60명이 촉의 중군으로 돌입했지만, 사방에서 화살이 날아오다 보니 마치 회오리바람 속에 빨려 들어간 것처럼 갈피를 잡지 못하고 속수무책으로 당할 수밖에 없었다. 간신히 정신을 차렸을 때에는 악침과 대능 이하 병사 60명이 촉군의 포로가 되어 있었다. 몇 겹의 포위망이 좁혀 들어오자 무기를 버릴 수밖에 없었던 것이다.

공명이 사륜거 위에서 말했다.

"너희가 사로잡힌 것은 당연한 결과로 특별히 대단하다고도 할 수 없을 것이다. 여봐라, 저들을 풀어주고 위의 진영으로 쫓아버려라. 너희는 사마의에게 가서 그런 어쭙잖은 전법으로는 이 공명의 팔진도를 깰 수 없으니, 좀 더 병서를 읽고 학문을 쌓으라고 전하라."

대능과 악침은 부끄러운 마음에 공명을 쳐다보지도 못했다. 공명이 다시 말했다.

"단, 너희 60여 명의 목숨을 살려주는 대신 칼과 창은 물론이고 투구와 갑옷까지 모두 벗고 얼굴에 먹을 칠한 채 돌아가도록 하라."

그들의 모습을 본 사마의는 불같이 화를 냈다. 악침과 대능 등이 받은 치욕은 자신을 향한 조롱이기도 했다. 사마의는 좌우에 있는 백여명의 장수들을 독려하며 휘하의 수만의 대군을 이끌고 촉군을 향해 총공격을 개시했다.

그런데 그때, 전혀 예상하지 못했던 후방에서 함성과 북소리가 들렸다. 사마의가 돌아보니 뿌연 먼지를 일으키며 두 편의 군사들이 몰려오고 있었다.

"아뿔싸, 당했구나."

사마의가 급히 군사를 돌렸지만 이미 적들은 위의 후방을 공격하고 있었다. 바로 촉의 강유와 관흥의 두 부대였다.

* * *

이번 싸움에서 사마의는 일패도지一敗塗地하여 물러갔다고 할 수 있다. 위군의 피해도 막심했다. 그 후 위수의 진영은 숨을 죽이고 오직 굳게 지키기만 했다.

공명은 기산의 싸움에서 승리를 거두었지만, 그에 도취하여 자만하지 않도록 전군을 자중시켰다. 그리고 초지일관 목표한 대로 장안과 낙양을 향해 진군한 후 한조 통일의 대업을 이루기 위해 대책을 세웠다. 그런데 그때 예기치 못하게 군중에서 벌어진 사소한 일 때문에 대사를 그르치게 되었다.

후방에서 병량의 증산과 운송의 임무를 맡고 있던 이엄이 영안성에서 전선으로 병량을 보내왔다. 그 임무를 맡은 사람은 도위都尉 구안苟安이었다. 그런데 술을 좋아한 구안은 병량을 운반하는 도중에 그만 여흥에 취하고 말았다. 그래서 정해진 기한보다 열흘이나 늦게 기산에 도착했다.

"아, 어떻게 변명을 해야 할 것인가."

구안은 공명에게 가는 도중 문책을 피할 방법을 찾느라 고민에 빠졌다. 이윽고 공명 앞에 나선 구안이 뻔뻔하게 말했다.

"도중에 위수를 사이에 두고 대회전이 벌어지고 있다는 소식을 들었습니다. 이에 중요한 병량을 적에게 빼앗기면 안 된다고 생각하여 일부러 산속에 숨어 싸움이 끝나기를 기다리다……."

공명은 구안의 말을 끝까지 듣지도 않고 호통을 쳤다.

"병량은 싸움의 양식이며 그것을 운반하는 임무 역시 싸움이다. 그런데 싸움을 보고 싸움을 멈춘다는 것은 크나큰 태만이다. 더욱이 네 말이 거짓에 지나지 않는다는 사실은 네 피부를 보면 여실히 드러난다. 네 피부를 보면 너는 절대 산속에 숨어 비를 피하다 온 것이 아니라 술에 빠져 지내다 온 것이 분명하다. 진중에 무엇보다 귀한 것이 병량인데, 사흘이 늦으면 도형徒刑에 처하고 닷새가 늦으면 참수에 처한다는 것은 군율에 명명백백하게 밝혀 있다."

구안은 즉시 무사들에게 끌려갔다. 그때 장사 양의가 급히 공명을 찾아왔다.

"승상께서 진노하시는 것은 충분히 이해합니다만, 구안은 이엄이 중용하고 있는 부하이니 그를 처형하시면 이엄이 행여 변심할지도 모릅니다. 지금 촉에서 전량과 물자의 갹출을 담당하고 있는 것이 이엄인데, 그런 이엄과 승상의 사이에 문제가 생기면 전력에 큰 영향을 미치게 될 수도 있습니다. 부디 구안의 죄를 용서해주시길 청하옵니다."

공명은 아무 말 없이 앉아 있다 입을 열었다.

"그의 목숨만은 살려주겠소. 하지만 이번 일을 불문에 부칠 수는 없으니, 곤장 80대를 치고 엄중히 주의를 주도록 하시오."

양의는 안도하며 물러갔다. 구안은 곤장 80대를 맞고 죽음을 면하게 되었다. 하지만 그는 양의의 은혜와 공명의 관대함에 감사하기는커녕 가슴 깊이 원한을 품고 한밤중에 진영을 탈출했다. 그리고 시종 여섯 명과 함께 위수를 건너 위군에게 투항했다. 또한 구안은 사마의의 앞에 무릎을 꿇고 입이 닳도록 공명의 욕을 늘어놓았다.

"그대의 말은 그럴듯하지만 가히 깊이 믿기는 어렵네. 공명의 계략일지도 모르니 말이네."

사마의는 주의 깊게 구안을 쳐다보며 말했다.

"그대가 진심으로 위를 섬기고 충성을 맹세할 마음이 있다면 일을 하나 하고 오게. 만일 성공한다면 내 황제께 주청을 올려 그대가 놀랄 만한 관직을 내리도록 하겠네."

구안은 절을 하며 답했다.

"꼭 그 일을 해내겠습니다. 무슨 일이든 하겠습니다."

사마의가 한 가지 계책을 그에게 내렸다. 구안은 즉시 성도로 들어가 막대한 자금을 쏟아부어 유언비어를 퍼뜨렸다. 그가 퍼뜨린 악의에 찬 유언비어는 곧바로 효과가 나타났다. 촉의 조정과 백성들은 점점 의혹에 찬 눈으로 전선에 있는 공명을 보게 되었다.

촉의 궁중 안에는 '공명이 머지않아 한중에 나라를 세우고 직접 대위에 오를 것이다'라는 풍문이 퍼지기 시작했다. 더 가관인 것은 소문이 꼬리를 물고 이어져 '공명이 병권을 사용하면 촉도 취할 수 있으며, 공명이 촉제의 어리석음을 책하거나 푸념을 늘어놓는 것이 바로 그 증거이다'라고까지 확대되었다. 그리고 저잣거리에도 똑같은 소문이 퍼졌다.

궁중의 유언비어의 출처는 환관들이었다. 구안에게 매수된 무리가 사리사욕에 눈이 멀어 유언비어를 퍼뜨린 것이었다. 그런 소문이 돌자 후주 유선도 마음이 흔들렸다. 유선은 마침내 공명에게 칙사를 보내 급히 의논할 일이 있으니 성도로 돌아오라고 했다.

황제의 명을 받은 공명은 하늘을 우러르며 탄식을 멈추지 않았다.

"주상께서는 필시 간신들의 망언에 휘둘리고 계신 것이다. 지금 전황이 내게 유리하게 전개되고, 또 장안을 취할 날도 머지않았는데, 이런 일이 생기다니. 이것이 정녕 하늘의 뜻이란 말인가. 아직 촉의 국운이 올 때가 아니란 말인가. 만일 명에 따르지 않으면 간신의 무리는 내 말을 왜곡할 것이고, 나는 주군에게 불충한 신하가 될 수밖에 없을 것이다. 지금 이곳을 떠나면 다시는 기산으로 나갈 수 없을뿐더러, 그사이에 위가 국방을 강화하면 장안과 낙양은 두 번 다시 넘보지 못할 것이다."

공명은 황제의 명에 따라 대군을 물리기로 했다. 강유가 사마의의 추격을 어떻게 막을 것인지 묻자 공명이 계책을 내렸다.

"병사를 다섯 갈래로 나눠 각각 다른 길로 퇴각하게 하라. 주력은 이곳의 진영을 물릴 때, 군사 천 명을 머물게 하여 2천 군사의 아궁이를 파게 하고, 다음 날 퇴진하여 머무는 곳에는 다시 4천 개의 아궁이를 파서 남겨두라. 사흘째에 간 주둔지에는 6천 개, 다섯 번째 야영에서는 만 개, 그렇게 아궁이의 수를 약 두 배로 늘리면서 퇴각하도록 하라."

"예전에 손빈孫臏은 병력을 늘릴수록 아궁이의 수를 줄이며 퇴각하는 계책을 써서 방연龐涓에게 대승을 거뒀다고 알고 있습니다. 그런데 승상께서는 그와는 반대로 병력을 줄일 때마다 아궁이의 수를 늘리라고 하심은 무슨 연유입니까?"

"손빈의 계를 반대로 이용하는 것에 지나지 않네. 사마의는 필시 의심을 하여 깊이 쫓지 않을 것이네."

이윽고 촉군은 속속 다섯 길로 퇴각하기 시작했다. 공명의 예상대로 사마의는 촉병의 매복을 두려워하여 추격하지 않았다.

척후병이 사마의에게 보고했다.

"특별히 복병을 숨겨놓은 것 같지 않아 천천히 군사를 이끌고 나가 보았습니다. 그런데 촉군이 주둔한 진영의 흔적을 보니, 날이 지날 때마다 아궁이의 수가 눈에 띄게 늘어나고 있었습니다."

아궁이의 흔적이 많은 것은 당연히 군사의 수가 늘었다는 것을 의미했다. 이에 사마의는 일일이 그것들을 조사해나갔다.

"제갈량은 퇴각할 때마다 후군의 병력을 강화하고 있구나. 전의에 불타는 적병을 두고 단순히 퇴군이라고 생각하여 추격하면 오히려 적의 강력한 반격을 받게 될지 모르겠구나."

그리고 사마의는 마음속으로 생각했다.

'구안을 성도로 보내 유언비어를 퍼뜨린 내 계책이 성공했나? 이렇듯 제갈량이 소환되었는데, 더 이상 욕심을 부리지는 말아야 할 것이다.'

사마의는 신중을 기하다 마침내 추격을 중단했다. 그로 인해 공명은 병사를 한 명도 손실하지 않고 무사히 대군을 물릴 수 있었다.

얼마쯤 날이 지나고, 위에 천구川口의 여행객이 와서 '아궁이의 수는 공명의 지략이었다'는 것을 이야기했다. 사마의의 귀에도 그 이야기가 들어갔다. 하지만 사마의는 화를 내지 않았다.

"상대가 다른 자였다면 부끄럽겠지만, 제갈량의 지략에 걸리면 누구라도 방도가 없을 것이다. 그의 지모智謀에 내가 미치지 못한다는 것을 나는 잘 알고 있다."

119
다시 꺾인 북벌의 대의大義

사마의는 공명이 다시 기산으로 출정하자 병량을 끊기 위해 농상을 선점하고, 승승장구하던 공명에게 위가 오와 비밀동맹을 맺었다는 이엄의 파발이 도착한다

공명은 성도에 돌아오자마자 바로 유선을 만났다.

"대체 무슨 중요한 일이건대 갑자기 신을 부르신 것이옵니까?"

유선은 고개를 숙이고 있다가 입을 열었다.

"오랫동안 상부를 뵙지 못하여 몹시 그리워하던 터에 이렇듯 부른 것이지, 별다른 이유는 없소이다."

공명이 정색을 하며 물었다.

"혹시 환관의 참언讒言 때문이신지요?"

유선은 한동안 아무 말도 하지 못하다가 이윽고 깊이 뉘우치며 말했다.

"지금 상부를 뵙고 의심하던 마음이 풀어졌지만, 이미 후회해도 늦은 듯하오. 이는 오로지 짐의 잘못이오."

공명은 즉시 승상부로 돌아가 환관들의 언행을 조사하기 시작했다. 자신이 출사한 중에 비방하거나 근거도 없는 유언비어를 퍼뜨린 사람들을 곧바로 붙잡아왔다. 공명이 그들에게 물었다.

"너희는 전장의 후방에서 나라를 안정시키고 민심을 돌봐야 하는 막중한 직책에 있다. 그런데 어찌 앞장서서 불온한 소문을 퍼뜨려 조정과 민심을 어지럽혔느냐?"

한 환관이 깊이 뉘우치며 자백했다.

"전쟁이 끝나기만 하면 이전과 같이 평안하게 생활할 수 있을 것이라 생각하여 그만……."

공명이 통탄하며 말했다.

"만일 촉에 너희와 같이 생각하는 자만 있다면 우리가 전쟁을 피한다고 해도 위가 먼저 싸움을 걸어올 것이고, 동오 역시 가만히 있지 않을 것이다. 그러니 우리가 원하지 않는다 해도 전쟁은 피할 수 없을 것이며, 그 전쟁에서 반드시 패하고 말 것이다. 그 참상은 기산으로 나가 싸움을 하는 것보다 몇백 배 가혹할 것이다. 하물며 너희를 비롯한 촉의 백성들이 적에게 유린되고 능욕을 당할 것은 말할 것도 없고, 죽을 때까지 적의 노예로 전락할 것이며, 소와 말처럼 살게 될 것이다. 너희는 진정 그렇게 되기를 바라는 것이더냐?"

환관들은 모두 머리를 조아린 채 한 마디 변명도 하지 못했다.

"이는 필시 적의 간계일 것이다. 대체 그러한 유언비어는 어디서 나온 것이란 말인가. 너희는 그것들을 누구에게서 들었느냐?"

공명이 유언비어의 출처를 조사해가자 결국 구안이 퍼뜨린 것이라는 사실이 명확해졌다. 승상부의 무사들이 구안을 사로잡기 위해 그의 집으로 들이닥쳤지만 때는 이미 늦었다. 구안은 벌써 위로 도망치고 없었다.

공명은 백관들을 불러 모아 장완과 비의 등의 대관에게 엄중히 경계하라 이르고 다시 한중으로 향했다.

공명은 계속되는 원정으로 병사들이 지친 것을 감안하여 전군을 둘로 나누었다. 그리고 군사 반은 한중에 남겨두고, 나머지 군사를 이끌고 기산으로 출정했다. 그는 이전 출정의 기한을 3개월로 정하고 백 일을 기점으로 군사를 교체하는 편제를 취했다.

촉의 건흥 9년은 위의 태화 5년에 해당되었다. 그해 2월 봄, 공명이 다시 원정에 나서자 위의 조예는 급히 사마의를 불러 지휘권을 일임했다.

"제갈량을 막을 자는 그대밖에 없을 것이오. 나라를 위해 신명을 다해주시오."

"조진 대도독께서도 돌아가셨으니, 소신 진력을 다해 황제의 은혜에 보답하겠습니다."

사마의는 서둘러 장안으로 가서 전열을 정비했다. 좌장군 장합을 대선봉으로 삼고 곽회를 뒤에 남겨 농서의 각 고을을 지키게 했다. 그리고 사마의 자신은 직접 중군에 임해 위수 앞에 포진을 펼쳤다.

기산에는 아지랑이가 자욱하게 피어올랐고 위수의 강물에도 온기가 느껴졌다. 양군은 봄의 기운이 완연한 하늘 아래서 한동안 숨을 죽인 채 대치를 했다.

어느 날 사마의가 장합을 불러 이야기를 나누었다.

"제갈량은 언제나 마찬가지로 병량 문제에 골머리를 앓고 있을 것이오. 지금은 농서 지방의 보리가 여물기 시작한 때이니, 그는 분명 은밀히 그곳의 보리를 수확하여 군량으로 삼으려 할 것이오."

"농서의 청보리는 그 양이 막대합니다. 그것을 취하면 촉군의 군량은 충분해질 것입니다."

"그대는 위수를 잘 지키고 있으시오. 나는 직접 군사를 이끌고 농서로 가서 공명의 계획을 깨도록 하겠소."

사마의는 위수의 진영에 장합과 군사 4만 명을 남겨둔 후, 나머지 대군을 이끌고 농서로 향했다. 사마의의 예상은 어긋나지 않았다. 그 무렵 공명은 노성鹵城을 포위하여 적장의 항복을 받아냈다. 그러고는 적장에게 물었다.

"지금쯤이면 어느 지방의 보리가 다 익었겠는가?"

"올해는 농상隴上의 보리가 빨리 여문 듯합니다. 게다가 농상의 보리는 품질도 상등입니다."

공명은 노성의 수비를 장익과 마충에게 맡기고 몸소 군사를 이끌고 농상으로 향했다. 그런데 얼마 가지 않아 선발부대에서 보고가 올라왔다.

"농상에는 들어갈 수 없습니다. 이미 위의 군마가 가득하고, 중군을 살펴보니 사마의의 깃발이 보입니다."

공명은 혀를 차며 말했다.

"그토록 은밀히 기산을 빠져나왔는데, 사마의는 내가 보리를 취하려는 것을 눈치챘단 말인가. 그렇다면 사마의에게 충분한 계책이 있을 것이다. 섣불리 공격할 수 없겠구나."

공명은 그날 밤, 목욕재계를 하고 몸을 정결히 했다. 그러고 나서 평소에 타던 사륜거와 똑같은 사륜거들을 내오도록 했다.

한밤중에 공명은 세 명의 장수를 불러 그들과 늦게까지 이야기를 나누었다. 강유가 가장 먼저 자리에서 일어나 한 대의 사륜거를 끌고 자신의 진영으로 돌아갔다. 마대와 위연 역시 사륜거를 한 대씩 끌고 자신의 진영으로 돌아갔다. 그리고 남겨진 한 대의 사륜거에는 공명이 직접 올랐다. 공명이 관흥에게 준비가 끝났는지 물었다. 그러자 관흥이 수상한 일군의 부대를 이끌고 공명의 사륜거를 둘러쌌다.

먼저 사륜거의 좌우에는 스물네 명의 강건한 무사를 배치하여 끌게 했다. 그들은 모두 맨발에 검은 전포를 입었고, 허리에는 예리한 칼을 차고 있었다. 여기에 똑같은 모습을 한 네 명의 무사가 사륜거의 선두에 서서 북두칠성기를 들고 있었다. 그리고 5백 명의 고수鼓手가 북을 들고 뒤를 따랐으며, 창을 든 천 명의 병사는 공명의 사륜거를 호위하여 둘러싸고 있었다.

공명의 의상도 평소와는 달랐다. 하얀 옷을 입고, 머리에는 항상 두르고 있던 윤건 대신 화려한 관을 쓰고, 허리에는 구슬과 금으로 된 칼을 차고 있었다. 그의 칼은 밤에도 찬란한 빛을 발하고 있었다.

관흥과 다른 기수들은 전설 속에 나오는 하늘의 신인 천봉天蓬과 같이 붉은 비단 전포를 입고 말을 달리고 있었다. 마치 입에서 불이 나올 듯 신묘하게 보였다.

공명과 일군의 부대는 그렇게 하늘에서 내려온 신의 군대와 같은 모습을 하고 한밤에 진지를 나와 농상으로 향했다. 그 뒤로는 3만 명의 보병이 뒤따르고 있었는데, 그들은 손에 낫을 들고 있었다. 보리를 베어 후방으로 운반하기 위해 준비된 병사들이었다.

위의 진영에서 경계를 서고 있던 위병들이 그들을 보고 깜짝 놀라 나자빠졌다. 이윽고 그들은 부장에게 상황을 보고했고, 부장은 다시 중군에 급히 보고를 올렸다.

"뭐라, 귀신의 군대가 온다고?"

사마의가 비웃으며 말을 타고 진두에 나왔다. 한밤중인 축시丑時 무렵이었다.

* * *

밤하늘 가득 진주조개 가루를 뿌린 것처럼 별이 반짝이고 있었다. 어둠은 한없이 짙었다. 음산한 소슬바람이 얼굴을 어루만지고 한밤의 한기가 뼈에 사무쳤다.

사마의는 눈을 가늘게 뜨고 먼 곳을 응시하고 있었다. 스산한 바람을 일으키며 다가오는 한 대의 사륜거 주위에 검은 옷을 입은 스물여덟 명의 병사가 보였다. 모두가 머리를 풀어헤치고 검을 찼으며 맨발이었다. 붉은 옷의 기마무사가 북두칠성기를 선두에 내걸고 전군에 호령을 하며 오고 있었다.

"제갈량이다."

사마의는 여전히 그들을 바라보고 있었다. 사륜거 위에 있는 사람은 분명히 제갈공명이었다.

"하하하."

사마의가 큰 소리로 웃더니 용맹한 병사 2천 명을 불러 명령했다.

"저것은 공명의 장난이니, 너희는 두려워할 필요가 없다. 어서 가서 공명의 목덜미를 붙잡아 끌고 오너라."

2천 명의 위군이 일제히 함성을 지르며 달려나갔다. 그런데 공명의 사륜거가 한순간 멈춰서더니, 스물여덟 명의 검은 옷을 입은 병사와 칠성기, 기마무사가 갑자기 등을 보이고 조금씩 물러가는 것이었다.

"적이 도망치고 있다. 놓치지 마라."

위의 철기대가 말에 채찍을 가하며 쫓아갔다. 하지만 아무리 쫓아가도 따라잡을 수가 없었다. 요사스러운 안개와 함께 사륜거가 바로 눈앞에 있었지만, 아무리 말을 재촉하여 쫓아가도 거리가 좁혀지지 않았다.

"벌써 30리나 말을 달려왔다. 공명의 사륜거가 저렇듯 느긋하게 가는데도 따라잡을 수가 없다니."

"이 무슨 해괴한 일이란 말인가."

위군은 말을 멈추고 망연자실하여 앞만 바라보고 있었다. 그러자 공명의 사륜거와 그를 따르는 무리들이 방향을 바꿔 다가오고 있었다.

"이번에는 놓치지 않겠다."

위군이 고함을 지르며 달려들자, 공명의 사륜거는 다시 느긋하게 한 점의 흐트러짐 없이 뒷모습을 보이고 멀어져갔다. 다시 20여 리를 쫓아간 위군은 모두 가쁜 숨을 헐떡였다. 공명과의 거리는 여전히 줄어들지 않았다.

"참으로 기괴하구나."

위군이 어쩔 줄 몰라 하며 한곳에 머물러 있었다. 그때 뒤를 쫓아온 사마의가 말했다.

"이는 제갈량이 잘 쓰는 팔문둔갑八門遁甲 중 하나이고,『육갑천서六甲天書』에 나오는 축지법이다. 잘못하면 적의 함정에 빠질 위험이 있으니 더 이상 쫓지 말라. 자, 어서 본진으로 퇴각하라."

그때 갑자기 서쪽 산에서 북소리가 일어나고 북두칠성기가 치솟더니 말을 탄 장수가 달려왔다. 그는 검은 옷을 입고 머리를 풀어헤치고 하얀 칼을 차고 맨발을 하고 있었다. 그리고 사륜거 하나가 또 모습을 드러냈다. 하얀 옷을 입고 화려한 관을 쓴 사람이 사륜거 위에 앉아 있었는데, 바로 앞에서 뒤쫓던 공명이었다.

"저자도 제갈량이란 말인가?"

사마의는 아군이 겁먹을 것을 염려하여 자신이 직접 선두에 서서 뒤를 쫓았다. 20리, 30리를 쫓았지만, 이전과 마찬가지로 도저히 따라잡을 수 없었다.

"참으로 기괴하구나."

지친 사마의가 되돌아오는데 다시 한쪽의 산기슭에서 칠성기를 들고 검은 옷을 입은 스물여덟 명의 무사가 역시 공명을 사륜거에 태우고 모습을 드러냈다.

위의 군사들은 두려운 마음에 감히 공격을 하지 못했다.

"퇴각하라. 물러나라."

사마의도 정신이 아득해져 그저 도망칠 수밖에 없었다. 그런데 어두운 벌판 한가운데에서 바람과 함께 깃발이 치솟고 사륜거의 바퀴 소리가 들려오기 시작했다. 사마의는 깜짝 놀라 눈을 부릅떴다. 사륜거 위에 있는 사람은 분명 제갈량이었다. 더욱이 좌우에 있는 검은 옷을 입은 스물여덟 명의 모습과 북두칠성기도 모두 처음에 본 것과 똑같았다.

"대체 제갈량이 몇 명이란 말인가."

사마의와 수천 명의 군사는 하룻밤 내내 악몽을 꾸고 있는 듯 두려움에 떨었다. 그들은 아침 무렵이 되어서야 간신히 상규성上邽城으로 도망쳐 들어왔다. 마침 촉병 한 명이 위군에게 포로로 잡혔다. 그를 조사해보니 청보리를 베어 노성으로 운송하던 사람이었다.

"그럼 어젯밤 소란통에 보리를 베어갔단 말인가?"

사마의가 직접 촉병을 추궁하자, 어젯밤 자신들이 쫓던 사륜거 중하나는 공명의 사륜거가 분명했지만, 나머지 세 대는 강유와 위연과 마대 등이 위장한 사륜거였다는 것이 밝혀졌다.

"아, 축지법의 비밀이 바로 그것이었구나. 똑같은 분장을 한 네 대의 사륜거와 병사였다니. 도망칠 때마다 모퉁이를 돌거나, 산기슭과 수풀이 우거진 길가에서 숨었다 나타났다 하며 쫓는 자의 눈을 현혹시켰던 것이구나. 과연 제갈량이로다."

마침내 공명이 두려워진 사마의는 다시 수비로 전환하여 오로지 지키기만 했다. 그러던 어느 날, 곽회가 사마의를 찾아가 말했다.

　"노성에 있는 촉병을 살펴보니 의외로 그 수가 얼마 되지 않습니다. 대군으로 보이는 것은 공명의 용병술로 인한 것이니, 아군의 병력으로 포위하면 필시 독 안에 든 쥐의 꼴이 될 것입니다."

　곽회의 말을 들은 사마의는 이제까지 별다른 방책 없이 소극적으로 수비만 하며 지낸 자신을 반성했다.

　"그럼 군사를 움직이지 않는 척하다 일거에 노성을 포위하도록 합시다. 이것이 성공하면 그 후의 작전은 그야말로 일사천리일 것이오."

　해가 서쪽으로 저물 무렵, 위의 대군이 일시에 움직였다. 노성은 그리 멀지 않았다. 한밤중까지 당도하기는 어렵지만 새벽녘에는 닿을 수 있었다.

　중간에 있는 습지대와 강가의 모래밭과 산을 제외하면 전부 보리밭이었는데, 촉의 척후병이 곳곳에 산재해 마을마다 숨어 있었고, 밧줄 한 가닥이 노성까지 이어져 있었다. 척후 한 명이 밧줄을 당겨 방울을 울리면 즉시 다음 병사가 그것을 보고 그다음 병사에게 연락을 하여 순식간에 노성의 촉군에게 위의 습격을 알리게 되어 있었다. 그렇게 공명은 적이 공격해올 것을 예상하고 충분한 방책을 세웠던 것이다.

　본래 노성은 지방의 성이라 성벽이 낮고 해자도 얕아 포위를 당하면 그것으로 끝이었다. 강유와 마대, 마충, 위연 등의 부대는 저녁 일찍 성 밖으로 나갔다.

　성 밖은 모두 보리밭이어서 숨기에 안성맞춤이었다. 한밤의 바람에 보리 이삭이 물결치고 있었다. 은밀히 접근한 위의 대군이 성의 동서남북에 속속 배치되기 시작했다. 하지만 그 순간, 성 위에서 수천 발의 화살이 일제히 날아왔다. 적에게 발각되자 위군은 단숨에 성을 점령하기 위해 해자를 넘어 성벽까지 몰려들었다. 그런데 이번에는 바위와 나무 들이 떨어졌다. 어느새 얕은 해자 안이 시체로 가득 메워졌다.

사마의는 다소의 고전을 각오하고 있었지만, 그런 생각은 한순간에 무너져내렸다. 배후의 보리밭에는 어느 순간 촉의 군사들이 가득했다. 아무리 위군이 정예병이라고 해도 당황하여 무너질 수밖에 없었다.

새벽 무렵, 사마의는 언덕 위에 말을 세우고 입술을 깨물고 있었다. 이번 기습도 패배하고 말았던 것이다. 아군의 피해를 살펴보자 사상자가 천여 명에 이르렀다.

사마의는 다시 상규성에 틀어박히고 말았다. 곽회가 밤낮으로 궁리를 하여 또 다른 계책을 사마의에게 권했다. 그 계책은 실로 기상천외하여 사마의도 대단히 흡족해했다.

노성은 절대로 지키기에 유리한 곳이 아니었다. 하지만 공명은 위군의 동향을 가늠하기 어려웠기 때문에 굳게 지키기만 했다. 물론 공명 자신도 이를 결코 좋은 방법이라고 생각하지 않았다. 왜냐하면 근래 사마의가 옹주雍州와 양주涼州에 격문을 보내 손례의 군세를 검각으로 부르고 있었기 때문이다. 위가 대군을 나눠 촉의 경계에 있는 검각을 공격한다면, 귀로가 끊기는 것은 물론이고 운송과 연락마저 두절되니, 그곳에 진지를 구축한 수만의 촉군이 고립되고 말 것이었다.

"아무래도 근래에 위군의 움직임이 심상치 않다. 강유와 위연은 각각 군사 만 명을 이끌고 검각으로 가서 돕도록 하라."

강유와 위연은 즉시 군사를 이끌고 검각으로 향했다. 그 후 장사 양의가 공명을 찾아와 말했다.

"승상께서 일전에 한중을 떠나오실 때, 군사를 두 편으로 나누고 백일을 기한으로 교대시켜 쉬게 한다고 하셨는데, 아무래도 곤란하게 된 듯합니다."

"무엇이 곤란하다는 것이오?"

"이미 백 일의 기한이 가까워져, 전선의 병사와 교대하기 위해 한중의 군사가 출발했다는 전갈이 왔습니다."

"내 이미 선포한 일이니 하루라도 지체해서는 안 될 것이오. 어서 이곳의 병사를 한중으로 돌아가게 하시오."

"지금 이곳에 8만 명의 군사가 있습니다. 어떻게 교대시키려고 하십니까?"

"4만 명씩 두 번에 나눠 물러가도록 하면 될 것이오."

군사들은 그 소식을 듣고 크게 기뻐하며 모두 돌아갈 준비를 했다.

그런데 그때, 검각에서 파발이 당도했다. 위의 대장 손례가 옹주와 양주의 군사 20만 명을 이끌고 곽회와 함께 검각을 치러 간다는 소식이었다. 그와 동시에 사마의가 전군에 총공세의 명을 내리고 노성을 공격하기 위해 온다는 것이었다.

양의가 황망히 공명에게 고했다.

"지금 군사를 교대할 때가 아닙니다. 교대를 연기하고 눈앞의 적을 막아야 할 것입니다."

"아니오, 그렇지 않소."

공명이 고개를 강하게 내저으며 말했다.

"자고로 전쟁에 임하여 많은 장수를 이끌고 수만의 병사를 움직이는 데 있어, 그 근본이 되는 것은 바로 신의이오. 신의를 잃으면 촉군은 지리멸렬에 빠져 큰 힘을 발휘할 수 없을 것이오. 또한 그들의 가족들도 백 일 교대의 약속을 알고 있을 터이니, 모두 손꼽아 자신의 아들과 남편이 돌아오기를 기다리고 있을 것이오. 비록 어떠한 어려움이 닥친다 해도 나는 그 신의를 저버릴 수 없소."

양의는 공명의 뜻을 그대로 전군에게 고했다. 그때까지 온갖 억측을 부리며 동요했던 병사들이 공명의 말을 전해 듣고는 눈물을 흘렸다.

"승상께서 그렇게까지 우리를 생각해주시는구나."

"지금 아군이 위험한데, 그런 은혜를 입고서 어찌 우리가 먼저 떠날 수 있겠는가."

군사들은 양의를 통해 공명에게 청을 올렸다.

"저희는 모두 목숨을 버릴 각오로 승상의 높은 은혜에 보답하고자 합니다."

그래도 공명은 그들에게 다시 돌아갈 것을 권했다. 하지만 군사들은 일치단결하여 진중에 머물렀다. 그리고 위의 대군에게 반격을 가하고 앞다퉈 성을 나와 옹주와 양주의 위군까지 격파했다. 며칠 후 적은 멀리 물러가고 말았다.

촉군이 개가를 올리며 기쁨에 잠겨 있을 새도 없이, 영안성에 있는 이엄이 전혀 뜻밖의 정보를 알려왔다.

* * *

　영안성의 이엄은 전장의 후방에서 증산과 운송의 임무를 맡은 대관이었다. 그러한 이엄이 서찰을 보내 다음과 같이 고했다.

> 근래에 듣기로 동오가 낙양에 사자를 보내 위와 화친을 했다
> 합니다. 이에 위가 동오를 움직여 촉을 치려 했지만, 다행히
> 오가 아직 군사를 일으키지 않았습니다. 승상께서는 아무쪼
> 록 서둘러 계책을 세우시기를 바라옵니다.

　공명은 큰 충격을 받았다. 이엄이 서찰에서 말한 것이 사실이라면 실로 심각한 일이었다. 촉이 위에 비해 유리한 상황이란 오직 동오와의 동맹뿐이었다. 그 근간을 이루는 동오가 지금, 촉을 배신하고 위와 화친을 맺었다면, 이는 촉에게 치명적이라 할 수밖에 없었다.
　"여기서 이렇게 지체하고 있을 일이 아니다. 사태가 심각하다."
　공명은 즉시 총퇴각의 결단을 내렸다.
　"먼저 기산부터 신속하게 물러나야 할 것이다."
　공명은 기산에 있는 왕평, 장의, 오반, 오의에게 급히 사자를 보내 자신이 노성에 있는 동안은 위도 섣불리 쫓지 못할 것이니, 신속하고 은밀하게 퇴각하여 먼저 한중으로 돌아가라는 명령을 내렸다. 그다음으로 양의와 마충을 급히 검각의 목문도로 보냈다. 그리고 공명은 노성

에 깃발을 늘여 세우고 장작을 쌓아 연기를 피워 군사가 있는 것처럼 보이게 한 후, 모든 군사를 이끌고 목문도로 후퇴했다.

위수의 장합이 급히 상규로 와 사마의를 만났다.

"무슨 일이 일어난 것이 분명합니다. 촉군이 퇴진한 것은 범상한 일이 아닙니다. 지금이야말로 추격하여 섬멸할 때가 아니겠습니까?"

"상대는 제갈량이오. 함부로 뒤를 쫓을 수 없소이다."

"대도독은 어찌하여 세상의 웃음거리가 되는 것은 두려워하지 않고 오직 제갈량만을 호랑이와 같이 두려워하십니까."

그때 병사가 와서 노성의 변화를 알렸다. 사마의는 장합을 데리고 높은 곳에 올라 노성의 깃발과 연기를 한참 동안 살펴보았다. 그러다 갑자기 웃음을 터뜨리고는 말했다.

"깃발과 연기는 분명 허세다. 지금 노성은 비어 있는 것이 분명하다. 자, 어서 적을 추격하라."

사마의는 더 이상 의심의 여지가 없다고 여겼는지, 급히 상규에서 군사를 내보내 추격하기 시작했다. 이윽고 목문도에 가까워지자 장합이 사마의에게 말했다.

"이렇게 많은 대군으로는 행군의 속도가 둔해질 수밖에 없습니다. 제가 경병 몇천 명을 이끌고 앞서 가서 적을 지연시키고 있을 터이니, 도독께서는 본군을 이끌고 뒤쫓아오십시오."

"아니오. 군의 속도가 느린 것은 대병이기 때문이 아니오. 제갈량의 계략에 충분히 주의를 하면서 나가고 있기 때문이오."

"공명을 두려워하여 이런 속도로 쫓아가다가는 적을 놓칠 것이니,

추격의 의미가 없어집니다."

"큰 화를 당하는 것보다는 나을 것이오. 만일 그대처럼 공에 연연하여 서두르다가는 반드시 후회를 남길 것이오."

"몸을 바쳐 나라에 보답할 수 있다면 죽는다 하더라도 무슨 후회가 남겠습니까."

"그대의 성정이 불같고 의욕은 참으로 대단하지만, 반면에 대단히 위험하기도 하오. 부디 신중을 기하시오."

"효는 진력을 다하는 것이며 충은 목숨을 다하는 것인데, 이러한 상황에서 무엇을 망설이겠습니까. 오직 공명을 칠 생각뿐이니, 부디 허락해주시길 바랍니다."

"그대가 그렇게까지 청한다면 즉시 군사 5천 명을 이끌고 떠나시오. 따로 가상賈翔과 위평魏平에게 군사 2만 명을 붙여 뒤따르게 하겠소."

장합은 기뻐하며 날랜 군사 5천 명을 이끌고 적을 쫓았다. 70여 리를 나아가니 숲 속에서 북과 징, 함성 소리가 울리더니 장합을 부르는 소리가 들렸다.

"촉의 위연이 여기에 있는데, 패장은 어디를 그렇게 급히 가는가?"

본래 장합은 천성이 불같기로 소문나 있었다. 그는 위연을 보자마자 득달같이 달려들어 촉군을 공격했다. 위연은 잠시 그와 맞서 싸우다 일부러 패하여 도망치기 시작했다.

"네 이놈, 입만 살았구나."

장합은 도망치는 위연을 비웃으며 다시 길을 재촉했다. 다시 20리 정도 가자 산 위에서 관흥이 자신의 이름을 대며 군사를 이끌고 달려 내려왔다. 장합은 기세를 올리며 그에 맞섰다.

"관운장의 자식이 아비의 뒤를 이으려 하는구나."

관흥은 장합의 기세에 눌렸는지 도망치기 바빴다. 장합이 관흥의 뒤를 쫓다가 한편에 숲이 보이자 부하에게 명을 내렸다.

"복병이 있을지 모른다. 저 숲을 샅샅이 뒤져라."

그러고 나서 장합은 잠시 숨을 고르고 있었다. 바로 그때, 도망쳐 숨어 있던 위연이 뒤에서 공격을 해왔다. 장합이 위연과 맞서 싸우고 있는데 이번에는 관흥이 되돌아와서 합세했다. 위연과 관흥은 때론 도망치고 때론 싸우면서 장합을 농락하고 지치게 했다. 마침내 위연은 목표로 한 목문도 입구까지 장합을 유인했다.

장합은 지형이 험하여 불리하다는 것을 깨닫고 추격을 멈추었다. 장합이 잠시 군사를 정비하고 있는데, 위연은 그런 여유도 주지 않고 끊임없이 싸움을 걸었다.

"장합, 처음의 기세는 어디로 갔느냐? 벌써 겁을 집어먹고 두려워진 것이냐? 도망칠 궁리를 하고 있는 게로구나."

장합은 불같이 화를 내며 소리쳤다.

"네놈이야말로 쥐새끼처럼 잘도 도망치더구나. 거기 꼼짝 말고 있어라."

"도망친 것이 아니니라. 나는 한의 명장, 너는 역적의 적장이니 칼이 더러워지는 것이 부끄러울 따름이다."

마침내 장합은 사마의의 경계도 잊고 목문도 골짜기로 뛰어들었다. 어느덧 땅거미가 내리고 서산 중턱으로 해가 기울더니 골짜기 안이 어둑어둑해졌다. 위의 병사들이 뒤에서 장합을 부르며 속히 되돌아오라고 소리쳤지만, 장합은 위연을 사로잡기 위해 말에 채찍을 휘두르며 나아갔다.

"비겁하고 부끄러움도 모르는 자로다. 방금 네가 한 말을 잊었느냐."

장합은 손에 잡힐 듯 바로 앞에 있는 위연의 등을 향해 소리쳤다. 그러고는 말 위에서 갑자기 창을 던졌다. 위연이 몸을 숙이자 창은 그의 투구 끈을 스치고 앞쪽으로 날아갔다.

"장군!"

장합이 돌아보니 백여 명의 아군 병사들이 뒤쫓아오고 있었다. 그들이 산을 가리키며 소리쳤다.

"저쪽 산 위에 수상한 불길이 보입니다."

"적의 신호일지 모릅니다."

"해가 저물었으니, 속히 돌아가서 내일을 기약하는 것이 좋겠습니다."

하지만 그들의 충고는 아무 소용이 없었다. 갑자기 하늘에서 화살이 빗발치듯 쏟아지기 시작하더니 굉음 소리가 들렸다. 산 위에서 나무와 바위가 굴러떨어지는 소리였다.

골짜기 여기저기에서 불길이 치솟더니 나무와 풀이 불에 타들어갔다. 장합은 미쳐 날뛰는 말을 채찍질하며 입구를 찾았지만, 이미 그곳은 막혀 있었다. 평소 성정이 불같다는 말을 듣던 장합은 결국 불에 타죽고 말았다.

목문도의 외곽을 이루는 한 봉우리에서 공명이 모습을 드러냈다. 그가 허둥대는 위병들을 향해 소리쳤다.

"나는 오늘 사냥에서 말(마馬: 사마의司馬懿_역주)을 잡으려 했는데 노루(장獐: 장합張郃_역주)를 잡았구나. 다음 사냥에서는 사마의를 사로잡을 것이다. 너희는 돌아가서 사마의에게 병법은 조금 늘었는지 이 공명이 묻더라고 전하라."

수장인 장합을 잃은 위군 병사들이 앞다퉈 도망쳐 돌아가 사마의에게 고했다.

장합의 죽음은 위에 큰 타격이었다. 그가 위에서 굴지의 장수라는 것은 누구나 인정하는 사실이었다. 장합은 한때 조조를 섬기면서 수많은 무공을 세웠고 실전 경험도 풍부했다.

"그의 선봉을 끝까지 만류했어야 했는데……. 그의 죽음은 바로 내 잘못이다."

사마의는 책임을 통감했다. 동시에 사마의는 공명의 작전이 무엇을 노린 것이었는지, 명확하게 알 수 있었다. 우군은 불패의 지형에 포진하고 계책을 써서 적을 험지로 유인하여 섬멸한다, 이것이 공명의 기본 작전임을 간파한 것이었다. 생각이 거기에 미치자, 위수에서 상규, 상규에서 그곳 검각까지, 어느새 자신도 모르는 사이 위험하기 그지없는 촉의 땅에 발을 들여놓은 것도 깨닫게 되었다.

"위태롭구나. 깨닫지 못하는 사이에 나도 제갈량의 유인책에 걸려들었구나."

사마의는 급히 병사를 물리고 요소요소에 군사를 배치한 후 오로지 굳게 지킬 것을 명했다. 그리고 황제에게 전황을 보고하기 위해 낙양으로 돌아갔다.

장합의 죽음에 관한 소식이 전해지자, 황제는 슬퍼했고 중신들은 낙담했다.

"촉이 아직 망하기도 전에 나라의 기둥을 잃었으니, 장차 어찌해야 할 것인가."

위의 궁중에는 한탄과 근심 어린 목소리가 가득했고, 사람들은 점점 절망의 나락으로 빠져들었다. 그때 간의대부 신비가 황제와 군신들에게 말했다.

"무조와 문황, 2대를 거쳐 금상께서 지금 용과 같이 세상에 거하고 계시며, 저희 대위는 천하의 강대함이 비견할 데가 없고 문무의 좋은 신하들도 여전히 많습니다. 그런데 어찌 장합의 죽음 하나로 이토록 깊이 슬퍼하십니까. 한집안 사람이 죽으면 가족의 정으로 한탄하고 슬퍼하는 것이 좋으나, 한 나라의 신하가 죽으면 나라의 대의로써 성대하게 장례를 치러주고 오랫동안 기려 모든 사람들이 떨치고 일어나게 해야 할 것입니다."

"참으로 지당한 말이오."

황제는 예를 다해 장합의 장례를 치르도록 했다.

한편 공명은 군사를 수습하여 한중으로 돌아온 후, 바로 각 지방에 사람을 보내 위와 오의 관계를 살피게 했다. 그 무렵 성도에서 상서 비의가 와 조정의 뜻을 전했다.

"아무런 이유도 없이 한중으로 군사를 물리신 까닭이 무엇입니까? 황제께서 괴이쩍게 생각하고 계십니다."

"근래에 오와 위가 비밀조약을 맺었다는 정보가 들어왔소. 만일 오가 배신하여 우리 촉을 공격한다면 큰일이라 생각하여 만전을 기하기 위해 돌아온 것이오."

"참으로 이상합니다. 이엄이 말하길, 근래에는 후방에서 병량을 충분히 보내고 있는데, 승상께서 갑자기 군사를 물린 것이 의심스럽다는 것입니다. 이엄은 황제께 계속해서 그런 내용을 아뢰었습니다."

공명이 어이가 없다는 표정으로 말했다.

"내게 위와 오가 비밀리에 동맹을 맺었다는 소식을 알려준 자가 바로 이엄이었소이다."

"이제야 알겠습니다. 이엄은 자신이 맡은 병량을 제대로 준비하지 못하자, 두려운 마음에 그 죄를 승상께 전가하려고 한 것 같습니다."

"만일 그것이 사실이라면 내 이엄을 절대로 용서할 수 없소이다."

공명은 성도로 돌아와 면밀히 조사에 나섰다. 이윽고 사건의 전말이 밝혀졌다. 비의의 말대로 이엄이 농간을 부렸던 것이다.

"이는 참수에 처해도 부족한 대죄이지만, 이엄은 선제께서 금상을 부탁한 중신 중 한 사람이니 그의 관직을 박탈하고 목숨만은 살려두겠다. 즉시 평민의 신분으로 전락시키고 재동梓潼으로 귀향을 보내라."

공명은 이엄의 문제를 그렇게 처리하는 한편, 이엄의 아들 이풍李豐에게 장사 유염과 함께 부친의 일을 그대로 잇게 했다.

120
움직이지 않는 목우유마

공명은 여섯 번째 기산 출정의 서전에서 패하자 비의를 오로 보내 동맹의 실행을
청하고, 사마의는 목우유마를 되찾기 위해 나섰다 기습을 받고 요화에게 쫓기는데……

　다년간 군수물자 총괄 책임자였던 이엄의 몰락은 촉군에게 일시적
인 휴식을 주었으며, 더 나아가 내정에 일대 쇄신을 초래했다.

　본래 촉으로 통하는 길은 천혜의 자연 조건을 갖춘 요새와 같아서
어느 누가 책임자가 되어도 외부의 적은 쉽사리 이를 극복할 수 없었
지만, 문제는 항상 내부에서 발생했다. 공명의 고민이 바로 여기에 있
었다. 게다가 황제 유선은 황제로서의 자질에 부족함이 많았고 쉽사리
남의 말에 마음이 움직이기도 했다.

　하지만 공명이 유선을 섬기는 데 있어서는 유비가 살아 있을 때와

조금도 다르지 않았다. 아니, 공명은 더 절실한 충성과 사랑으로 유선을 섬겼다. 그런 만큼 유선도 공명을 공경하고 아끼는 마음이 남달랐다. 하지만 공명이 자리를 비우기라도 하면, 군신들이 그 빈자리를 파고들어 유선의 마음을 뒤흔들었다. 그렇게 촉의 조정은 항상 공명의 발목을 잡았다.

그 무렵 공명은 3년 동안 내정의 확충에 힘을 쏟기 위한 권토중래의 결단을 내렸다. 3년 동안 전쟁을 하지 않고 군사를 키우고 병기와 군량을 비축하면서, 선제의 유지에 보답하고자 했던 것이다.

공명은 어떤 어려운 상황에서도 중원 진출의 대의를 잊은 적이 없었다. 그의 바람과 생활, 일상 등 모든 것의 초점이 중원 진출에 맞춰져 있었다.

3년 동안 공명은 백성을 불쌍히 여기고 신실하게 대했으며, 백성들은 공명을 자신의 부모처럼 생각했다. 또한 공명은 교학과 문화의 진흥에 힘을 쏟았는데, 교학의 근본은 사제 간의 유대라고 생각하여 스승을 중히 여기고 그 덕을 함양시켰다. 그리고 내치의 근본은 관리라고 생각하여 그들의 기강과 마음을 순화하고 향상시켰다. 하지만 관리가 매관매직의 죄를 범하면 이를 만천하에 드러내고 민간의 형벌보다 더욱 엄하게 벌했다.

"말만 앞세워 함부로 백성을 대하지 말고, 미풍양속을 권장하여 저절로 이에 따르게 해야 함은 모든 스승과 관리의 책무이니라. 관리와 스승이 바른 행실을 보이지 않으면 스스로 예의범절을 땅에 떨어뜨리는 것뿐만 아니라, 그 밑에 있는 백성들도 나태해지고, 악습이 횡행할 것이다."

공명은 항상 이렇게 강조했다. 그리하여 3년 동안 촉의 국력은 충실해졌고, 조야의 분위기도 완전히 일신되었다.

"3년이 흘렀습니다. 자벌레가 몸을 웅크리는 것은 앞으로 나아가기 위함입니다. 이제 드디어 군사가 갖추어졌사오니 여섯 번째 중원 원정에 나서려 합니다. 신 제갈량, 이미 지천명의 나이에 이르렀으니 싸움에 임하여 무슨 일이 있을지 모르옵니다. 폐하께서 부디 선제의 영명함을 본받으시어 보필하는 자의 선한 말에 귀 기울이시고, 백성을 사랑하며 종묘사직을 잘 돌보시어 선제의 유명遺命을 다하실 수 있기를 엎드려 바랄 따름이옵니다. 신의 몸은 멀리 싸움터에 있어도 마음만은 항상 폐하의 곁에 있을 것이옵니다. 폐하께서도 항상 공명이 곁에 있어 성도를 지키고 있다고 생각하시고 마음을 굳건히 가지시길 바라옵니다."

공명이 원정의 뜻을 고하자 후주 유선은 아무 말 없이 잠시 옷소매에 얼굴을 묻고 있었다.

그때 성도의 일부 사람들이 '궁문의 잣나무가 매일 밤 울고 남쪽에서 날아온 수천의 새 떼가 일시에 한수漢水에 떨어져 죽었다'는 불길한 소문을 퍼뜨려 공명의 출군을 저지하기도 했다. 하지만 누구도 공명의 대의를 꺾지는 못했다.

공명은 날을 잡아 성도 교외에 있는 유비의 영묘靈廟를 찾았다. 그러고는 대뢰大牢를 올리고 눈물을 흘리며 오랫동안 기도를 했다. 그가 유비의 영정 앞에서 무엇을 맹세하고 기원했는지는 충분히 짐작할 수 있었다.

며칠 후, 대군이 성도를 출발하자 황제는 백관을 이끌고 성 밖까지 배웅을 했다. 이윽고 공명과 대군은 한중으로 들어갔다. 그런데 아직 나가서 싸우기도 전에 관흥이 병으로 죽었다는 비보가 전해졌다.

앞서 장포를 잃고, 지금 다시 관흥의 부고를 듣게 되었다. 공명은 크게 낙담했지만, 오히려 여섯 번째 출사에 임하여 그 비탄을 결연한 의지를 다잡는 계기로 삼았다. 한중에서 기산으로 출정한 34만의 촉군은 부대를 다섯 편으로 편제했다.

그 무렵 위는 연호를 청룡으로 개원한 후 두 번째 봄을 맞이했다. 작년에 마파摩坡 지방에서 청룡이 하늘로 승천했다 하여 그것을 나라의 상서로운 조짐으로 여겨 연호를 개원한 것이었다.

사마의는 천문을 자주 살폈다. 그는 근래에 북방의 별의 기운이 왕성하여 위에 길운이 보이는데 반해, 혜성이 태백太白을 범하여 촉의 하늘은 어두우니 지금이야말로 천하의 홍복이 위의 황제에게 깃들 거라고 예언했다.

또 사마의는 제갈량이 3년의 세월을 준비하여 여섯 번째 기산 출정에 나섰다는 소식을 듣자, 이는 하늘이 미리 촉의 패망과 위의 융성을 알린 것이라며 기뻐했다. 사마의는 황제의 조서를 받고 일찍이 본 적이 없을 만큼의 대대적인 군비를 갖추었다. 그가 출정을 앞두고 황제에게 청했다.

"지난날 한중에서 죽은 하후연의 네 아들이 아비의 원수를 갚고자 절치부심切齒腐心하고 있습니다. 바라건대 이번 싸움에 그들을 데리고

갈 수 있게 허락해주시옵소서."

하후연의 네 아들은 부마 하후무와 크게 달랐다. 첫째인 패霸는 궁술과 마술에 능하고, 둘째인 혜惠는 육도삼략을 깨우쳐 병법에 정통하며, 다른 두 명도 출중한 재주를 가지고 있었다.

위의 각 지방에서 장안으로 집결한 위군은 44만 명에 달했다. 숙명의 결전지인 위수를 앞에 두고 기산의 촉군과 위수의 위군이 마주했다. 그들은 이제까지의 경험을 바탕으로 지리적인 유불리를 고려하여 장비와 병력 등을 보완하며 포진을 펼치고 대치했다. 이전 다섯 번의 대치 양상과 비교해보면 눈에 띄게 발전된 양상이었다.

작전의 측면에서 살펴보면, 위는 먼저 5만 명의 공병대를 활용하여 대나무와 나무를 벌채하여 위수의 상류 아홉 곳에 부교를 만들었다. 그리고 하후패夏侯霸와 하후위夏侯威의 두 부대는 강 건너편 서쪽에 진을 쳤다. 이는 종전에 볼 수 없었던 위의 적극적인 공세 의지를 드러내는 것이며, 용의주도한 사마의가 본진 뒤편의 동쪽 벌판에 성을 쌓고 그곳을 장기전의 기지로 삼겠다는 것을 의미했다.

그러한 장기전의 각오는 오히려 촉군에게서 더 강하게 엿볼 수 있었다. 기산에 쌓은 다섯 곳의 진지는 이제까지의 규모와 그다지 다르지 않았지만, 야곡에서 검각에 걸쳐 구축한 열네 곳의 진지에는 뛰어난 병사를 주둔시키고, 서로 긴밀히 연락할 수 있게 운송 체제를 만들었다. 이는 위를 치지 않고는 돌아가지 않겠다는 공명의 의지를 강력하게 나타낸 것이었다.

야곡에서 검각 사이에 구축한 진지 한 곳에서 공명에게 보고가 올라왔다.

"위의 대장인 곽회와 손례의 두 부대가 농서의 군마를 거느리고 북원北原으로 진출하여 무슨 일을 꾸미려는 듯합니다."

공명이 보고를 듣고 말했다.

"이는 사마의가 농서의 길목이 끊길 것을 염려해 대비하려는 것이다. 지금 우리가 거짓으로 농서를 공격하려는 태도를 취하면 사마의는 깜짝 놀라 주력부대를 보내 도우려 할 것이다. 적의 대비가 없는 곳을 친다, 했으니 적의 허점은 바로 위수가 될 것이다."

북원은 위수의 상류였다. 공명은 백여 개의 뗏목에 마른 장작을 가득 실은 후 물에 익숙한 병사 5천 명을 골라 한밤중에 북원을 습격하게 할 참이었다. 그리하여 위의 주력이 움직이면 즉시 뗏목에 불을 질러 하류로 내려보내 적의 부교를 불태우고, 서쪽 강기슭에 있는 하후패와 하후위의 부대를 사로잡은 뒤, 위수의 남쪽 기슭에 병사를 상륙시켜 위의 본진을 빼앗을 계획이었다. 이 작전의 성공 여부는 바로 위의 사마의가 그것을 간파하느냐 못 하느냐에 달려 있었다.

사마의는 그것을 간파하고 있었다.

"지금 제갈량이 북원을 공격하려고 상류에 많은 뗏목을 띄우며 허세를 부리는 것이다. 뗏목에 마른 장작과 기름을 싣고 하류로 떠내려 보내, 아군의 부교를 불태우려는 것이 틀림없다."

사마의는 하후패와 하후위에게 계책을 내리고, 곽회와 손례, 악침, 장호 등에게도 각각 은밀히 지시를 내렸다.

날이 저물고 있었다. 위연과 마대가 북원을 공격하자, 손례가 맞서 싸우다 맥없이 패하고 물러났다. 위연과 마대는 그런 그의 행동을 수상하게 여겨 깊이 쫓지 않았다. 그런데 갑자기 양쪽 기슭에서 위의 깃발이 치솟더니 사마의와 곽회가 달려나와 반원을 그리며 포위망을 좁혀왔다. 위연과 마대는 목숨을 걸고 분전했다. 하지만 도저히 승산이 없는 지세에 있다 보니 강물에 빠져 죽거나 위병에 포위당해 죽임을 당하는 병사가 속출했다.

위연과 마대는 간신히 강 위로 도망쳤는데, 연락을 기다리지 못하고 오반과 오의의 군사가 뗏목을 흘려보내기 시작했다. 그런데 뗏목들이 위가 설치한 부교까지 오기도 전에 장호와 악침 등의 군사가 다른 뗏목으로 밧줄을 둘러쳐서 촉의 뗏목을 모조리 막고 화살을 쏘아댔다. 뗏목 위에 있던 촉병은 피할 곳도 없고 화살도 없었기 때문에 속수무책으로 당하고 말았다. 결국 오반이 화살을 맞고 강물에 빠져 죽었다. 그렇게 촉의 화공은 실패로 끝나고 촉군은 비참한 패배를 당했다.

그곳의 실패는 당연히 왕평과 장의의 부대에게도 영향을 끼쳤다. 그들의 부대는 부교가 불타는 것을 보는 즉시 사마의의 본진으로 돌격하기 위해 숨을 죽이고 기다리고 있었는데, 밤이 깊어도 상류에 불길이 보이지 않았다.

장의가 더는 참지 못하고 말했다.

"적의 본진을 살펴보니 적병의 수가 적은 듯하오. 지금 당장 공격하는 것이 어떻겠소?"

그러자 왕평이 말했다.

"비록 적에게 빈틈이 보인다 해도, 이곳만의 상황 판단으로 작전을 바꿀 수는 없소이다."

왕평은 완강하게 만류하며 참을성 있게 불길을 기다렸다. 그런데 얼마 후, 전령이 말을 달려와 큰 소리로 외쳤다.

"승상의 명이니, 두 장군은 빨리 퇴각하십시오. 북원에서 아군이 패하여 부교를 불태우려던 계획이 실패로 돌아갔습니다. 아군은 모두 패퇴했습니다."

왕평이 깜짝 놀라 서둘러 군사를 물렸다. 그때까지 깜깜했던 주변이 갑자기 빨갛게 변하더니 한 발의 굉음이 천지를 뒤흔들었다.

"왕평, 도망치려 하느냐?"

"장익, 어디로 도망치려는 것이냐?"

위의 복병이 사방팔방에서 기습을 했다. 그들은 여태껏 적의 함정 속에 있었던 것이다. 왕평과 장익의 부대는 많은 사상자를 내고 간신히 도망쳤다.

그날 밤, 촉군은 상류와 하류에서 만 명이 넘는 병력을 잃고 말았다. 공명은 패군을 수습해 기산으로 돌아가야만 했다. 그의 계책이 이처럼 실패로 끝난 것은 드문 일이었기에 그는 적지 않은 충격을 받을 수밖에 없었다. 그 충격은 그의 얼굴에도 그대로 드러났다.

하루는 장사 양의가 공명의 기색을 살피며 은밀히 간했다.

"근자에 무슨 까닭에선지 위연이 승상을 험담하며 군중의 분위기를 흐리고 있습니다."

공명이 무겁게 고개를 끄덕이며 말했다.

"그의 불평은 새삼스러운 것이 아니오."

양의가 의아한 듯 다시 물었다.

"아니, 군율에 엄한 승상께서 그것을 알고 계시면서도 어찌 두고 보기만 하시는 것입니까?"

"양의, 그러한 일은 함부로 입 밖에 내면 안 되는 것이오. 내 따로 살피고 있소이다."

양의는 공명의 의중을 헤아리고는 가슴 아파했다. 계속되는 전쟁으로 촉의 장수들이 연이어 목숨을 잃고, 진중에 남아 있는 장수는 실로 손에 꼽을 정도였다. 그중에서 위연의 용맹은 단연 발군이라 할 수 있었다. 그러한 위연을 지금 제거한다면 촉군의 전력은 한층 약해질 수밖에 없었다. 공명이 참고 있는 것이 바로 그 때문이라고 양의는 짐작했다.

그 무렵 성도에서 황제의 명을 받고 상서 비의가 기산을 찾아왔다. 공명이 그를 만나 말했다.

"그대가 아니면 할 수 없는 중요한 임무가 있소. 촉을 위해 내 서찰을 가지고 동오로 가주지 않겠소?"

"승상의 명인데 어찌 제가 거역하겠습니까. 어디라도 가겠습니다."

"고맙소. 그럼 이 서찰을 손권에게 전하고 경의 재주를 다해 동오가 움직이도록 힘써주시오."

공명이 바라는 것은 촉과 오의 동맹을 실행하는 것이었다. 공명은 서찰에다 기산의 전황을 상세히 설명하고, 위군의 전력이 그곳에 집중되어 있으니, 촉과 오의 동맹조약에 따라 바로 지금 오가 위의 측면을 공격한다면, 위는 양면에서 붕괴되어 중원은 평정될 것이고, 그 이후 양국이 천하를 양분해 다스릴 수 있을 것이라며 절절히 설득하는 글을 써서 보냈다.

비의는 즉시 건업으로 갔고, 손권은 예를 다해 비의를 응대했다. 손권이 공명의 서찰을 보고는 비의에게 말했다.

"동오는 절대로 촉과 위의 싸움을 방관하고 있는 것이 아니오. 다만 때를 살피면서 충분한 전력을 키우고 있었소. 하여 이제 때가 무르익은 듯하오니, 날을 정해 짐이 직접 수륙 양군을 이끌고 위를 정벌하기 위해 장강을 거슬러 올라갈 것이오."

비의가 절을 하고는 그의 말에 진위를 살피기 위해 물었다.

"위의 멸망이 머지않은 듯합니다. 한데 어찌 공략하실 생각인지요?"

"먼저 군사 30만 명을 보내 거소문居巢門에서 위의 합비合肥와 채성彩城을 취할 것이오. 또 육손과 제갈근을 시켜 강하江夏와 면구沔口를 공격하여 취한 뒤 양양으로 진격할 것이며, 손소孫韶와 장승張承을 광릉에서 회양淮陽으로 진군시킬 것이오."

손권은 손바닥을 들여다보듯 막힘없이 말했다. 그 후 자리는 주연으로 이어졌다. 이번에는 손권이 비의에게 물었다.

"지금 공명의 곁에서 병량 외에 군무를 돕고 있는 사람은 누구이오?"

"장사 양의입니다."

"그럼 항상 선봉에 서는 장수는 누구이오?"

"위연이라 할 수 있습니다."

"안으로는 양의, 밖으로는 위연이라. 하하하."

손권이 의미심장하게 웃으며 말했다.

"나는 아직 양의와 위연을 본 적이 없지만, 둘 다 촉을 이끌 인물은 아닌 듯하오. 그런데 어찌하여 공명 같은 인물이 그런 자들을 쓰고 있는 것이오?"

비의는 별다른 말을 하지 않고 적당히 둘러댔다. 그리고 나중에 기산으로 돌아가 공명에게 전하자, 공명이 탄식하며 말했다.

"과연 손권의 안식이 뛰어나구나. 아무리 잘 보이려고 해도 천하의 안목은 속일 수 없구나. 위연과 양의가 그릇이 작다는 것은 내 진작부터 알고 있었지만, 오의 손권까지 그것을 꿰뚫어보고 있을 줄은 몰랐구나."

* * *

어느 날, 촉의 진영에 한 사람이 와서 고했다.

"나는 위의 부장 정문鄭文이라 한다. 승상을 알현하고 부탁드릴 것이 있어 왔다."

공명이 그를 만나 무슨 일인지 묻자 정문은 절을 하고 칼을 내밀며 말했다.

"항복을 하러 왔습니다."

공명이 그 이유를 물었다.

"저는 본래 위의 편장군이었습니다. 그런데 사마의의 명에 응하여 싸움에 참가했는데, 그 이후 저보다 아래인 진랑秦朗을 중용하고 저를 경시할 뿐 아니라, 제가 불평을 한다고 몰아붙여 죽이려고까지 했습니다. 이에 개죽음을 당할 바에야 평소 승상의 높은 덕을 흠모하고 있었으니 항복을 하는 것이 옳다고 생각했습니다. 저를 받아주신다면 제 억울함을 풀기 위해서라도 촉에 충성을 다하겠습니다."

그때 기산의 아래 들녘까지 정문을 쫓아온 위의 장수가 정문을 내보내라며 고함을 치고 있다는 보고가 올라왔다.

"누가 그대를 쫓아왔다고 하는데, 누군지 아는가?"

"바로 진랑일 것입니다. 사마의의 명을 받고 저를 쫓아온 듯합니다."

정문은 불안한 듯 안절부절못했다.

"그대와 진랑 중 누가 무용이 위인가? 사마의가 진랑을 중용하는 것은 그대의 무용이 진랑보다 뒤처지기 때문이 아닌가?"

"그렇지 않습니다. 결코 진랑보다 못한 제가 아닙니다."

"만일 그대의 무용이 진랑보다 뛰어나다면, 사마의가 그자의 말에 속아 넘어간 것이라 할 수 있을 것이니 그대의 말도 믿을 수 있을 것이다."

"바로 그렇습니다."

"그럼 지금 당장 말을 타고 나가 진랑과 일전을 겨루어, 그의 목을 가져오라. 그 후 그대의 투항을 받아들여 중용하겠다."

"알겠습니다. 그리하겠습니다."

정문은 들판으로 말을 달려 내려갔다. 그를 본 진랑이 소리쳤다.

"이 배신자. 내 말을 훔쳐 적의 진영으로 도망치다니 참으로 어이가 없구나. 대도독의 명에 따라 네 목을 칠 것이다."

진랑이 호통을 치며 정문에게 달려들었지만, 그는 정문의 반격에 맥

없이 쓰러지고 말았다. 정문은 그의 목을 가지고 공명에게 돌아왔다. 공명은 다시 명령했다.

"진랑의 시신과 전포를 가지고 오라."

정문은 다시 말을 타고 가서 시신과 전포를 가지고 왔다. 그것을 본 공명이 좌우의 무사들에게 명했다.

"저자의 목을 쳐라."

"아, 아니 어찌 제 목을 치라 하십니까?"

정문이 절규하자 공명이 웃으며 말했다.

"이 시신은 진랑이 아니다. 내 예전부터 진랑을 잘 알고 있거늘, 네가 어찌 나를 속이려 하느냐. 이는 필시 사마의의 계략임이 분명하다."

정문은 두려움에 떨며 자백을 했다. 공명은 무슨 생각에서인지 정문의 목을 치는 것을 미루고 가둬두라 명했다.

다음 날, 공명은 자신이 쓴 서찰을 내보이며 말했다.

"목숨이 아깝거든 이대로 사마의에게 보내는 글을 쓰도록 하라."

정문은 감옥 속에서 서찰을 썼다. 그것을 전해 받은 병사는 부근의 백성으로 변장하고 위의 진영으로 들어갔다. 그리고 정문의 부탁을 받고 왔다며 서찰을 사마의의 측신에게 전했다.

사마의가 서찰을 유심히 들여다보았다. 분명 정문의 필적이었다. 이윽고 사마의는 크게 기뻐하며 서찰을 전한 병사에게 술과 음식을 내어주고 아무에게도 발설하지 말라며 단단히 주의를 주었다.

정문이 서찰에 적은 내용은 다음과 같았다.

내일 밤, 기산에서 불이 일어나는 것을 신호로 도독께서 직접 대군을 이끌고 공격을 하십시오. 어리석은 공명은 제가 항복한 것을 굳게 믿고 저를 지금 중군에 두었습니다. 때를 보다제가 안에서 호응하여 공명을 사로잡을 터이니, 도독께서도만전을 기하여 때를 놓치지 마십시오.

좀처럼 다른 사람의 계략에 빠지지 않는 사마의가 자신의 계략에 그만 걸려들고 말았다. 다음 날 밤, 사마의가 면밀히 준비를 끝내고 위수를 건너려 했다. 그러자 사마가가 부친 사마의에게 간했다.

"이는 아버지답지 않습니다. 서찰 한 통을 믿고 어찌 경솔하게 적의 진영으로 가려 하십니까?"

사마의는 아들의 말을 받아들여 자신은 후진에 남고 다른 장수를 선진으로 세웠다. 그날 초저녁에는 맑은 바람이 불고 달도 밝아 야행을 하기에 좋지 않았지만, 위수를 건널 무렵부터는 밤안개가 짙게 깔리고 하늘에도 검은 구름이 떠 야행이 한결 순탄해졌다.

"이는 하늘이 돕고 있음이다."

위군은 숨을 죽인 채 말에 재갈을 물리고 적진 깊숙이 접근해 들어갔다.

한편 적의 계략을 역이용한 공명은 낮에 칼을 들고 단에 기도를 올린 뒤, 초저녁에는 부장들과 잔에 피를 따라 나눠 마셨다. 그리고 밤이 되자 군사들을 배치하고, 때가 오기를 조용히 기다렸다.

밤이 깊어 검은 안개가 몽롱하게 깔릴 무렵, 위군은 일제히 촉의 중군을 기습했지만 그곳은 텅 비어 있었다. 그때 갑자기 북과 나팔 소리가 울리고 함성이 일어났다. 이내 위의 선봉군은 섬멸당하고 말았다. 그곳에는 진랑도 있었다.

사마의는 후진에 남아 있었기 때문에 촉의 포위망에서 도망칠 수 있었지만, 남겨진 병력을 구하기 위해 공격을 감행해야만 했다. 그는 공명의 포위망을 깨려고 시도했으나 그 시도조차 막대한 병력의 손실을 가져왔을 뿐 아니라, 남은 선봉군 만 명마저 적진에 버리고 도망칠 수밖에 없었다.

좀처럼 흥분하지 않던 사마의도 그때만은 참기 어려웠는지 퇴군하는 도중 이를 갈았다. 그 무렵 하늘이 다시 개고 휘황찬란한 달빛이 비치자 한때의 검은 구름이 마치 꿈처럼 느껴졌다. 이에 살아남은 위의 장수와 병사 들은 누구랄 것도 없이 속삭였다.

"이것은 공명이 팔문둔갑을 이용하여 우리를 검은 구름 속으로 끌어들이고는 다시 육정육갑六丁六甲의 신통력을 써서 검은 구름을 없앤 것이다."

사마의가 그 말을 듣고 소리쳤다.

"바보 같은 소리! 그 역시 사람에 지나지 않을 뿐인데, 어찌 그런 재주가 있을 것인가."

사마의는 진중에 떠도는 미신과 풍문에 현혹되지 않도록 군사들에게 엄중히 경계를 주었다. 하지만 공명이 신통력을 지니고 있어 기변을 행하는 것이라는 그들의 생각은 더욱 깊어만 갔다.

사마의는 그러한 두려움과 공포에 빠진 아군 병사들을 이끌고 싸움을 하는 것이 무리가 있다고 판단했다. 그래서 그 후부터는 오로지 수비에만 치중하며 싸우려고 하지 않았다.

그사이 공명은 위수의 동쪽에 해당하는 호로곡葫蘆谷에 병사 천 명을 두고 골짜기 안에서 토목 작업을 하게 했다. 그 골짜기는 호리병 모양의 분지를 품고 큰 산들로 둘러싸여 있었다. 한쪽에는 좁은 샛길이 있었는데, 말 한 마리와 사람 하나가 지날 수 있을 정도였다. 공명은 매일 그곳에 나가 밤낮으로 장인들에게 지시를 내리며 작업을 독려했다.

위가 싸우지 않고 장기전을 도모하고 있는 진의는 촉군의 식량이 바닥나기를 기다리기 때문이었다. 그 점을 염려한 양의는 종종 공명에게 호소했다.

"지금 본국에서 보낸 군량은 검각에 산처럼 쌓여 있지만, 검각에서 여기 기산까지의 길이 몹시 나빠 운송이 어렵습니다. 산악지대가 이어져 있어 말과 소는 쓰러지고, 수레도 망가져 도저히 쓸 수가 없습니다. 이대로라면 병량이 바닥날 듯합니다."

건흥 9년의 두 번째 기산 출정 이래, 출정을 거듭할수록 항상 촉군을 괴롭히는 것은 바로 병량과 운송의 문제였다. 하지만 공명은 지난 3년 동안 농사를 장려하고 병사들을 쉬게 한 후, 이제까지 예가 없을 만큼 대규모 병력과 군비를 이끌고 여섯 번째 기산으로 나왔다. 그러니 공명이 같은 문제를 반복해서 겪을 리가 없었다.

공명이 양의에게 말했다.

"그 문제라면 가까운 시일 안에 해결이 될 터이니, 걱정하지 마시오."

이윽고 어느 날, 공명은 양의를 비롯해 촉군의 부장들을 데리고 호로곡으로 들어갔다. 한 달 전부터 무엇을 하는지 궁금해하던 부장들은 골짜기 안의 작업장을 보고 모두 깜짝 놀랐다. 공명의 지시대로 '목우木牛'와 '유마流馬'라고 부르는 두 종류의 운송 장비가 만들어지고 있었던 것이다.

지난 남만 원정 때, 목우유마를 닮은 동물 모양의 전차를 본 적이 있지만, 이번 목우유마는 그것을 병량 운송용으로 개조한 것이라 할 수 있었다. 2차, 3차 출정 시에 시험용으로 쓴 동물 모양의 전차는 그 효과가 미미했다. 그래서 공명은 지난 3년 동안 개량에 개량을 거듭하여 이른바 신병기를 만들어냈다.

"소와 말을 이용하면, 그 소와 말의 식량도 필요하고 우리나 사람의 손길도 필요하며 병에 걸리거나 죽을 염려도 있소. 하지만 이 목우유마는 많은 짐을 쌓을 수 있고 먹이도 필요 없고 죽을 염려도 없소이다."

공명은 부장들에게 이미 대량생산되어 있는 실물을 선보이며 모양과 크기, 즉 설계도에 대해 자세하게 설명해주었다.

목우유마가 어떤 구조로 이루어진 것인가는 후대에 전해진 방법이나 부분적인 해설만으로 그 개념을 이해하기가 대단히 곤란하다. 하지만 『한보춘추漢普春秋』, 『제갈량집諸葛亮集』, 『후주전後主轉』 등에 기술되어 있는 것을 종합해보면 대략 다음과 같은 구조와 효용을 가진 것이라고 추측할 수 있다.

목우란 네모난 배에 머리는 둥글고 다리는 네 개이며, 자유로이 굽히거나 접을 수 있고 걸어서 움직인다. 머리는 목 안에서 나오고 짐을 많이 실으면 속도가 느려진다. 대량 운송에 적합하지만 일상에서 쓰기에는 적합하지 않다. 혼자 갈 때에는 하루에 수십 리를 가지만 무리를 지어 갈 때에는 20리가 전부이다.

또 다른 책에는 이렇게 나와 있다.

굽은 것은 소의 머리가 되고 쌍을 이룬 것은 소의 다리가 되며 옆으로 가로지른 것은 소의 목덜미가 되고 돌아가는 것은 소의 등이 되며 모가 난 것은 소의 배, 서 있는 것은 소의 뿔이라 할 수 있다. 또한 소의 고삐와 밀치끈도 있다. 사람이 여섯 자를 가면 소는 네 발짝을 가며, 한 사람이 일 년 동안 먹을 식량을 싣고 하루에 20리를 가는데 사람은 크게 수고롭지가 않다.

또 『후산담총後山談叢』에는 다음과 같은 기술도 보인다.

촉 안에 작은 수레가 있는데, 여덟 섬을 싣고도 한 사람이 밀 수 있고, 앞쪽은 소의 머리와 같다. 또한 큰 수레가 있는데, 네 사람이 열 섬을 싣고 밀 수 있다. 어쩌면 이는 목우유마를 본뜬 것인가 싶다.

어찌 됐든 목우유마의 기동력에 대한 과학적 구조는 불분명하지만 실제로 사용되어 큰 효과가 있었던 것은 의심할 여지가 없다.

한편 이 운송기가 대량으로 만들어지자 촉군은 우장군 고상을 대장으로 하여 목우유마 부대를 편제했다. 그리고 즉시 검각에서 기산으로 대량의 병량을 운반하기 시작했다. 촉병은 그 양을 보기만 해도 용기 백배했다. 반대로 위의 장기전 전략은 그 의미를 잃어버리게 되었다.

***

"장호와 악침인가? 자, 어서 이리로 와 앉게."

"도독, 무슨 일이십니까?"

"다름이 아니라, 근자에 제갈량이 만들었다는 목우유마라는 것을 그대들은 보았는가?"

"아직 보지 못했습니다."

"검각과 기산을 오가며 활발히 병량을 실어 나른다고 하오."

"그렇다고 합니다."

"공명도 만들었는데, 그 구조를 보면 우리도 만들지 못하라는 법이 없을 것이오. 그대들이 야곡 길목에 병사를 매복시킨 후에 적의 운송 부대를 습격하여 목우유마를 네다섯 대 탈취해오는 것이 어떻겠소?"

"알겠습니다. 내리실 명령은 그것뿐입니까?"

"그렇소. 어서 서두르시오."

두 사람은 이내 기마대와 보병 천 명을 이끌고 야곡으로 향했다.

3일 후, 악침과 장호가 목우유마를 탈취해서 돌아왔다. 사마의는 그것을 해체하여 상세하게 도면에 옮겨 그린 후 진중의 장인을 불러 똑같이 만들도록 했다.

크기와 길이에서 기동 성능까지 완전히 똑같은 목우유마가 완성되었다. 그것을 바탕으로 수천의 장인을 불러 밤낮으로 작업을 한 결과, 수천 대의 목우유마가 완성되었다.

그 소식을 전해 들은 공명이 크게 기뻐하며 말했다.

"이는 내가 바라던 바이다. 가까운 시일 안에 위는 우리에게 수많은 병량을 선물로 줄 것이다."

7일 후, 촉의 척후병이 적의 천여 대의 목우유마가 농서에서 막대한 군량미를 쌓고 온다는 정보를 알려왔다.

"사마의가 하는 짓이란 역시 내가 예상하는 범위를 벗어나지 않는구나."

공명은 즉시 왕평을 불러 말했다.

"그대는 병사 천 명을 위군으로 변장시킨 후, 즉시 북원을 지나 농서의 길목으로 가시오. 지금 떠나면 한밤중에 북원에 도착할 것이오. 북원을 지키는 위의 장수가 어디 군대냐고 검문을 하면, 위의 병량 운송대라 말하시오. 그럼 별문제 없이 통과할 수 있을 것이오. 그런 뒤에 매복하고 있다 위의 운송대를 해치운 다음 목우유마를 다시 북원으로 되돌려놓으시오. 북원에는 위의 대장 곽회가 지키는 성이 있으니, 분명 추격을 해올 것이오."

"어렵게 노획한 목우유마를 어찌 다시 되돌려놓으시라는 것인지요?"

왕평이 의아해하며 묻자 공명이 설명을 했다.

"그때 목우유마의 입을 열고 목에 장치되어 있는 나사를 돌린 다음 모두 그곳에 버리고 오시오. 적은 목우유마를 되찾으면 더 이상 쫓지 않을 것이오. 그 이후의 작전은 내 다른 장수에게 따로 명령을 내릴 것이오."

왕평이 나가자 공명은 장의를 불러 명령을 내렸다.

"그대는 군사 5백 명을 육정육갑의 신병으로 꾸미되 병사들에게 귀신의 탈을 쓰게 하고 얼굴을 요사스럽게 칠하도록 하라. 그리고 모두 검은 옷에 맨발, 양손에는 보검과 깃발을 들게 하고 허리에는 유황과 염초를 담은 호리병을 차게 한 후 산속에 숨어 있게 하라. 그다음에 곽회의 부하가 왕평의 군대를 쫓아내고 목우유마를 끌고 가려는 순간, 그를 공격하라. 적은 분명 당황하고 놀라 모든 것을 버리고 도망칠 것이다. 그러면 모든 목우유마의 목구멍에 있는 나사를 왼쪽으로 돌리고 기산으로 끌고 오도록 하라."

공명은 다음으로 강유와 위연을 불러 또 다른 계책을 내렸다. 그리고 마지막으로 마대와 마충에게도 지시를 내린 후 그들을 위수의 남쪽으로 보냈다.

이미 날이 저물어 북원의 산들은 별빛 아래 어둠 속에 잠겨 있었다. 그날 밤, 위의 진원장군 잠위岑威는 치중부대를 이끌고 한밤중이 되기 전에 북원의 성 밖에 도착하기 위해 길을 서두르고 있었다. 그런데 도중에 수상한 부대와 조우했다. 촉의 아문장군 왕평의 부대였다. 하지만 왕평의 부대가 모두 위군 복장으로 변장을 하고 있는 데다 밤이라 구

222

별이 되지 않았다.

잠위의 병사가 수상히 여겨 먼저 큰 소리로 물었다.

"어디 누구의 부대인가?"

그러자 왕평의 부대가 천천히 그들 앞에 다가가 말했다.

"병량을 운송하는 군사들이오."

"병량을 운송하는 부대는 바로 우리다. 너희는 어디 소속인가?"

"우리는 촉의 제갈 승상의 명을 받고 온 운송부대이오."

잠위의 부대가 깜짝 놀라 어리둥절해하는 사이, 왕평이 말을 달려 적의 한가운데로 뛰어들며 소리쳤다.

"나는 촉의 왕평이다. 잠위의 목과 목우유마는 우리가 접수하겠다."

왕평이 노린 것은 적장 잠위였다. 잠위가 맞서 싸웠지만, 왕평에게 일격을 당하고 말에서 떨어지고 말았다. 수장인 잠위의 목이 떨어지자 위군은 사분오열하여 뿔뿔이 도망쳤다. 왕평은 즉시 부하들에게 명령하여 천여 대의 목우유마를 끌고 길을 재촉하여 북원으로 향했다.

잠위의 부하가 도망쳐와 상황을 고하자 북원을 지키는 곽회가 즉시 군사를 이끌고 촉군의 뒤를 쫓았다. 한편 왕평은 북원에 도착하자마자 부하들에게 목우유마의 나사를 돌리게 한 뒤, 예정대로 퇴각을 명했다. 병사들은 일제히 목우유마의 입 속에 있는 나선형으로 장치된 나사를 오른쪽으로 돌리고 도망쳤다.

곽회는 병량이 실린 천여 대의 목우유마를 되찾자 일단 기지로 끌고 가려 했다. 그런데 어찌 된 일인지 목우유마가 움직이지 않았다. 병사들이 달려들어 앞에서 끌어당기고 뒤에서 밀어도 한 발도 움직이지 않왔다.

곽회가 그렇게 시간만 보내고 있을 때, 갑자기 한쪽의 산기슭에서 북과 나팔 소리가 들리더니 요사스러운 모습을 한 신병들이 날아오듯 내달려왔다.

위군은 그것을 보고 두려움에 빠져 모두 도망치고 말았다. 귀신의 형상을 한 강유와 위연의 군사들은 병량이 가득 실린 목우유마를 전부 수습한 후 개선을 올리며 기산으로 돌아왔다.

한편 위수의 사마의는 그 소식을 전해 듣고는 직접 군사를 이끌고 북원으로 향했다. 하지만 도중에 적의 기습을 받아 병사들은 모두 죽고 홀로 남았다. 사마의는 방향도 잃어버린 채 무아무중에 도망을 쳤다.

사마의를 발견한 요화가 그를 추격했다. 사마의는 뒤쫓아오는 적병들과 선두에 있는 요화를 보며 자신의 운이 다했다는 생각을 했다. 요화의 칼이 바로 사마의의 등 뒤에 가까이 있었기 때문이다. 사마의는 눈앞에 있는 열 아름이나 되는 큰 교목喬木을 돌아서 내달렸다. 요화도 나무를 돌아 사마의의 뒤를 쫓았다.

그런데 사마의의 운이 아직 다하지 않았는지, 요화가 말에서 내리친 칼이 그의 어깨를 빗나가 교목의 등걸에 박히고 말았다. 온 힘을 다해 내리쳐서인지 나무에 박힌 칼은 좀처럼 빠지지 않았다. 그 틈을 이용해 사마의는 말에 채찍을 가해 멀리 어둠 속으로 사라졌다.

요화는 발을 동동 굴렀다.

"이 기회를 놓치면 언제 다시 중달의 목을 칠 날이 오겠는가."

이윽고 간신히 칼을 빼어든 요화는 포기하지 않고 말을 달려 사마의를 쫓았다. 하지만 좀처럼 사마의의 모습을 다시 찾을 수가 없었다. 단지 수풀의 갈림길에서 황금으로 만든 투구 하나를 주웠는데 분명 적의 대도독의 투구였다.

"동쪽으로 도망갔구나."

요화는 부하들을 규합하여 즉시 동쪽으로 갔다. 그런데 사실 그 투구는 사마의가 일부러 동쪽 방향에 떨어뜨린 것이었다. 그리고 사마의 자신은 그 반대 방향인 서쪽으로 도망쳤다. 사마의의 이 작은 지혜는 위에게 실로 커다란 행운을 가져다주었다. 만일 그때 요화가 사마의의 의도를 간파하고 반대 방향인 서쪽으로 추격을 했다면 촉과 위의 역사는 완전히 뒤바뀌었을지도 모른다.

역사를 대관해서 볼 때, 어느 시대나 어떤 경우에도 필연적인 힘과 사람의 힘을 뛰어넘는, 이른바 천운 혹은 우연이라 할 수 있는 두 개의 요소가 작용하는 듯하다. 위의 국운과 사마의 개인의 운이 강했던 것은 그때의 일만 보더라도 알 수 있었다. 그와 반대로 촉의 기운이 약하고 공명의 신묘나 필살의 작전이 항상 사소한 일에서 틀어지며, 싸움에서 승리를 거두어도 위에 결정적인 치명상을 주지 못한 것은 사람의 지혜와 힘 이외에 그 무언가가 작용한 것이라고밖에 할 수 없었다.

사마의는 평소에 충분히 경계를 했는데도 또다시 공명의 계략에 걸려 큰 피해를 입자 다시 수비에 치중하며 굳게 지키기만 했다.

한편 촉의 진영으로 돌아간 요화는 공명에게 사마의의 투구를 내보이며 고했다.

"사마의가 이렇게 투구를 버리고 도망칠 정도로 혼쭐을 내주었습니다."

강유와 장의, 왕평도 각각 공을 세우고 돌아와 고했다.

"천여 대의 목우유마와 거기에 실려 있는 병량 2만 3천 석을 빼앗았습니다. 그것으로 당분간 군량은 풍족해졌습니다."

공명은 각 장수들의 노고와 공을 치하했지만, 그의 마음속에는 씻어낼 수 없는 일말의 아쉬움이 일었다. 만약 진중에 관우와 같은 장수가 있다면 결코 이런 작은 전과에 만족하여 자랑하지 않았을 것이었다. 오히려 사마의를 놓친 것을 부끄러워하며 사죄를 했을 것이었다.

'아아, 관우와 장비가 죽고 조자룡과 같은 명장도 없으니, 이제 촉에는 인물이 없구나.'

입 밖으로는 내색하지 않았지만 공명의 마음속에는 그러한 적막감이 깃들어 있었다. 과학적인 무기와 치밀한 작전으로 승리를 거두고 있었지만, 인재의 부족함은 보충할 길이 없었던 것이다.

121
호로곡의 사마의와 위연

조예는 소호에서 제갈근의 오군을 격파하고, 공명은 호로곡에
사마의를 죽일 비장의 계책을 준비하고 사마의를 유인한다

그 무렵 위의 수도인 낙양은 촉의 진영보다 한층 심각한 상황에 빠져 있었다. 바로 오가 군사를 일으켜 북상하고 있었던 것이다. 게다가 오의 병력은 그 규모에 있어 가히 전례를 찾아볼 수 없을 만큼 대군이었다.

위의 황제 조예는 위수의 사마의에게 전령을 보내 동오가 대군을 일으켜 북상하고 있으니, 촉의 도발에 넘어가 패하는 일이 생기지 않도록 오로지 지키기만 하라고 엄명을 내렸다.

또 조예는 사태의 심각성을 깨닫고 유소劉劭를 대장으로 삼아 강하江夏로 보내는 한편, 전예田豫에게 대군을 내려 양양을 돕도록 했다. 그리고 자신은 직접 만총滿寵과 장수들을 거느리고 합비성으로 향했다.

선봉에 선 만총이 소호巢湖 부근까지 와서 멀리 건너편 기슭을 살폈다. 오의 병선이 호수의 안과 밖에 깃발을 펄럭이며 숲을 이루고 있었다.

"아, 실로 대군이로다. 위와 촉은 연연에 걸쳐 기산과 위수에서 막대한 국력을 소모하고 있는데, 오직 동오만이 홀로 아무런 손실 없이 강남에서 힘을 기르며 양국이 피폐해지기를 기다렸구나. 그런 동오가 마침내 군사를 일으켰으니, 저들을 물리치기란 지극히 어려울 것이다."

적의 위세에 기가 눌린 만총은 서둘러 조예에게 돌아가 이러한 자신의 생각을 고했다. 조예가 만총의 말을 듣고 웃으며 말했다.

"부잣집의 멧돼지는 살이 오르고 기름이 껴서 겉보기에는 강해 보이나 어느새 야성의 습성을 잃어버리고 둔중해지기 마련이오. 우리는 매해 서쪽과 북쪽의 국경에서 싸움으로 단련된 빠르고 강한 병사들뿐이니, 무엇을 두려워하겠소."

조예는 즉시 장수들을 불러 회의를 했다. 그리고 적이 방비를 끝내기 전에 기습한다는 작전을 세웠다.

효장驍將 장구張球는 날랜 병사 5천 명을 이끌고 호수의 어귀에서 공격하기 위해 등에 수많은 횃불을 짊어지고 출발했다. 그날 밤 이경에 만총은 강병 5천 명을 두 편으로 나누어 오의 수채로 접근했다.

호수의 물결은 맑게 갠 달빛을 머금어 잠잠했고, 기러기 울음소리만 들려왔다. 어느 순간 일제히 천하의 정적을 깨는 함성이 일어났다.

"야습이다."

"위군이 건너왔다."

오군은 당황해서 허둥지둥 어쩔 줄을 몰라 했다. 조예가 간파한 대로 오는 지나치게 방심을 하고 있었다. 수많은 횃불이 비 오듯 배에 떨어졌다. 배에 한번 불이 붙자 물 위에 떠 있는 다른 배에도 불이 옮겨가기 시작하더니 순식간에 크고 작은 병선 수백 척이 화염에 휩싸였다.

오군의 대장은 제갈근이었다. 적벽대전 이래 선단의 화공은 오가 자랑하던 전법이었는데, 어이없게도 오는 서전에서 화공으로 대패하고 말았다. 그날 하룻밤 동안 오는 실로 막대한 전력의 손실을 입었다.

패장 제갈근은 남은 병력을 면구까지 물리고 우군의 후군에게 구원을 청했다. 한편 위군은 기세를 올리며 다음 작전을 위해 만전을 기하고 있었다.

촉의 제갈량, 위의 사마의에 비견하는 동오의 인물을 꼽으라고 한다면 바로 육손일 것이다. 육손은 오의 총사總師로 중군을 이끌고 형주까지 나가 있었는데, 소호의 제갈근이 대패를 당했다는 소식을 듣고는 당초의 작전을 변경하여 새로운 진용을 짜기 위해 고심했다. 위의 출군이 예상보다 빨랐고 반격이 강한 것에 대해 육손은 다소 의외로 생각했다.

"몇 해 동안 위수에서 그토록 전력을 쏟아부었는데, 아직도 이만큼의 전력을 보유하고 있단 말인가."

육손은 위의 저력에 새삼 놀라움을 느꼈다. 그리고 얼마 후 손권에게 서전에서 아군이 패한 것은 제갈근의 책임이라기보다 위에 대한 오의 인식이 잘못되었기 때문이라고 표문을 올리며 새 작전을 고했다. 그것은 지금 신성을 공격하고 있는 병력을 위군의 후방으로 돌리고, 조예의 본군을 크게 포위하여 둘러싸려는 비책이었다.

처음에 육손이나 제갈근은 필시 신성이 위기에 빠지면 위의 주력이 그쪽으로 집중될 것이라고 생각했다. 하지만 그 예상이 빗나가 소호에서 패배하자 육손은 작전을 변경할 수밖에 없었던 것이다.

그런데 어찌 된 일인지 두 번째 새로운 작전도 적에게 누설되고 말았다. 면구의 진영에 있는 제갈근이 육손에게 서찰을 보내 다음과 같이 자신의 의견을 개진했다.

지금 아군의 사기는 떨어지고 반대로 적의 기세는 날마다 강해지고 있습니다. 더욱이 군사기밀도 적에게 누설되어 사태는 더욱 악화일로에 있습니다. 지금은 일단 군사를 물려 본국으로 돌아가 다시 진용을 새롭게 한 후 때를 기다려 북상하는 것이 좋을 듯합니다.

육손은 사자를 통해 자신에게 계책이 있으니 너무 심려하지 말라고 제갈근에게 전하도록 했다. 하지만 제갈근은 그래도 마음이 놓이지 않았는지, 사자에게 이런저런 것을 물었다.

"도독의 진지에서는 군기가 잡혀 있던가? 공격할 준비는 하고 있던가?"

"말씀드리기 송구하오나 군기가 심하게 흐트러져 있었습니다. 위아래로 태만하여 경계도 엉망인 듯했습니다."

"나아가지도 못하고 막아내지도 못하고, 대체 도독은 무슨 생각이란 말인가."

제갈근은 끝내 참지 못하고 직접 육손을 만나러 갔다.

육손의 진영에 도착하여 살펴보니 과연 사자의 말대로 병사들은 진영 밖에서 땅을 갈며 콩을 뿌리고 있었고, 육손은 진영 안에서 부장들에 둘러싸여 바둑을 두고 있었다.

"참으로 한가로운 풍경이로구나."

제갈근은 어이가 없었다.

밤에 술자리가 끝나고 마침내 육손과 단둘이 남았을 때, 제갈근은 아군의 흐트러진 기강과 위의 위세를 비교하며 이를 바로잡기를 절실하게 간했다.

"장군의 말씀이 지당하오."

육손은 제갈근의 말에 전적으로 동의한 후 말했다.

"나도 지금은 일단 물러갈 때라고 생각하고 있소. 하나 군사를 물리는 데에는 만전을 기해야 하오. 급하게 군사를 물리면 위는 그 기회를 노려 대대적인 공격을 감행해올지도 모르오. 더욱이 내 계책이 적에게 누설되어 이마저 무위로 돌아가버리고 말았소."

육손은 솔직하게 자신의 생각을 제갈근에게 들려주었다. 바둑을 두면서 한가롭게 시간을 보내는 것도, 병사들에게 밭을 갈아 콩을 뿌리게 한 것도 실은 육손이 위를 속이기 위한 책략이었다.

한편 위는 그들의 모습을 보며 육손이 해를 넘겨서까지 그곳에 머물 것이라 생각하고 있었다. 그런데 그 후, 제갈근이 면구로 돌아가고 얼마 지나지 않은 어느 날, 제갈근의 군사와 육손의 중군은 하룻밤 사이에 재빨리 장강을 내려가 후퇴했다.

"육손은 실로 동오의 손자와 같구나."

나중에 육손의 계책을 알게 된 조예는 혀를 내두르며 육손을 칭찬했다. 그 무렵 위는 새로운 정예병을 보충하여 두 번째 작전을 준비하고 있던 참이었다.

조예는 그물에서 벗어난 새 떼를 바라보듯 아쉬워하며, 육손의 민첩한 퇴각 작전에 감탄을 거듭했다.

* * *

오의 총퇴각은 약한 국력 때문이 아닌 국책 때문이라 할 수 있었다.

오는 본래부터 적극적으로 전쟁에 임할 의사가 없었다. 촉과 위에게 서로의 목덜미를 물어뜯게 하여 양국의 전력 손실을 의도했던 것이다. 하지만 오는 촉과의 동맹 때문에 촉의 요청을 거절할 명분이 없었다. 결국 오는 한 차례 싸움을 통해 위의 전력이 여전히 강대함을 확인했고, 이에 육손이 서둘러 군사를 물렸던 것이다.

한편 촉의 입장은 절박했다. 만약 촉이 오로지 지금의 국경을 지키는 데만 만족하고 있다면, 위와 오는 서로 협력하여 촉을 집어삼키려 할 것이 분명했다. 앉아서 망하기를 기다리기보단 나가서 활로를 모색

해야 한다는 것이 공명이 주장하는 대의명분이었고, 그 외에 다른 길은 없었던 것이다.

그렇게 기산과 위수를 마주한 대진은 촉의 존망은 물론이고 공명의 일신에 있어서도 숙명이 걸린 결전장이 되었다. 촉은 여기서 물러서면 살 길이 없는 이른바 마지노선에 놓였다.

근래에 위의 진영은 낙양의 엄명을 받들어 오로지 수비에만 치중했다. 섣불리 적을 자극하여 전선을 넘는 병사는 목을 친다는 군령까지 내렸다. 움직이지 않는 적을 치는 것은 지극히 어려운 일로 공명도 어찌할 방도가 없었다.

하지만 공명은 하릴없이 두 손을 놓고 있지만은 않았다. 그사이 식량문제를 해결하고 점령지의 치세에 힘을 쏟았다. 둔전병屯田兵 제도를 만들어 병사들에게 백성들의 농사와 방목을 돕게 했다. 그리하여 그 수확의 3분의 2는 백성이 가져가게 하고 나머지는 촉군의 군량으로 충당했다.

또한 백성을 착취하거나, 사리사욕으로 백성의 원망을 사고 농사일에 게으르거나, 백성 사이에서 불화를 조장하는 병사는 모두 참수에 처한다는 세 가지 군령을 선포하기도 했다. 이에 위의 백성과 촉군은 조화롭게 생활할 수 있었다. 마치 군과 백성은 화목하고 단란한 가족 같았고, 그들의 웃음꽃은 벼와 보리 이삭과 함께 여물어갔다. 촉군을 피해 피난을 갔던 마을 백성들도 그러한 공명의 치세를 전해 듣고 속속 자신들의 땅으로 돌아왔다.

어느 날, 기산의 상황을 살피던 사마사가 아버지 사마의를 찾았다.

"아버지, 소자 사입니다."

사마의가 읽고 있던 서책을 덮으며 들어오라고 했다.

"요 며칠 보이지 않더니 무슨 일이라도 있었던 것이냐?"

"아버지, 이곳은 전쟁터가 아닙니까?"

"그게 무슨 말이냐?"

"며칠 동안 변장을 하고 적지의 상황을 염탐하고 왔습니다."

"그것참 잘했구나. 그런데 촉군의 정황은 어떠하더냐?"

"제갈량이 장구지계長久之計를 꾀하고 있는 듯합니다. 지금 위수의 건너편 각 고을이 촉의 영토가 되어가고 있습니다. 아버지도 이를 알고 계시는지요? 이렇듯 대군을 거느리면서도 대체 어찌하여 싸우지 않으시는지, 저는 아버지를 이해할 수가 없습니다. 오늘은 그것을 여쭙기 위해 찾아뵈었습니다."

젊은 사마사가 아버지 사마의를 힐난하듯 물었다.

"나도 그리 생각하고 있지만, 어떻게 하겠느냐. 낙양에서 칙명으로 굳게 지키기만 하라 했으니, 명을 어길 수야 없지 않겠느냐."

사마의가 괴로운 듯 변명을 하자 사마사가 떫은 미소를 지으며 말했다.

"하지만 아버지, 휘하의 장병들은 그리 생각하지 않습니다. 낙양은 항상 보수적이고 무사안일을 최우선으로 여기지 않습니까."

"그럼 장병들은 어찌 생각하고 있느냐?"

"대도독이신 아버지께서 제갈량에게 압도되어 기가 죽었다고 생각하고 있는 듯합니다."

"그도 사실이다. 내 지략은 도저히 제갈량에게 미치지 못하느니라."

"지혜로운 자는 지혜를 이용하고 지혜가 없는 자는 힘을 이용한다 하지 않았습니까. 위는 촉군의 세 배에 달하는 백 만의 병력을 보유하고 있습니다. 그런 대군과 장비와 지리地利를 가지고 있으면서, 이렇게 매일 허송세월만 보내고 계시는 건 대체 무슨 생각이신지요."

"승산이 없느니라. 아무리 안달을 해도 제갈량이 허점을 보이질 않는구나."

"하하, 아버지께서도 많이 지치신 듯합니다."

사마사는 더 이상 말하지 않고 물러갔다.

그로부터 며칠 후, 무슨 일인지 진중이 소란스러웠다. 척후병의 소식이라도 온 듯, 병사들이 진영 밖으로 나와 한곳을 바라보며 웅성거리고 있었다.

"무엇을 보고 있는 것인가?"

사마사가 밖으로 나와 바라보니, 일군의 촉병이 위수의 맞은편 강기슭에서 소리를 치고 있었다. 그들은 깃대에 황금 투구를 걸어놓고 그것을 흔들어대며 어린아이를 놀리듯 험담과 욕설을 쏟아내고 있었다.

"너희는 이것이 무엇인지 아느냐? 너희의 도독 사마의 중달의 투구다. 일전에 싸움에서 지고 투구를 길바닥에 팽개친 채 간신히 목숨만 부지하여 도망간 것이다."

"분하면 어디 한번 가지러 와보아라."

"어디 무서워서 가지러 올 수나 있겠느냐!"

촉의 병사들이 손뼉을 치며 위의 병사들을 놀려댔다.

사마사는 이를 갈았고 다른 부장들도 발을 동동 구르다 사마의에게 몰려갔다. 그리고 촉병의 행동을 고하며 적을 공격하자고 재촉했다.

사마의는 그저 웃고만 있다 입을 열었다.

"성현들이 이르길, 작은 일을 참지 못하면 큰일을 이루지 못한다 했다. 지금은 오직 지키는 것이 상책이다. 적의 도발에 넘어가서는 안 된다."

사마의는 동요하지 않고 냉정을 유지했다. 아무리 도발해도 위군이 별 반응을 보이지 않자 촉군도 돌아갔다.

한편 마대는 몇 개월 동안 호로곡에 있으면서 공명이 설계한 울타리와 목책 등을 만들었다. 그가 드디어 작업을 완료하고 공명에게 그 소식을 알리러 왔다.

"말씀하신 대로 골짜기 안에 참호와 울타리 들을 완성하고 유황과 염초를 숨겨두었습니다. 그리고 지뢰를 심은 다음 산 위에서 불을 붙일 수 있게 도화선도 잘 깔아놓았습니다."

"모두 내가 건넨 설계도에 따라 했는가?"

"빈틈없이 처리했습니다."

"잘했네. 그럼 그대는 호로곡 뒤편의 샛길에 숨어 있다 사마의가 위연을 쫓아 골짜기 안으로 들어오면, 복병을 이끌고 앞쪽 골짜기 입구를 봉쇄하게. 일단 불이 붙으면 계곡 안은 모두 불길에 휩싸이고 사방의 산이 무너져 내려 사마의의 군사들은 모두 생매장당하고 말 것이네."

공명은 마대가 나가자 위연과 고상을 불러 은밀히 지시를 내리고 즉시 출발시켰다.

"이번에야말로 사마의를 사지로 끌어들여 일거에 없앤 후, 중원 제패를 달성해야 한다."

공명의 얼굴에는 비장한 결의가 가득했다. 바야흐로 그의 나이 쉰네 살이었다. 사실 공명은 그다지 건강이 좋지 않았다. 그래서 바위처럼 꼼짝도 하지 않는 위군에 대해 초조한 마음이 들 수밖에 없었다.

이윽고 공명은 직접 일군을 편제한 후 본군에 작전을 지시했다.

"제군들은 일치단결하여 이곳 기산을 지키도록 하라. 그리고 사마의의 군사가 공격해왔을 시에는 일부러 패하고, 사마의가 직접 공격해오면 최선을 다해 맞서 싸우다 빈틈을 노려 위수의 적진을 우회한 후 적의 본진을 공격하라."

공명은 상세히 작전을 지시해두고 군사들을 이끌며 호로곡으로 향했다. 그리고 본진을 호로곡의 근처로 옮겨 포진을 끝낸 후, 앞서 골짜기 뒤편으로 보냈던 마대를 다시 불러 밀명을 내렸다.

"싸움이 시작되면 골짜기를 둘러싸고 있는 남쪽 봉우리에 낮에는 칠성기를 세우고 밤에는 일곱 개의 등불을 환하게 밝히도록 하시오. 이는 사마의를 유인하기 위한 비책이니 절대로 소홀함이 있어서는 안 될 것이오. 내 그대의 충의를 알기에 이러한 대임을 맡기는 것이니 내 믿음을 저버리지 말도록 하시오."

마대는 감격해하며 돌아갔다.

위군 역시 촉군의 움직임을 놓치고 있지 않았다. 하후혜夏侯惠와 하후화夏侯和가 즉시 사마의에게 고했다.

"반드시 저희를 보내주십시오. 지금이라면 촉진의 약점을 찔러 분쇄할 자신이 있습니다."

"촉군은 제풀에 지쳐 병력을 분산시키고 있습니다."

사마의는 여전히 마음이 내키지 않는 기색이었다.

"그것은 적의 계략임에 분명하오."

"도독은 어찌하여 그렇게 제갈량을 두려워하십니까?"

"두려워해야 할 자를 두려워하는 것이 어찌 부끄러운 일이겠는가. 나는 부끄럽다고 생각하지 않소."

"하지만 하늘이 내린 기회를 앞에 두고 아무런 행동도 하시지 않는다면 다들 도독을 의심할 것입니다."

"지금이 하늘이 내린 기회라고 할 만한가?"

"물론입니다. 촉군이 한동안 호로곡 안에서 토목공사를 한 것은 대진채를 구축하기 위함이 분명합니다. 또 촉병이 기산을 중심으로 논밭을 개간하고 치세와 농업에 힘쓴 것은 자급자족을 목적으로 한 것이 아니겠습니까. 적의 장구지계가 완성 단계에 들어가자 공명이 서서히 기산의 본진을 옮기고 있음에 틀림없습니다."

"흠, 그렇군."

"천혜의 지형인 호로곡에 대진채를 세워 진영을 옮기면 식량에도 부족함이 없을 것이니, 이후 다시 그를 칠 방도가 없을 것입니다. 공명은 기산을 전진기지로, 호로곡을 난공불락의 성채로 삼은 것입니다."

"그대들은 일단 여기 남게. 내 다른 자를 보내도록 하겠네."

사마의는 하후패와 하후위를 불렀다. 그리고 두 사람에게 군사 만명을 내어주고 두 편으로 편제하여 촉의 진영을 공격하라 명령했다.

두 장수는 기산으로 진격하는 도중에 벌판에서 촉의 고상이 이끄는 운송부대와 맞닥뜨려 싸움을 벌였다. 그 싸움에서 위군은 많은 목우유마와 촉군이 도망갈 때 버린 마구와 북 등을 노획하여 개선을 올리며 돌아왔다.

* * *

위군 병사들은 다음 날도 출격하여 얼마간의 성과를 올렸다. 그 이후 기회를 노려 출격할 때마다 위의 장수와 병사 들은 공을 세웠다.

대부분 호로곡으로 병량을 운반하는 촉의 부대를 습격했기 때문에 군량미와 수레와 같은 노획물이 위의 진중에 산처럼 쌓이고 포로들도 상당했다.

"포로는 모두 풀어주어라. 저들을 죽여봤자 적에게 아무런 타격도 줄 수 없다. 오히려 풀어줘서 위의 인자함을 적들에게 보여주는 편이 좋다."

한동안 싸우지도 못하고 장기전에 지쳐 있던 위의 장수와 병사 들은 앞다퉈 사마의에게 청해 진중을 나갔고, 하나같이 이기고 돌아왔다. 그렇게 20일 동안 연전연승이 이어졌다.

근래에 들어 위군은 나가 싸워 이기는 일이 일상다반사가 되었다. 실제로 촉군은 이전보다 약해져 있었다. 그 원인은 지나치게 많은 병사를 농사일과 토목 작업 등에 쏟아부어 군사의 질이 저하된 것이 틀림없었다. 또 진지 이동에 따른 병력의 분산도 촉군이 취약해진 원인일 것이라고 위군에서는 파악하고 있었다. 사마의의 머릿속에도 어느 순간부터 그런 생각들이 굳어지게 되면서 사마의는 종종 대단히 즐거워하는 모습을 보이곤 했다.

어느 날, 사마의는 포로들 중에 부장 한 명이 있는 것을 보고 자신이 직접 조사에 나섰다. 그러고는 전황이 아군에게 유리하게 돌아가고 있다는 것을 진심으로 생각하게 되었다. 그 부장의 진술에 따라 지금 공명이 있는 진지의 위치도 명확해졌다. 호로곡 서쪽 10리 정도 되는 지점에 골짜기가 있는데, 그곳 성채 안에 수년 동안 먹을 군량을 옮기고 있는 것이었다.

"기산은 불과 얼마 되지 않는 군세가 지키고 있을 뿐이다."

사마의는 싸움의 주도권을 잡았다 생각하고 움직이기 시작했다. 마침내 사마의가 기산 총공격의 명령을 내리자 사마사가 아버지 사마의에게 물었다.

"어찌 제갈량이 있는 호로곡을 공격하지 않고 기산을 공격하시는 것이옵니까?"

"기산은 촉의 근거지이다."

"하지만 제갈량이 있는 호로곡은 촉 전군의 생명선이라고 할 수 있습니다."

"그러니 일거에 기산을 공격하고, 나는 후군으로 호로곡을 급습하여 공명의 진영을 초토화시킬 것이다. 그리고 골짜기 안에 비축되어 있는 적의 군량을 불태워버릴 생각이다. 병기兵機는 기밀이 생명이니 더는 캐묻지 말거라."

"과연 아버지다우십니다."

사마의는 장호와 악침을 불러 명을 내렸다.

"내가 후군으로 갈 때, 그대들은 유황과 염초를 충분히 준비하여 내 뒤를 따라오라."

한편 공명은 날마다 호로곡 입구에서 가까운 높은 지대에 올라 멀리 위수와 기산 사이를 바라보았다. 그는 한 달 반 동안 우군의 패전 모습을 지켜보고 있었던 것이다. 고상의 운송부대가 기산과 위수의 중간 지대를 오가며 일부러 적의 먹잇감이 되고 있었던 것도, 기산의 병사가 계속 패배한 것도 모두 공명의 의중에서 나온 계책이었다.

이윽고 공명은 이전에는 볼 수 없었던 위의 대군이 역시 이전에는 볼 수 없었던 진형을 이루고 기산을 향해 당당히 진군해가는 광경을 바라보고 있었다.

"사마의가 마침내 움직이기 시작했구나."

공명의 얼굴이 붉게 물들었다. 기다리고 기다리던 순간이었다. 그는 전령에게 '계획한 대로 빈틈없이 준비하라'는 명을 주어 그를 급히 기산으로 보냈다.

위수의 강물이 가로막힐 정도로 위의 군마가 일제히 여울로 뛰어들었다. 한두 곳이 아니었다. 촉군이 가시나무 울타리를 치고 요소요소에 방루를 쌓고 지키고 있었지만 위군의 도하는 그것을 피해 감행되었다. 한 곳에서 막으면 다른 곳에서 달려들었다.

"다년간 골머리를 썩이던 촉군을 오늘에야말로 뿌리 뽑을 것이다."

결의에 찬 사마의의 모습은 이제까지와는 다른 사람 같았고, 위군의 사기도 하늘을 찌를 듯했다. 북소리와 나팔 소리가 하늘과 땅을 뒤흔들었다.

그날 위군이 위수를 건널 때 일으킨 물보라는 강한 바람을 타고 하늘로 올라가 구름이 되었다 이내 기산의 산허리로 쏟아졌다. 위군의 함성은 천둥 번개가 되어 촉군을 덮쳤다.

기산으로 몰린 촉군에게 위군의 맹공이 가해졌다. 곳곳에서 격전이 펼쳐지고 시신이 쌓여갔다. 어떠한 손실도 감내하고 총공격을 감행한 위군은 물밀듯 적진으로 진격했다.

사마의는 중군의 뒤에서 갑자기 방향을 선회하여 호로곡 쪽으로 진군했다. 그의 목표는 처음부터 기산이 아니었다. 장호와 악침의 두 부대가 사마의의 뒤를 따랐다. 사마의의 곁을 중군의 정예병 2백 명과 사마사, 사마소가 철통같이 호위했다.

기산의 촉병은 물밀듯 밀려드는 위군의 공격을 막아내기에 급급하여 사마의 부자와 기습부대가 방향을 바꿔 호로곡으로 가는 것을 눈치채지 못했다. 가는 도중에 촉군이 몇 번이나 공격을 해왔지만 사마의의 앞길을 저지하지 못했다. 2, 3백 개의 소부대나 7, 8백 개의 중간 부대가 있었지만, 애초부터 그 정도 병력으로는 사마의의 기습부대를 막아낼 수 없었다. 사마의는 흡사 무풍지대를 내달리듯 빠르게 진군해갔다.

그런데 그때, 남쪽 방면에서 북소리와 함성이 크게 들려오더니 일군이 모습을 나타냈다.

"사마의, 어디를 가느냐?"

위연이 불현듯 군사를 이끌고 와 소리쳤다.

사마의의 두 아들과 정예병은 한 몸이 되어 위연에게 달려들었다.

일진일퇴하는 와중에 사마의의 후군인 장호와 악침의 두 부대가 도착했다. 위연은 기세에 눌려 도망치기 시작했다.

"쫓아라. 놓치지 말라."

그처럼 사마의가 적극적이고 공격적인 모습을 보인 적은 드물었다.

이윽고 호로곡의 험준한 봉우리들이 눈앞에 들어왔다. 위연은 패주하던 부대를 정비하여 다시 대항해왔다. 그리고 그때마다 얼마간 피해를 입고 도망치기를 반복했다. 하지만 이 역시 공명의 명에 의한 작전이었다.

마침내 위연은 투구와 갑옷까지 내던지고 골짜기 안으로 도망쳐 들어갔다. 그러고는 공명이 지시한 대로 낮에는 칠성기, 밤에는 일곱 개의 등불이 보이는 쪽을 향해 내달렸다.

"잠깐 멈춰라. 이곳의 지형이 수상하다."

골짜기 어귀까지 오자 사마의가 갑자기 말을 멈추고 군사들을 제지하며 명했다.

"골짜기 안쪽을 살펴보고 오라."

몇 명의 군사가 즉시 골짜기 안으로 들어갔다. 한꺼번에 많은 군사가 말 머리를 나란히 하고 지날 수 없는, 좁고 험한 길이었다. 곧장 돌아온 군사들은 사마의에게 앞의 상황을 고했다.

"골짜기 안을 살펴보니 곳곳에 울타리와 참호가 있습니다. 새로 만든 채문寨門과 창고 등은 보이지만, 지키는 병사는 모두 남쪽의 산에 있는 봉우리로 물러간 듯합니다. 멀리 칠성기도 보이는데 필시 제갈량이 골짜기 밖의 본진을 그쪽으로 옮긴 듯합니다."

그 말을 들은 사마의가 말의 안장을 두드리며 명령했다.

"적의 병량을 불태울 때는 지금이다."

촉군의 최대 약점은 식량에 있었다. 공명이 공을 들여 비축한 그곳의 병량고를 불태우면 촉군 수만 명을 죽이는 것과 같았다.

"어서 가서 불을 지르고 속히 되돌아오라."

사마사와 사마소도 아비의 명을 받들어 병사들과 함께 골짜기 안으로 돌진했다.

"저기, 위연이 있다. 잠깐 멈춰라."

사마의가 손을 들어 제지했다. 위연의 일군이 모습을 드러낸 것도 걱정스러웠지만, 그를 더욱 망설이게 한 것은 부근의 창고와 채문을 따라 쌓여 있는 마른 장작이었다.

'본래 창고 부근에는 화기火氣를 엄격하게 금해야 하는데, 불에 타기 쉬운 마른 장작이 산처럼 쌓여 있는 것은 무엇 때문일까.'

앞서 골짜기 안을 살피러 갔다 온 병사들은 이를 수상하게 여기지 못했지만, 사마의는 그것을 놓치지 않았다.

"저희가 위연을 맡을 터이니, 아버지께서는 군사를 이끌고 골짜기 안으로 가 불을 놓고 오십시오."

사마의는 두 아들을 만류했다.

"잠시 기다려라. 지금 우리가 지나온 좁은 길이야말로 위험하다. 골짜기 안에서 불을 놓는 사이에 만일 적이 골짜기 입구를 막는다면 나오려야 나올 수 없이 갇히고 말 것이다. 실수를 한 것 같다. 어서 밖으로 빠져나가야겠다."

"예? 이대로 말입니까?"

"빨리 돌아가야 한다. 벌써 저렇게 많은 아군이 뒤따라 들어오고 있다. 후속부대에게 속히 돌아가라고 이르도록 해라. 어서."

사마의가 큰 소리로 제지했지만, 기세를 올리며 밀려오는 아군의 물결은 좀처럼 멈추지 않았다. 그런 혼잡한 와중에 갑자기 어디선가 이상한 냄새가 풍겨와 코를 찔렀다. 눈도 맵고 숨도 막혀왔다.

"연기가 나는구나. 불을 지르지 말라. 질러서는 안 된다."

하지만 불을 놓은 것은 위군이 아니었다. 게다가 골짜기로 통하는 외길은 들어오는 자와 나가려는 자가 뒤엉켜 난리법석이었다.

그 순간, 골짜기 안에서 한 발의 굉음이 울려 퍼졌다. 그리고 잠시 뒤, 좁은 길 양쪽으로 벽을 이루고 있던 절벽 위에서 거대한 바위가 산을 뒤흔들며 굴러떨어졌다. 바위에 깔린 사람과 말 들은 비명조차 지르지 못하고 목숨을 잃었다.

이윽고 순식간에 바위들이 골짜기 입구를 막아버리고 말았다. 또한 사방의 산에서 날아온 불화살이 골짜기 안을 불바다로 만들었다. 사마의와 위군이 불길을 피해 도망치려 하자, 땅을 뒤흔들며 폭탄이 터지더니 나무와 풀에 불이 붙었다.

위군의 절반이 불에 타 죽었다. 놀라 날뛰는 말에 밟혀 죽은 사람의 수도 상당히 많았다. 화염과 검은 구름이 치솟는 골짜기 안은 금세 아비규환으로 변했고, 비명 소리가 하늘 높이 울려 퍼졌다.

"계략이 성공했다. 자, 돌아가자."

사마의의 부대를 그곳으로 유인한 위연은 흡족해하며 골짜기 입구로 향했다. 그런데 골짜기 입구는 진즉에 막혀버렸다. 위연까지도 도망칠 길이 없어진 것이었다.

"내가 나왔다는 신호도 보내지 않았는데 입구를 막아버리다니."

위연은 당황했다. 그의 부하들이 차례로 불길에 쓰러졌다. 위연의 갑옷에도 불이 붙었다.

"평소에 공명이 나를 못마땅하게 여겨 나까지 사마의와 함께 죽이려고 한 것이 틀림없다. 내가 이렇게 허무하게 죽다니……."

위연은 핏대를 세우며 공명에게 욕설을 해댔다.

그 무렵 골짜기 안은 열풍으로 가득했다. 그럴수록 비명 소리는 잦아들었다. 사마의 부자는 참호 속에 몸을 숨기고 있었는데, 그들의 운이 아직 다하지 않았는지 갑자기 소나기가 내리더니 골짜기 안의 불이 꺼지기 시작했다. 그런데 매캐한 검은 연기가 피어오를 즈음, 다시 강풍이 불더니 곳곳에서 불씨가 빨갛게 피어올랐다. 하지만 또다시 세찬 소나기가 쏟아졌다.

"아버지."

"사마사, 사마소야, 이것이 꿈이란 말이냐."

"꿈이 아닙니다. 천우신조로 우리는 살았습니다."

세 사람은 참호 속에서 힘껏 기어올라 골짜기 밖으로 나왔다. 마대의 소수 부대가 그들을 발견하고 뒤쫓았는데, 위의 부대가 달려오자 추격을 포기하고 물러갔다. 그렇게 사마의 부자는 목숨을 부지하게 되었다. 위의 부대 속에는 장호와 악침도 있었다.

그들은 위수의 본진으로 향했다. 그때 위군은 동쪽의 진지를 촉군에게 점령당한 후였고, 곽회와 손례가 진지를 되찾기 위해 부교를 둘러 싸고 한창 싸우는 중이었다. 이윽고 사마의가 거느린 일군이 도착하자, 그것을 본 촉군은 급히 퇴각하여 위수의 남쪽으로 진영을 물렸다. 사마의는 적의 진로를 끊기 위해 부교를 불태우라고 명령했다. 본래 그 부교는 강의 다른 지점에도 몇 개가 더 있었기 때문에, 기산을 공격하러 간 위군이 퇴각하는 데에는 아무런 지장이 없었다.

기산 쪽에서 속속 돌아온 위군은 모두 패전의 모습을 하고 있었다. 위의 진영은 밤새 화톳불을 피워놓고 아군의 부상자와 패잔병을 북쪽 강가에 수습했다. 사마의는 적이 하류를 건너와 아군 본진의 후방으로 우회할 염려가 있다며 대규모 병력을 후방으로 돌렸다.

그날 위군의 피해는 정신적으로나 물리적으로나 개전 이래 최대라고 할 수 있었다. 하지만 그러한 전과를 올리고도 공명은 하늘을 우러르며 통한의 눈물을 흘렸다.

"일을 꾸미는 것은 사람이지만 일을 이루는 것은 하늘의 뜻이로구나. 어쩔 수가 없도다."

바로 공명이었다. 그가 사마의 부자를 죽이기 위해 만든 계책은 무심한 소나기로 인해 실패로 돌아가고 말았다. 공명은 홀로 눈물을 흘리며 탄식할 수밖에 없었다.

122
북두에 올리는 공명의 기원

오장원으로 진영을 옮긴 공명의 병세는 날로 악화되어 가고,
사마의는 천문을 살피다 공명의 목숨이 얼마 남지 않은 것을 알게 된다

　사람들 모두 촉군의 표면적인 승리를 크게 기뻐했다. 하지만 공명의
가슴속에는 아쉬움과 비통함이 가득했다.

　공명은 군사를 규합하여 위수의 남쪽에 진영을 세웠다. 그런데 진중
안에 불온한 기운이 떠돌아다녔다. 공명이 이를 확인해보니 소문의 진
상은 바로 위연이었다. 공명이 위연을 불러 물었다.

　"그대는 어찌하여 진중에서 화를 내며 분위기를 흐트러뜨리고 있는
가? 무슨 불만불평이라도 있는가?"

　위연이 성난 기색을 숨기지 않고 말했다.

"그것은 승상께서도 잘 알고 계실 것입니다."

"내가 그것을 어찌 알겠는가?"

"그럼 말씀드리겠습니다."

"숨김없이 말해보시오."

"승상은 제게 사마의를 호로곡으로 유인하라고 하셨습니다."

"그렇소."

"그때 소나기가 내려서 다행이지, 만일 그렇지 않았다면 제 목숨은 어찌 되었겠습니까? 필시 저도 사마의 부자와 함께 불에 타 죽었을 것입니다. 승상은 저를 미워하여 사마의와 함께 없애려고 한 것이 아닙니까."

"그로 인해 화를 낸 것이오?"

"당연한 일이 아닙니까?"

"참으로 괘씸하구려."

"제가 괘씸하다는 말씀입니까?"

"아니오. 마대를 말하는 것이오. 내 그에게 이르길 불을 놓을 때 반드시 신호를 하라 단단히 일렀거늘. 여봐라, 마대를 불러오라."

위연은 공명의 격노하는 모습을 보고 당황했다. 이윽고 공명 앞에 불려온 마대는 호된 질책을 받고 장형 50대에 처해져 관직도 말단 부장으로 깎이고 말았다.

마대는 자신의 진영으로 돌아와 눈물을 흘리며 비분강개했다. 밤이 되자 공명의 측근인 번건樊建이 승상의 명을 받고 찾아와서 그에게 말했다.

"실은 승상께서 사마의와 함께 위연을 제거하려고 하셨는데, 불행히 소나기가 내려 계획이 실패하고 말았소이다. 이에 지금 위연이 반란을 일으키면 촉군은 붕괴될 것이니, 어쩔 수 없이 아무 죄가 없는 그대를 처벌하게 되었소이다. 그러니 오직 나라를 위해 그대가 너그러이 헤아려줄 것을 승상께서 부탁하셨소이다. 후일 반드시 이 일을 잊지 않고 그대의 억울함을 풀어주고 공에 대한 보답을 하겠다고 약조하셨소이다."

마침내 마대는 모든 오해를 풀고 오히려 공명의 고충을 이해하게 되었다.

한편 위연은 마대를 자신의 부하로 삼고 싶다고 공명에게 청했지만, 공명은 이를 허락지 않았다. 하지만 위연은 계속해서 공명에게 청했다. 그 소식을 들은 마대는 자처하여 위연의 부하가 되었다.

그 무렵 위군의 진영에서도 불만의 소리가 들려오고 있었다. 물론 거듭되는 대패에서 오는 촉군에 대한 적개심이 가장 컸지만, 사마의에 대한 불만도 없지 않았다. 그것은 사마의가 '함부로 진중을 벗어나 적에게 싸움을 도발하는 자는 참수에 처한다'는 명령을 내렸기 때문이다.

위수의 얼음이 녹고 봄빛이 백 일 동안 이어졌지만, 양군은 여전히 대치 상태로 아무 움직임도 보이지 않았다. 사마의는 주위의 불만 어린 소리에 아랑곳하지 않고 무감각한 얼굴로 지냈다.

어느 날 곽회가 와서 사마의에게 말했다.

"제가 보기에는 제갈량이 다시 진영을 다른 곳으로 옮길 듯합니다."

"자네 생각도 그러한가? 나도 그리 보고 있던 참이네."

이내 사마의가 자신의 의견을 털어놓았다.

"만일 제갈량이 야곡과 기산의 병력을 일으켜 무공武功으로 나간 후 동쪽으로 나아간다면 큰일이지만, 서쪽의 오장원五丈原으로 나아간다면 걱정할 것이 없네."

사마의가 그런 말을 한 지 얼마 되지 않아, 마침내 공명의 군사는 이동을 하기 시작했다. 더욱이 공명이 선택한 땅은 무공이 아니라 오장원이었다.

무공은 지금의 협서성陝西聖 무공에 속하는 지방이다. 사마의가 보기에 공명이 무공으로 나온다는 것은 촉군이 싸움에 임하여 전원이 옥쇄를 하거나 대승을 거두려는 비장한 결단의 표현이었다. 그렇다면 위군의 대응도 결코 용이하지 않을 것이며, 그들에게도 역시 옥쇄의 각오가 따라야 했다. 사마의는 이를 두려워하고 있었던 것이다.

하지만 공명은 그런 모험을 피하고 여전히 장구지계를 도모하며 오장원으로 향했다.

오장원은 보계현寶鷄縣의 서남쪽 35리에 자리한 곳으로, 천 리를 뻗어가는 위수의 남쪽이었다. 이제까지의 진지와 비교하면 상당히 멀리, 중원 쪽으로 진출한 것이었다. 게다가 오장원은 위의 장안과 동관潼關은 물론이고 위의 수도인 낙양과 바로 지호지간指呼之間이었다.

"이곳에 묻히든지, 위의 중심부로 돌격하든지, 내 결코 허무하게 한중으로 돌아가지 않을 것이다."

오장원으로 진출한 공명은 포진을 펼치고 결의를 다졌다. 그런데도 사마의가 기뻐한 것은 그 역시 지구전에 자신감이 있었기 때문이다. 한 가지 곤란한 점은 그의 생각을 부하들이 이해하지 못하고 그를 경시하며 비겁한 지휘관으로 여겨 진중의 기강이 흐트러졌다는 것이다. 마침내 사마의가 짐짓 조정에 표문을 올려 싸움을 청했다. 하지만 조정에서는 다시 신비를 보내 오로지 굳게 지키며 자중하라고 다짐을 두었다.

이를 알게 된 강유가 공명에게 즉시 고했다.

"신비가 다시 위군의 진영에 와서 자중하며 수비에 치중하라 일렀다 하니 위군의 전의도 한풀 꺾였을 것입니다."

"그렇지 않네. 사마의가 나를 제압할 자신이 있다면 어찌 한가롭게 조정의 명을 기다리고 있겠는가. 정작 그는 싸울 마음이 없으면서 일부러 싸움을 청하는 표문을 올려, 병사들에게 보이고자 함에 지나지 않네."

또 어느 날은 위의 진영에서 만세를 외치며 환호하고 있다는 소식이 들려왔다. 공명이 무슨 일인지 알아보라고 하자, 척후가 와서 보고했다.

"오가 위에 항복했다는 소식이 적진에 전해진 듯합니다."

그러자 공명이 웃으며 말했다.

"오가 위에 항복했다는 것은 여러모로 말이 되지 않으니, 적의 간사한 속임수에 지나지 않을 뿐이다."

공명이 오장원으로 진영을 옮기고 나서도 촉군은 계속해서 적을 도발했지만, 위군은 전혀 움직이지 않았다. 그렇게 공명이 적지 깊숙이 진출하여 싸우지 않고 오직 적의 공격을 유도하는 소극적인 전법을 견지하는 이유는, 바로 병력과 장비의 차이에 있었다. 후방에서 지원을 받는 위의 진영은 움직이지 않는 동안에도 병력의 보충이 이루어졌기 때문에 촉군의 배에 달하는 병력을 보유하고 있었다.

병력과 장비에서 열세인 촉군으로서는 그러한 적과 맞서기 위해 적을 가까이 유인하여 공격할 방법밖에는 다른 비책이 없었다. 하지만 사마의는 공명의 전략을 간파하고 있었다. 그리고 아무리 공명이라 해도 오로지 수비에만 치중하는 적에게는 어떤 계책도 쓸 수가 없었다.

촉군은 기산과 위수의 남쪽에서 충분히 병량을 확보했지만, 두 해를 넘기고 적진에서 진을 치고 있는 동안, 적의 병력과 전력은 갈수록 강화되어 갔다.

어느 날 공명은 사자에게 소가죽으로 만든 함과 서찰을 건넸다.

"위의 진영에 가서 이것을 사마의에게 전하고 오라."

사자는 즉시 가마를 타고 위의 진영으로 갔다. 가마를 탄 경우에는 공격하지 않는 것이 전쟁의 관례였다.

이윽고 사자가 사마의를 만났다. 사마의가 함을 열어보자 함 속에는 건괵巾幗과 호의縞衣가 들어 있었다.

"아니, 이건!"

사마의의 입가의 하얀 수염이 떨리고 있었다. 그는 속으로 흥분하고 있었지만 한동안 아무런 미동도 하지 않았다.

건괵이란 어린 소녀가 머리를 꾸미는 천으로, 촉의 사람들은 이것을 담롱개疊籠蓋라고 불렀다. 또 호의는 부녀자의 옷이었다. 이는 적이 아무리 도발해도 전혀 싸움에 응하지 않는 사마의를 두고, 집안에서만 활개를 치는 부녀자와 같다며 놀리는 것이었다.

사마의가 서찰을 펼쳐보았다. 공명의 서찰은 노회한 사마의의 감정을 흔들어놓기에 충분했다.

> 이제껏 유례가 없는 대군을 이끌고 있으면서, 그대는 마치 아
> 녀자와 같이 나약한 모습을 보이는데, 이게 어찌 된 일인가?
> 그대가 무가의 이름을 받드는 사내대장부라면, 어서 나와 떳
> 떳하게 결전을 겨루도록 하라.

"하하하, 재미있구나."

사마의는 마음속의 분노를 억누르고 웃어 보였다. 촉의 사자가 그의 얼굴을 쳐다보았다.

"기왕에 보내온 선물이니 잘 받겠노라."

사마의는 그렇게 말하고 사자의 노고를 위무하는 술자리를 마련했다.

"그래, 공명은 요새 잠을 잘 주무시는가?"

사자는 자신이 섬기는 공명의 이야기가 나오자 술잔을 내려놓고 몸을 단정히 한 뒤에 대답했다.

"예. 저희 승상께서는 아침 일찍 일어나시고 한밤중에 잠자리에 드시며, 군중의 업무에도 싫증을 내는 적이 없으십니다."

"상벌은 어떠한가?"

"더없이 엄중하십니다. 장형 스무 대 이상은 몸소 집행하십니다."

"아침저녁의 식사는 어떠한가?"

"식사는 하루에 몇 홉밖에 드시지 않습니다."

"흐음, 그런데도 심신을 잘 보존하는군."

사마의가 자못 감탄한 듯 중얼거렸다. 하지만 그는 사자가 돌아간 후 좌우의 부장들에게 말했다.

"그토록 군무에 쫓기고 마음을 쓰는 일이 많은데도 극히 적은 양밖에 취하지 않는다 하니, 이는 그의 건강이 많이 약해진 것을 뜻한다. 공명은 얼마 가지 않을 것이다."

한편 공명은 위의 진영에서 돌아온 사자에게 적진의 상황과 사마의의 반응을 물었다.

"중달이 화를 내었는가?"

"웃고 있었습니다. 그리고 기왕에 보내온 선물이니, 하며 흔쾌히 받았습니다."

"자네에게는 무엇을 물어보던가?"

"승상의 생활에 대해 물었습니다."

"그리고?"

"승상의 식사량을 묻더니, 그러고도 심신을 잘도 보존한다며 푸념을 했습니다."

공명은 크게 한탄했다.

"중달이 나에 대해 너무도 잘 아는구나. 그는 내 수명까지 헤아리고 있다."

그때 주부 양교楊喬가 나서며 공명에게 자신의 생각을 고했다.

"저는 직무로 인해 항상 승상의 일지를 보게 됩니다. 그때마다 드는 생각이 있었습니다. 외람되지만 제가 한 말씀 올려도 되겠는지요?"

"나를 위한 것이라면 서슴지 말고 말해보시오."

"감사합니다. 한 집안을 다스리는 데에도 법도가 있으니, 가령 하인은 밖에서 밭을 갈게 하고 하녀는 안에서 부엌일을 맡게 합니다. 닭은 내일을 알리고 개는 도둑을 지키며 소는 짐을 지고 말은 멀리 가는 데 씁니다. 이 모두 직분이라 할 것입니다. 또 주인은 그들을 관리하고 가업을 돌보며 자녀를 가르칩니다. 부인은 이를 내조하고 집 청소를 하고 혹시라도 집안에 화근이 닥치지 않게 돌봅니다. 그리하여야 비로소 집안이 원활하게 돌아갈 것입니다. 만일 그 집의 주인이 하인과 하녀가 되어 홀로 모든 것을 도맡아 한다면 어떻게 되겠습니까. 그의 몸은 지치고 기력은 쇠하여 이윽고 집안이 망하는 화근이 될 것입니다."

"……."

"자고로 주인은 유유자적 베개를 높이 베고 마음을 넓게 하고 몸을 잘 양생하며 안팎을 잘 둘러보고 감독하면 족합니다. 이는 절대로 주인이 노비와 닭과 개보다 못하기 때문이 아니라, 주인의 직분을 알고 집안의 법도를 따르기 때문입니다. 옛사람들이 앉아서 도를 논하는 사람을 일러 삼공三公이라 하고, 짓고 행하는 사람을 일러 사대부라 한 까닭이 바로 여기에 있을 것입니다."

공명은 눈을 감고 듣고 있었다.

"그러한데 승상의 일상을 살펴보면, 다른 사람에게 명하여 맡겨두어도 좋은 사소한 일까지 몸소 행차하여 하루 종일 땀을 흘리시니, 심신을 쉬게 할 틈도 없으신 듯합니다. 그래서는 아무리 건강한 사람이라 해도 마침내 지치고 기력을 보존할 수 없을 것입니다. 하물며 이제 여름에 접어들어 매일 염천의 날이 이어질 것인데, 어찌 신체를 보존하시겠습니까. 부디 다소 느긋하고 유유하게 지내시는 것이 오히려 저희가 바라는 바이며, 그를 두고 승상을 험담하는 자는 없을 것입니다."

"참으로 잘 말해주었소."

공명은 눈물을 흘리며 부하들의 온정에 감사해했다.

"나도 그것을 모르는 바가 아니나, 선제의 깊은 은혜를 떠올리고 성도에 계신 황제의 장도를 생각하면, 잠자리에 들어도 잠을 잘 수가 없소이다. 더욱이 사람에게는 정해진 천수가 있지 않소. 내 살아생전에 소임을 다하여 앞날을 도모하고자 하니 마음이 조급해지기만 하는구려. 하지만 그대들에게 걱정을 끼칠 수 없으니, 앞으로는 나도 때때로 여유를 가지고 몸의 양생에 힘쓰도록 하겠소."

공명의 말에 모두 숙연한 마음으로 눈물을 삼켰다.

하지만 공명 자신도 이미 그때부터 몸에 이상이 생긴 것을 잘 알고 있었다. 그로부터 얼마 되지 않아 공명의 용태가 심상치 않은 조짐을 보이기 시작했다.

* * *

공명의 병은 과로로 인한 것이었다. 그런 만큼 몸져누울 정도는 아니었다. 공명은 몸이 아플수록 주위 사람들의 걱정을 물리며 군무에 정진했다.

그 무렵 위의 군중에서 심상치 않은 소식이 들려왔다. 위의 장수와 병사 들이 사마의의 소극적인 태도를 비방하며 그를 대위의 도독으로 섬길 수 없다고 말한 것이었다. 그 주된 원인은 일전에 공명이 사마의를 도발하기 위해 건곤과 호의를 보낸 일을 일반 병사들까지 알게 되었기 때문이다.

"대도독은 공명이 서찰을 보내 나약한 아녀자라고 모욕했는데도 저렇듯 태평하게 아무런 손도 쓰지 않고 있다. 대체 우리가 무엇 때문에 촉군에게 놀림과 모욕을 당하면서도 가만히 있어야 하는가."

위군들 사이에 그러한 목소리가 일었고, 대군을 이끌고 나가 적을 섬멸해야 한다고 주장하는 사람들이 그들을 선동했다.

공명은 병중에서 적진의 상황을 전해 듣고 계책을 꾸몄다. 그러고는 첩자를 보내 위군의 출군 여부를 확실하게 살펴보도록 했다. 이윽고 첩자가 돌아와서 공명에게 고했다.

"상황은 어떠한가?"

"적의 영중에 분명 전의가 충만한 것은 사실입니다. 그런데 영문에 눈썹은 하얗고 얼굴은 붉으며 금빛 전포를 입은 한 늙은 자가 서 있습니다. 그는 황월黃鉞을 들고 사방을 노려보며, 함부로 영문을 나서는 자가 있으면 목을 치기라도 할 듯 지키고 있습니다. 이에 군사들이 영문을 나서지 못하고 있습니다."

공명은 그만 손에 들고 있던 부채를 바닥에 떨어뜨리고 말았다.

"아, 그는 바로 조정에서 감군으로 온 신비가 틀림없다. 그렇게까지 싸우는 것을 엄중히 금하고 있단 말인가."

일신을 나라에 바쳐 몸은 병들고 마음은 초조해 있던 공명에게, 이

보다 더 큰 실망스러운 소식은 없었다.

전황에는 아무런 변화도 없이 어느덧 계절은 가을로 접어들어 아침 저녁으로 찬바람이 불기 시작했다. 어느 날 저녁, 사마의는 은밀히 사람을 풀어 공명의 진영을 살피게 했다. 그리고 무슨 생각인지 갑자기 갑옷과 투구를 갖춰 입고 등불 아래에서 기다리고 있었다.

사경 무렵 적진을 염탐하러 갔던 병사가 돌아와 이마의 땀을 닦으며 고했다.

"적진은 여전히 숙연하여 아무런 흐트러짐도 보이지 않았습니다. 또한 한밤중인데 공명은 평소와 다름없이 누런 두건을 쓰고 부채를 든 채 하얀 가마를 타고 진중을 둘러보고 있었습니다. 그를 본 병사들은 모두 절을 했고 군율에 조금의 흐트러짐도 보이지 않았습니다. 근래 공명이 병에 들었다는 소문이 있습니다만, 이는 필시 적이 일부러 퍼뜨린 거짓말인 듯합니다."

공명이 앞서 오에 위를 공격하도록 요청한 일에 대해 상세한 소식은 아직 전해지지 않고 있었다. 지난 5월, 오군이 세 방향에서 위를 공격했기에, 공명은 표면적으로는 양국의 조약이 이행된 것으로 간주하고 있었다. 그리고 그 이후의 전황은 공명 자신도 알 수가 없었다. 몇 번인가 전황이 풍문으로 전해지기는 했다. 어떤 사람은 오의 우세를 전했고, 또 어떤 사람은 아직 전면적인 전쟁은 일어나지 않았다고 했고, 또 어떤 사람은 오가 퇴각했다고 했다. 하지만 위와 오의 전쟁터와 공명이 있는 오장원은 너무 멀리 떨어져 있었다. 따라서 풍문은 믿을 것이 되지 못했다.

초가을 무렵이었다. 갑자기 성도에서 상서 비의가 오에 대해 전할 말이 있다며 찾아왔다. 그날도 공명은 개운치 않은 몸으로 비의를 맞았다.

"위와 오의 전황은 어떻소이까?"

비의가 비감한 어조로 말했다.

"5월부터 오의 손권은 약 30만 군사로 세 방향에서 북상하여 위를 위협했습니다. 그러자 조예가 만총, 전예, 유소 등을 이끌고 합비로 출정하여 오군의 선봉을 소호에서 격파했고, 이에 오는 큰 피해를 입었습니다. 후군을 이끌던 육손이 손권에게 고해 적의 후방으로 크게 우회하고자 했는데, 이 계책도 사전에 누설되어 오는 아무런 공도 없이 퇴군을 했다 합니다. 참으로 어이없게 되고 말았습니다."

"……."

"아니 승상, 괜찮으십니까? 피가……."

"아니오. 괜찮소이다."

"안색도 좋지 않으신 듯합니다."

비의는 놀라 사람을 불렀다. 사람들이 달려왔을 때, 공명은 소매로 얼굴을 가리고 평상 위에 쓰러져 있었다.

"승상, 왜 그러십니까? 괜찮으십니까?"

부장들이 공명을 안아 일으켜 방으로 옮겼다. 그러고는 의원을 불러 치료를 하게 했다. 얼마 후 공명의 얼굴에 간신히 피가 돌기 시작하자 사람들은 한숨을 돌렸다. 정신을 차린 공명이 사람들의 얼굴을 하나씩 확인하더니 입을 열었다.

"내가 정신을 잃었던 모양이오. 마음이 이렇듯 어지러운 걸 보니 묵은 병이 도진 듯하오. 아무래도 내 수명이 얼마 남지 않은 것 같소."

공명은 말끝을 흐리며 마치 독백하듯 말했다. 하지만 저녁이 되어서
는 원기를 회복하고 사람들에게 말했다.

"마음이 상쾌하구나. 밖으로 나가봐야겠다."

시종과 의원이 공명을 부축하여 밖으로 나왔다. 공명은 크게 숨을
들이마시며 밤하늘을 올려다보았다.

"아아, 실로 아름답구나."

가을 밤하늘을 우러르던 공명이 갑자기 무언가에 깜짝 놀란 듯 안으
로 들어갔다. 그리고 시종에게 급히 강유를 불러오게 했다. 이윽고 강
유가 황망히 들어오자 공명이 말했다.

"내 오늘 밤 천문을 보았더니 이미 내 수명이 경각에 달려 있음을 알
게 되었네. 죽음이란 본연의 모습으로 돌아가는 것으로 극히 자연스러
운 일이지만, 내 그대에게 하고 싶은 말이 있어 이리 급히 부른 것이니,
너무 슬퍼하거나 소란을 피우지 말도록 하라."

평소와는 달리 한없이 연약한 말투였지만, 그 속에는 추상같은 기백
이 느껴졌다.

"승상께서는 어찌 그런 말씀을 하십니까."

창가로 들어온 찬바람이 강유의 눈물 어린 눈가를 스쳐갔다. 희미한
등불은 꺼질 듯 흔들리고 있었다.

"무엇 때문에 그리 우는가. 이미 정해진 일인 것을."

공명은 마치 아들에게 하듯 강유를 꾸짖었다. 마속이 죽은 후, 그의
사랑은 강유에게 기울어져 있었다.

"용서해주십시오. 이젠 울지 않겠습니다."

"내 오늘 밤 천문을 우러르니 삼태성三台星이 모두 가을 기운에 찬란히 빛나야 하거늘, 객성客星은 밝고 주성主星은 어두운 데다 그 빛 또한 흐리기만 하였네. 이것으로 내 수명이 다함을 알게 되었네."

"승상, 그러면 어찌 제를 올리지 않으십니까. 예부터 이런 때에는 별과 하늘에 제를 올리는 기양법祈禳法이 있지 않습니까."

"오, 그렇구나. 내 기양법을 알고 있으면서도 나를 위해 쓸 생각은 하지 못했다."

"제가 제를 올릴 준비를 하겠습니다."

"먼저 갑옷을 입은 무사 마흔아홉 명을 뽑아 모두 검은 옷과 깃발을 들게 하여 장막 밖에서 호위하도록 하게."

"예, 알겠습니다."

"장막 안은 청결히 하고 단의 공물은 다른 사람의 손을 빌 수 없으니, 내가 직접 준비할 것이네. 그리고 가을 하늘의 북두에 제를 올릴 것인데, 만일 7일 동안 주등이 꺼지지 않으면 내 수명은 앞으로 12년이 늘어나겠지만, 만일 기원을 올리는 동안 주등이 꺼질 시에는 내 목숨은 끝날 것이네. 그러니 행여 아무나 장막 안으로 다가오지 못하게 해야 할 것이네."

강유는 명을 받들어 동자 두 명에게 제물과 제구를 옮기게 했다. 공명은 목욕재계를 한 후, 안으로 들어가 청소를 하고 제단을 꾸렸다. 이윽고 공명은 북두에 제를 올리기 위해 장막 안으로 들어갔다. 금식을 하며 밤이 샐 때까지 한 걸음도 밖으로 나오지 않았다. 하루, 이틀, 사흘…… 날이 지났다.

밤마다 가을색이 깊어졌다. 소슬한 바람이 장막을 흔들자, 제단의 등불도 하늘하늘 흔들렸다. 강유는 마흔아홉의 무사와 함께 장막 밖에 서서 공명의 기원이 끝날 때까지 음식과 물을 끊고 돌처럼 기립하고 있었다.

장막 안 제단에 놓인 커다란 일곱 개의 등잔에 등불이 빛을 발하고 있었다. 그 주위에는 마흔아홉 개의 작은 등불이 걸려 있었고 중앙에는 공명의 목숨을 상징하는 본명주등本命主燈이 안치되어 있었다. 공명은 각종 진귀한 제물을 올리고 향을 피운 후 주문을 외웠다. 또 때때로 정화수를 바꾸어 일곱 번 배복하고 하늘에 기원을 드렸다. 그 기도 소리가 장막 밖의 무사들의 귀에도 들려왔다.

양亮, 난세에 태어나 한 몸 농사를 지으며 숨어 지내던 터에 선제의 삼고초려 은혜를 입고 어린 주군을 보필하는 중임을 맡게 되었습니다. 이에 불초 견마지로犬馬之勞를 다하여 비휴貔貅의 대군을 이끌고 여섯 번에 걸쳐 기산으로 나와 맹세코 역적의 무리를 주살하여 선제의 유지에 보답하며 세상의 대도를 세우고자 했습니다. 그런데 이 가을 뜻밖에 장성將星이 떨어져 제 목숨이 다하려 하니, 삼가 하늘을 우러러 고하는 바 하늘의 자애로움으로 지상의 한탄을 들어주시기 바라옵니다. 양의 수명이 아침 이슬보다 가볍다 할지라도 그 소임은 태산보다 무겁사옵니다. 이를 가련히 여기시어 10년의 수명을 내려주시고 소인이 세상에서 위업을 이룰 수 있도록 굽어 살펴주시옵소서.

공명은 기도로 밤을 지새운 후, 물을 머금고 지친 몸을 추스르고는 하루 종일 군무를 보았다. 그러한 7일 동안의 그의 행적을 고서에서 살펴보면 실로 눈물겹다 하지 않을 수 없었다.

날마다 공명은 병을 무릅쓰고 피를 토하며 평시와 다름없이 군무를 돌보았다. 그렇게 낮에는 위를 칠 계책을 의논하고 밤에는 새벽까지 엎드려 북두에 기도를 올렸다.

123
죽은 공명이 산 중달을 물리치다

공명이 북두에 제를 올리기 시작한 지 마지막 날, 장성將星이 제자리를
벗어난 것을 본 사마의는 하후패를 오장원으로 보내는데······

위의 병사들이 초원에 드러누워 시원한 8월의 가을밤을 즐기고 있
었다. 그런데 갑자기 병사 한 명이 소리쳤다.

"저건 뭐지?"

병사가 손가락으로 가리키니 다른 병사들도 분명히 본 듯 소리쳤다.

"유성이다."

"세 개 유성 중에 하나가 촉의 진영으로 떨어졌다."

"뭔가 심상치 않으니 어서 도독께 고하는 것이 좋겠다."

병사들은 영내로 몰려가 상관에게 고했다. 상관은 즉시 사마의에게 보고했다.

마침 사마의의 손에는 천문을 관찰하는 부서에서 기록한 그날 밤의 천문 현상 문서가 있었는데, 병사들이 목격한 것과 완전히 일치했다.

"하후패를 속히 들라 하라."

사마의의 눈에 빛이 어렸다. 밖으로 나와 하늘을 바라보고 있던 사마의는 하후패가 오자 급히 명령을 내렸다.

"천문을 보니 장성이 제자리를 벗어나 제갈량의 목숨이 위태로운 듯하다. 어쩌면 오늘 밤 그가 죽을지도 모르겠다. 그대는 즉시 군사 천 명을 이끌고 오장원으로 가라. 만일 촉군이 군사를 이끌고 나온다면 제갈량의 병이 아직 가벼운 것이니, 즉시 돌아오도록 하라."

하후패는 즉시 군사를 이끌고 들판을 가로질러 오장원으로 향했다.

그날 밤은 공명이 기도를 올린 지 엿새째가 되는 날로 마지막 하루가 남았다. 본명주등은 여전히 빨갛게 타오르고 있었다. 공명에게 희망이 보이는 듯했다. 장막 밖을 지키고 있는 강유도 역시 같은 생각이었다. 그가 오로지 두려워하는 것은 공명이 기도를 올리다 목숨이 끊어지지 않을까, 그뿐이었다.

강유는 슬쩍 장막 안을 엿보았다. 공명이 등을 보이며 앉아 있었는데, 머리를 풀고 검을 들고 북두칠성의 별자리를 밟듯 걸음을 옮기며 빌도록 되어 있는 좌대에 앉아 기도를 올리고 있었다. 강유는 뜨거운 눈물을 참고 조용히 물러났다.

그런데 밤이 깊을 무렵, 갑자기 진중 밖에서 함성 소리가 들려왔다. 강유는 즉시 호위 무사에게 무슨 일인지 보고 오라 일렀다. 그와 동시에 위연이 달려오더니 강유를 밀치고 장막 안으로 들어가 소리쳤다.

"승상, 위군이 공격을 해왔습니다. 드디어 우리 바람대로 사마의가 싸움을 걸어온 것입니다."

위연은 공명 앞으로 다가가 무릎을 꿇으려다 무언가에 걸려 주춤거렸다. 그 순간 단 위의 제구와 제물 들이 무너져 내렸다. 당황한 위연은 그만 발밑에 떨어진 주등을 밟고 말았다. 그때까지 망부석처럼 기도를 올리고 있던 공명이 비명을 지르며 칼을 떨어뜨렸다.

"죽고 사는 게 다 명命에 달렸구나! 내 목숨이 여기까지구나!"

뒤따라온 강유가 그 광경을 보고는 소리를 치며 검을 빼들었다.

"네 이놈, 무슨 짓을 한 것이냐!"

강유가 위연을 향해 달려들었다.

"강유, 멈춰라."

공명이 그를 만류하면서 말했다.

"주등이 꺼진 것은 천명에 의한 것이니 위연을 책하지 말라."

공명은 그렇게 말하고 바닥에 엎드렸다. 그리고 다시 밖에서 북소리와 함성이 들리자 얼굴을 들었다.

"오늘 밤 적의 기습은 사마의가 내 병이 위중함을 헤아리고 허실을 살피기 위해 급히 군사를 보낸 것에 지나지 않는다. 위연, 속히 나가 적을 쫓아버리도록 하라."

의기소침해 있던 위연은 공명이 명을 내리자 기운을 떨치며 즉시 밖으로 뛰쳐나갔다.

위연이 나타나자 정말로 북소리와 함성이 일제히 그쳤다. 위연은 즉시 군사를 이끌고 위군을 공격했고, 하후패는 말을 돌려 도망쳤다.

다음 날, 공명이 병상에서 강유를 불렀다.

"내가 오늘까지 배우고 익힌 것들을 24권의 책에 담아놓았다. 그 속에 내 모든 것이 담겨져 있다. 아군의 대장들을 살펴보니 그대가 아니고는 이를 물려줄 자가 없구나."

공명은 손수 서책을 하나씩 쌓아 강유에게 건넸다.

"이 세상에서 그대를 만난 것은 천만다행이구나. 촉은 모든 길이 천혜의 요새이니 내가 죽은 후에도 지키는 데에는 근심이 없을 것이지만, 오직 음평陰平의 길목이 약점이니 잘 방비하여 나라가 위태롭지 않게 힘을 다하도록 하라. 후사는 그대에게 맡기겠노라."

공명은 강유가 그저 눈물만 흘리고 있자 양의를 부르라고 한 뒤 양의에게 고했다.

"위연은 후일 반드시 모반을 할 것이오. 그의 용맹은 아깝지만 제거하지 않으면 나라에 해가 될 것이오. 내가 죽은 뒤에 그는 반드시 모반을 일으킬 것이니 그때 이것을 열어 계책을 마련하도록 하시오."

공명은 서찰 한 통이 담긴 비단주머니를 양의에게 건넸다.

그날 저녁부터 공명의 병세가 악화되었다. 며칠 동안 정신을 잃었다가 다시 깨어나기를 반복하면서 생사를 넘나드는 상태가 이어졌다.

오장원에서 한중으로, 한중에서 성도로 밤낮없이 파발이 보내졌다. 성도에서 즉시 상서尙書 이복李福이 촉제 유선의 칙령을 받고 출발했다는 소식이 전해졌지만 아직 오장원에는 도착하지 않았다. 하지만 다행히 비의가 진중에 있었다. 공명은 비의를 불러 말했다.

"후주께서도 이제 성인이 되셨지만 유감스럽게도 선제와 같은 고난을 겪으신 적이 없으니 세상물정과 백성들의 마음을 헤아리는 데 어두우실 것이오. 그러니 보좌하는 신하들이 마음을 다하여 주상의 덕을 높게 하고 사직을 굳게 지키며, 항상 선제의 공덕을 거울로 삼아 정사를 돌보시도록 하시오. 또한 재기만 믿고 경거망동하는 자를 써서 경솔하게 옛 제도를 폐하고 새로운 제도를 만드는 것은 화근을 만드는 것과 같으며, 내가 중용하여 쓰던 사람들을 잘 활용하고 비록 부족한 점이 있다고 하여 함부로 내쳐서는 안 될 것이오. 그중에서 마대는 다른 사람들보다 충의가 높고 나라의 병마를 맡기는 데 부족함이 없는 자이니 귀히 쓰도록 할 것이며, 경이 정사를 통괄하여 맡아보도록 하시오. 또 병법의 기밀은 모두 강유에게 일러놓았으니 아직 젊기는 하나 강유를 믿고 국방에 관한 중책을 맡기면 절대로 우려할 일은 없을 것이오."

비의에게 유언을 전한 공명의 얼굴에는 어딘지 어깨의 무거운 짐을 내려놓은 듯 홀가분한 기색이 감돌았다.

그러던 어느 날 아침, 공명이 사람들에게 수레를 준비하라고 일렀다. 사람들이 의아해하며 어디에 가려는지 물었다.

"진중을 둘러보고자 하오."

공명은 그렇게 말하고 일어나서 의복을 갈아입었다. 목숨이 경각에 달려 있으면서도 군중을 걱정하는 그의 마음에 사람들은 눈물을 훔쳤다. 이윽고 사륜거가 준비되었다. 공명은 하얀 부채를 들고 사륜거에 올라 진중을 둘러보았다.

그날 아침은 찬 이슬이 내리고 가을바람이 불어 한기가 뼈에 사무쳤다.

"군중의 생기가 넘치니 내가 없어도 걱정할 것이 없겠구나."

공명은 군중을 바라보며 안심한 듯했다. 그리고 돌아오는 도중에 맑게 갠 하늘을 우러르며 길게 탄식했다.

"하늘은 참으로 유구하구나. 사람의 목숨은 빌린 듯 짧고 남은 이상理想은 너무나 많구나!"

병상으로 돌아온 공명은 다시 자리에 드러눕고 말았다. 그날부터 공명의 병세는 더욱 악화되어 얼굴에 죽음의 그림자가 드리워지기 시작했다.

공명은 다시 양의를 불러 절절히 무언가를 고하고 왕평, 요화, 장익, 장의, 오의를 한 명씩 머리맡으로 불러 후사를 맡겼다. 그리고 밤낮 자신의 곁을 떠나지 않고 수발을 드는 강유에게 말했다.

"책상을 꺼내 향을 피운 뒤 지필묵을 내오라."

공명은 목욕재계를 하고 책상 앞에 앉아 촉의 황제인 유선에게 올리는 유표遺表를 쓰기 시작했다. 쓰기를 마친 공명이 사람들에게 고했다.

"내가 죽더라도 절대로 발상發喪을 해서는 안 될 것이오. 분명 사마의는 내가 죽었다는 것을 알면 총력을 다해 공격해올 것이오. 내 이런 날을 대비하여 미리 내 모습을 한 목상을 만들어두었소. 이 등신대 좌상坐像을 사륜거에 태우고 주위를 푸른 실로 덮고 함부로 사람이 가까이 오지 못하게 하여 내가 살아 있다고 군사들이 생각하게끔 하시오. 그러한 후에 때를 가늠하여 위군의 선봉을 쫓아버리고 퇴로를 연 뒤에야 발상을 하면, 분명 큰 어려움 없이 전군이 촉으로 돌아갈 수 있을 것이오."

공명은 잠시 숨을 고른 후 다시 말을 이었다.

"내 좌상을 태운 상여에는 좌단 앞에 등불 하나를 밝히고, 쌀 일곱 알과 약간의 물을 입에 머금게 하고 관은 수레 안에 안치한 뒤 좌우를 호위하여 나아가면, 설사 천 리를 간다 해도 군중은 평소와 같이 조금의 흐트러짐도 없을 것이오."

공명은 그렇게 퇴군의 계책을 일러준 후 마지막으로 입을 열었다.

"이젠 아무것도 말할 것이 없소이다. 모두 마음을 하나로 하여 나라에 보답하고 직분에 충실하기를 바라오."

사람들은 눈물을 흘리며 명에 어긋남이 없도록 할 것을 다짐했다.

해질 무렵, 공명은 한때 숨이 끊어졌지만 입술에 물을 묻혀주자 다시 정신이 돌아온 듯 눈을 떴다. 그러더니 병상에서 보이는 북두칠성 하나를 손가락으로 가리키며 말했다.

"보라, 저 밝게 빛나는 장성이 나의 숙성宿星이다. 사라지기 전엔 저렇듯 가장 밝게 빛나고 있으나 이윽고 떨어질 것이로다……."

말이 끝나는가 싶더니 공명이 눈을 감았다.

성도에서 칙사가 왔다는 말을 듣고 공명이 다시 눈을 떴다. 공명이 이복을 보며 말했다.

"나라의 대사를 그르친 것은 오로지 나의 불찰이오."

그리고 다시 말을 이었다.

"내가 죽은 후, 누구로 하여금 승상의 직을 맡게 할 것인지, 아마 폐하께서는 그것을 가장 먼저 하문했을 것이오. 바로 장완으로 하여금 승상의 직을 잇게 하시오."

이복이 물었다.

"만일 장완이 끝내 거절하면 누가 적임자인지요."

"비의가 좋겠소."

이복이 다시 다음 일을 물었지만 공명은 아무 말도 하지 않았다. 사람들이 가까이 가보니 공명은 이미 숨이 끊어져 있었다. 때는 촉의 건흥 12년 8월 23일 가을, 그의 나이 쉰네 살이었다.

제갈량의 죽음은 여러 점에서 큰 영향을 끼쳤다. 당장 촉군의 철수에서부터 이후의 촉의 국책에도 변화를 가져오게 되었지만, 각 개인들에게도 큰 영향을 끼쳤다.

지난날 촉의 장수교위長水校尉를 지냈던 요립廖立은 공명이 자신을 귀히 쓰지 않는 것은 사람을 보는 눈이 없기 때문이라며 떠들고 다녔는데, 이에 공명이 그의 패기와 자부심이 지나치다 하여 한때 그의 관직을 박탈하고 문산汶山으로 귀양을 보내 근신하게 했다. 요립은 공명이 죽었다는 소식을 듣고 한탄했다.

"나는 끝내 미천한 신세에서 벗어나지 못하겠구나!"

또 재동梓潼으로 귀향을 가 있는 이엄도 공명이 죽은 것을 알게 되었다.

"공명이 살아 있는 동안에는 언젠가 나를 다시 불러줄 것이라 생각했는데, 이제 그가 죽고 없으니 내가 살 의미가 없어졌구나."

이엄은 얼마 후 병을 얻어 죽었다.

한편 강유와 양의는 공명의 명에 따라 공명의 죽음을 감추고 은밀하게 퇴군 준비를 해나갔다.

***

사마의가 천문을 보다 환희에 차서 소리쳤다.

"공명이 죽었구나!"

그는 흥분을 감추지 못하고 좌우의 부장들과 두 아들에게 말했다.

"지금 북두칠성을 보니 장성이 희미하게 빛을 잃고 칠성좌는 제자리를 잃었으니 분명 오늘 저녁에 공명이 죽은 것이다."

사람들은 순간 숨을 죽였다. 비록 적이지만 제갈공명이 죽었다는 소리를 듣고 깊은 상실감을 느낀 것이었다. 사마의도 역시 그런 마음이 들었지만 오랜 숙원을 떠올리며 분연히 검을 빼들고 명령을 내렸다.

"바로 지금 촉군을 공격할 것이니 출격 준비를 하라. 총공격이다."

사마사와 사마소가 흥분한 아버지를 보고 망설이며 말했다.

"아버지, 잠시 기다리십시오."

"왜 그러느냐?"

"공명은 팔문둔갑을 익히고 육정육갑의 신기를 사용합니다. 어쩌면 천문에 이변을 일으킬지도 모릅니다."

"바보 같은 소리. 별자리를 움직이게 하는 일은 사람이 할 수 있는 일이 아니니라."

"어쨌든 공명이 죽었으면 촉군이 무너질 것은 자명한 이치이니 그리 서두를 필요는 없을 듯합니다. 먼저 하후패에게 명하여 적의 진영을 살피게 하는 것이 어떻겠습니까?"

"흐음, 옳은 말이다. 그럼 하후패, 그대가 적이 눈치채지 않도록 은밀히 상황을 살피고 오시오."

하후패는 스무 명의 군사를 이끌고 은밀히 촉의 진영으로 향했다. 촉군의 외각 전선은 위연이 지키고 있었는데, 그곳의 선봉부대는 위연을 비롯하여 아무도 공명의 죽음을 알지 못했다.

위연은 어젯밤 이상한 꿈을 꾸었는데 그 꿈이 계속 마음에 걸렸다. 그런데 마침 한낮에 행군사마를 맡고 있는 친구 조직이 찾아오자 그에게 꿈 이야기를 했다.

"그것은 길몽이 아닌가. 걱정할 바가 아니라 오히려 축하할 일인 듯하네."

조직의 말을 듣고 위연은 비로소 기분이 좋아졌다.

위연이 꾼 꿈은 자신의 머리에 뿔이 생긴 이상한 꿈이었는데 조직은 그 얘기를 듣고 명쾌하게 해몽을 해주었다.

"기린의 머리에도 뿔이 있고 창룡蒼龍의 머리에도 뿔이 있네. 평범한 사람이 그 꿈을 꾸는 것은 흉몽이지만 자네와 같이 용맹하고 큰 재주를 가진 사람이 꾸면 길몽이라 할 수 있네. 이것을 괘에 비추어본다면 변화승천變化昇天의 상이네. 이는 곧 자네가 높은 자리에 오를 것이라는 징조이네."

위연과 헤어지고 돌아가는 도중, 조직은 비의를 만났다. 비의가 어디를 다녀오는지 묻자 조직은 사실대로 말했다.

"위연 장군의 진영에 잠시 들렀는데, 꿈을 꾸었다 하여 해몽을 해주고 오는 길입니다."

그러자 비의가 다시 물었다.

"그대의 해몽은 어떠했는가?"

"실은 그 꿈은 큰 흉몽이지만 설령 제가 그를 위해 솔직하게 이야기해도 원망만 들을 것 같아 적당히 둘러댔습니다."

"대체 어떤 것이었나?"

"뿔[角]이라는 문자는 칼 도刀 자 아래 쓸 용用 자를 씁니다. 머리에 칼을 쓸 때란 바로 그 목이 떨어지는 때가 아니겠습니까."

조직은 그렇게 말하고 인사를 한 뒤 걸음을 옮겼다.

비의는 조직의 뒷모습을 바라보다 급히 쫓아가 다짐을 두듯 말했다.

"지금의 그 말은 아무에게도 하지 말게. 아시겠는가?"

"무엇을 말입니까?"

"그대가 한 위연의 꿈 얘기 말이오."

"아, 알겠습니다."

그날 밤, 비의는 위연의 진영을 찾았다. 그리고 조직을 만난 기색을 보이지 않고 위연과 이야기를 나누었다.

"오늘 장군을 찾은 것은 어젯밤 승상께서 돌아가신 것을 알려주기 위함입니다."

"아니, 정말이오?"

평소부터 공명을 눈엣가시처럼 여기던 위연이었지만 공명이 죽었다는 소식은 그에게도 놀랍고 당혹스러웠다. 이윽고 위연이 비의에게 물었다.

"그럼 발상은 언제이오?"

"승상께서는 한동안 발상을 하지 말라 유언하셨습니다."

"그럼 승상을 대신하여 병권은 누가 맡게 되었소?"

"양의에게 맡기라 하셨으며, 병을 부리고 다스리는 일은 강유에게 맡기셨습니다."

"그런 젊은 자에게 말이오? 흐음, 어쨌거나 승상이 돌아가셨어도 여기 위연이 있지 않소이까. 그런데 어찌 문관인 양의에게⋯⋯. 양의는 그저 승상의 관을 지키다 촉으로 돌아가 장례를 치르면 될 것이오. 앞으로 내가 오장원의 촉군을 지휘하여 위를 물리칠 것이오. 승상이 돌아가셨다고 하여 나라의 대사를 그만둘 수는 없소."

비의는 굳이 위연의 말에 대꾸하려 하지 않았다. 그러자 위연은 한 술 더 떠 호언장담했다.

"처음부터 승상이 내 계책을 썼더라면 지금쯤 촉군은 벌써 장안을 점령했을 것이오. 그래서 승상은 나를 달갑게 생각하지 않았고 하마터면 호로곡에서 불에 타 죽을 뻔했소. 하나 이제 승상이 죽은 이상, 더는 그를 원망하지 않을 것이오. 그러나 양의는 한낱 장사長史에 지나지 않는데 내가 어찌 그의 밑에서 떳떳하겠소. 나는 전군정서대장군 남정후이오."

"지당하신 말씀입니다. 장군의 심정은 잘 알고 있습니다."

"그대가 나를 돕겠는가?"

"힘이 되어드리겠습니다."

"그대가 나를 돕겠다니 백만 대군을 얻은 듯하구려. 그럼 서약을 하겠소?"

"예, 쓰도록 하겠습니다."

비의는 서약서를 써서 위연에게 건넸다.

위연이 술을 내와 따라주자 비의가 기분 좋게 잔을 받아들고 말했다.

"하지만 지금은 경거망동은 삼가야 합니다. 사마의를 치는 것이 먼저입니다."

"그것이 가장 중요한 일이지만, 양의가 나를 따를지 마음이 걸리는구려."

"그 일은 제게 맡겨주십시오."

"알았소. 그대가 잘 처리하시오."

비의는 진영에 돌아오자 여전히 슬픔에 잠겨 있는 부장들을 불러 모았다.

"승상의 말씀대로 위연은 이때를 노려 모반을 일으키려는 것이 확실하오. 그러니 우리는 승상의 유언대로 강유를 후군으로 삼고 법제에 따라 퇴군을 해야 할 것이오."

아무도 이의를 제기하지 않았다. 비의는 공명의 지시대로 극비리에 각 진영의 병사를 수습하여 만반의 준비를 한 뒤, 다음 날 저녁에 총퇴군을 개시했다.

한편 위연은 목을 길게 늘이고 비의의 보고를 기다리고 있었는데, 비의에게서 아무런 연락이 없자 초조한 마음이 들었다. 이에 위연은 마대에게 그 사실을 털어놓았다.

"비의가 장군을 속인 것입니다. 어제 아침, 그가 돌아가는 것을 보니 당황한 모습으로 말을 타고 가고 있었습니다."

"그가 그리 당황한 듯 보였는가?"

"필시 비의는 장군을 속인 것입니다."

그때 척후병이 들어와 보고했다.

"어젯밤부터 본군은 총퇴군 준비에 들어가 이미 절반이 퇴군했습니다. 또한 후군의 강유도 퇴군을 하기 시작했습니다."

위연은 크게 당황했다. 만일 그대로 아무것도 모르고 있었다면 위연은 오장원에 홀로 남겨질 것이었다. 위연은 분노하며 소리쳤다.

"비의, 썩어빠진 선비 놈이 나를 속였구나. 내 이자의 목을 뽑아버리겠다."

위연은 즉시 진중에 퇴군 명령을 내리고 본군의 뒤를 쫓았다.

그 무렵 촉의 진영을 정찰하고 있던 하후패가 급히 사마의에게 고했다.

"아무래도 이상합니다."

"이상하다니?"

"촉군이 은밀히 퇴각 준비를 하는 듯합니다."

"정말인가?"

사마의는 눈을 빛내며 즉시 진중의 장수들을 불러 명했다.

"제갈량이 죽은 것이 분명하다. 지금 당장 촉군의 뒤를 쫓아 섬멸할 것이니 출정 준비를 하라."

위의 진중에 북소리가 울리고 나팔 소리가 치솟았다. 오랫동안 닫혀 있던 위군의 진문이 활짝 열리더니 순식간에 위의 전군이 앞다퉈 달려 나와 오장원으로 출격했다.

"아버지, 그리 급하게 앞서서 가시면 위험합니다."

아버지 사마의가 지나치게 흥분한 듯하자 두 아들이 그의 옆에 바짝 붙어서며 말했다.

"괜찮다. 나는 아직 늙지 않았다."

"항상 신중에 신중을 기하라고 말씀하시던 아버지가 이번에는 어찌 그리 서두르십니까?"

"이미 혼백이 빠져나가고 오장육부가 썩어가는 공명이 어찌 다시 내 앞에 나타나겠느냐. 공명이 없는 촉군을 이제 내 마음대로 공략할 수 있게 되었다. 이보다 통쾌한 일이 어디 있겠느냐."

하후패도 뒤에서 말했다.

"도독, 너무 앞서 가지 마십시오. 선봉이 먼저 앞서 나갈 때까지 잠시 기다리십시오."

"병법을 모르는 자가 말이 많구나."

사마의는 뒤를 돌아보며 하후패를 꾸짖고는 채찍을 휘둘러 말을 재촉했다.

마침내 오장원에 도착한 위군은 적의 진영으로 일시에 쳐들어갔다. 하지만 적병은 한 명도 보이지 않았다. 마음이 조급해진 사마의가 두 아들에게 말했다.

"적은 그리 멀리 가지 못했을 것이다. 내가 직접 가서 적의 퇴로를 끊을 것이니, 너희는 후진의 군사를 규합한 후 속히 쫓아오너라."

사마의는 바로 말을 달려 적을 쫓았다. 그런데 얼마 후, 갑자기 산속에서 우렁찬 북소리가 울려 퍼졌다. 사마의가 말을 멈추고 살펴보니 한 무리의 군마가 제갈공명의 깃발을 펄럭이며 사륜거를 앞세운 채 달려오고 있었다.

"아니, 저것은!"

사마의는 대경실색했다. 죽은 줄로만 알았던 공명이 하얀 부채를 들고 사륜거 위에 앉아 있었던 것이다. 사륜거를 호위하며 뒤따르는 사람들은 손에 칼과 창을 들었는데, 강유를 비롯해 모두 촉의 대장들뿐이었다.

"아, 공명이 아직 죽지 않았구나. 내가 생각이 짧아 또다시 그의 계략에 빠졌다. 어서 퇴각하라."

사마의는 기겁을 하고 급히 말을 돌려 도망치기 시작했다.

"사마의, 어디로 도망치느냐? 역적 중달은 그 목을 내놓으라."

강유가 창을 휘두르며 사륜거 옆에서 쏜살같이 쫓아왔다. 대장인 사마의가 갑자기 말을 돌려 도망치기 시작하자 다른 장수들도 공명이 살아 있다고 외치며 말 머리를 돌렸다. 결국 위의 대군은 갈피를 못 잡고 우왕좌왕하다 대혼란에 빠졌다. 그 틈을 타 촉의 군사들이 위군을 공격했다. 강유는 적진 깊숙이 뛰어들어 사마의를 쫓았다.

"사마의, 어디까지 도망칠 생각이냐? 기왕에 나왔으니 나와 일전을 겨루어보자."

사마의는 뒤도 돌아보지 않았다. 서로 뒤엉키고 밀치는 아군의 모습을 보고도 오직 말에 채찍을 가하며 도망칠 뿐이었다. 몸은 말의 갈기에 닿을 만큼 숙이고 시선은 땅바닥에 고정한 채 무아무중에 도망치고 있었다. 하지만 가도 가도 누군가 뒤에서 쫓아와 자신의 목덜미를 가로챌 것만 같은 기분이 들었다. 그렇게 50리를 내달려오자 아무리 명마인 그의 말도 지쳐 입에 하얀 거품을 물고 한곳에서 맴을 그리며 발을 구르고 있었다.

"도독, 저희가 왔습니다. 여기까지 왔으니 이젠 마음 놓으시고 초조해하지 않으셔도 될 듯합니다."

뒤따라온 하후패와 하후위 형제가 그에게 말했다.

"아, 자네들인가."

사마의는 그제야 크게 숨을 내쉬었다. 그의 얼굴은 땀으로 흠뻑 젖었고 노안인 눈은 침침하여 얼마 동안 아무것도 보이지 않을 정도였다. 사마의가 그토록 혼비백산한 것은 물론, 위의 대군이 입은 피해는 얼마인지 헤아릴 수 없을 만큼 막대했다.

"촉군이 급작스레 물러간 듯하니, 다시 아군을 수습하여 추격을 하는 것이 어떠하겠는지요?"

하후패 형제가 말했지만, 공명이 살아 있는 것을 본 사마의는 좀처럼 결심을 하지 못했다. 그는 결국 전군에 총퇴각의 명을 내린 후 위수로 돌아가고 말았다.

패주했던 장수와 병사 들도 속속 본진으로 돌아오고, 피난을 갔던 인근의 백성들이 하나둘 진문으로 모여들어 이런저런 이야기를 나누고 있었다. 그들의 얘기를 종합해보면 대체로 다음과 같았다. 촉군의 대부분은 이미 전날 오장원에서 물러가고 단지 강유의 군사만 마지막까지 머무른 듯했다. 특히 백성들은 상세하게 이야기를 전했는데, 저녁 무렵 많은 촉군이 오장원에서 서쪽의 골짜기로 몰려들더니, 하얀 조기와 검은 깃발을 늘여 세우고 수레 한 대를 둘러싼 채 통곡하는 목소리가 밤이 샐 때까지 끊이지 않았다는 것이었다. 또 사륜거 위의 공명은 푸른 실로 둘러싸여 있었는데, 아무래도 그것이 목상같이 보였다는 것이었다.

백성들의 말을 듣고 그제야 사마의는 공명이 죽은 것이 확실하다고 깨달았다. 이에 급히 군사를 이끌고 뒤를 쫓았지만, 촉군의 흔적은 찾을 수가 없었고 한 조각의 구름만이 하늘에 걸려 있었다.

"더 이상 쫓아도 소용이 없으니 장안으로 돌아가서 나도 잠시 쉬어야겠구나."

사마의는 적안파赤岸坡에서 말을 돌려 가는 도중에 공명이 세운 진채 앞을 지나게 되었다. 이윽고 사마의가 진채 안을 둘러보았다. 각 진영의 전후좌우가 진법에 따라 정연하고 빈틈이 없었다. 사마의는 한동안 사색에 잠겨 지난날의 공명을 떠올리며 홀로 중얼거렸다.

"실로 공명은 천하의 기재였구나. 분명 이 땅에서 다시는 그와 같은 인물을 볼 수 없을 것이로다."

＊＊＊

촉군은 촉산의 험한 산길을 따라 성도로 향하고 있었다.

"앞쪽에 수상한 연기가 보인다. 누가 가서 보고 오라."

양의와 강유가 병사를 보낸 후 행군을 멈추고 기다렸다. 그들은 벌써 촉에서도 험하기로 소문난 절벽의 잔도棧道에 이르렀던 것이다.

정찰병이 속속 돌아왔다. 그들은 잔도가 불에 타고 한 무리 군사가 길을 막고 있는데, 위연이 틀림없다고 고했다. 양의가 걱정을 하자 강유가 한참 고민하다 말했다.

"걱정할 필요 없습니다. 시일은 조금 더 걸리겠지만 사산槎山의 샛길을 따라가면, 잔도를 거치지 않고 위연군의 뒤로 나갈 수 있습니다."

촉군은 높고 험한 산의 좁은 길을 우회하여, 남곡南谷을 막아서고 있는 위연군의 뒤로 나왔고 양의는 전말을 적어 성도에 알렸다. 그런데 그보다 앞서 위연이 먼저 성도에 표문을 올려 고했다.

> 승상께서 돌아가시자 양의와 강유의 무리가 병권을 약탈하여 난을 도모하고 있습니다. 이에 제가 그들을 치려고 합니다.

나중에 성도에 도착한 양의의 표문에는 그와는 전혀 반대되는 내용이 적혀 있었다.

공명의 부고가 전해진 이래 성도의 궁궐 안팎은 비탄과 통곡으로 가득했다. 후주 유선도 밤을 새워 통곡을 하고 있던 차에, 서로 다른 두 개의 표문이 올라오니 유선은 무엇이 옳고 그른지 판단할 수가 없었다.

그때 장완이 유선에게 고했다.

"승상께서는 멀리 떠나시는 날부터 은밀히 위연의 반골을 근심했습니다. 평소 생각이 깊은 승상께서는 분명 사후에 이를 대비하여 양의에게 계책을 남기셨을 것이니, 다음 소식을 기다리는 것이 좋을 듯합니다."

장완은 실로 사태를 잘 파악하고 공명의 유지를 알고 있었다.

그 무렵 위연은 잔도를 불태운 후 남곡을 사이에 두고 진을 치고 있었다. 그는 강유와 양의가 샛길을 이용해 뒤로 빠져나온 것을 알지 못했다. 당연히 위연과 그의 군사는 기습을 받았고, 부하들 대부분이 천 길 낭떠러지 아래로 떨어져 죽었다. 위연은 간신히 목숨만 부지하여 나머지 부하들과 함께 달아났다. 마대는 그런 상황에서도 침착함을 유지했다. 그는 정예병을 이끌고 위연의 뒤를 따랐다. 그러니 위연이 믿을 사람이라고는 마대뿐이었다.

"어떻게 하면 좋겠는가? 이렇게 된 이상, 위로 가서 조예에게 투항을 하는 것이 좋지 않겠나?"

"어찌 그런 나약한 말씀을 하십니까. 동서 양천의 인사들 모두 공명의 뒤를 이어 촉의 장래를 맡아야 할 사람은 장군이라고 생각할 것입니다. 더욱이 장군 스스로도 그런 자신감과 자부심이 있어 잔도를 불태운 것이 아닙니까."

"맞소. 맞는 말이긴 하지만……."

"어찌 초지일관하지 않으십니까? 비록 재주는 없지만 제가 있지 않습니까."

"그대는 끝까지 나와 함께하겠는가?"

"결코 그렇게 할 것입니다."

"고맙소. 자, 그럼 먼저 남정南鄭을 취하도록 합시다."

두 사람은 의기투합하여 병사를 이끌고 남정으로 향했다.

남곡을 건너온 양의와 강유는 공명의 운구를 남정성 안에 안치하고, 후군이 도착하기를 기다리며, 위연의 움직임을 살피고 있었다.

"위연이 이곳을 공격하러 온다 합니다. 병력은 적지만 그는 촉의 제일 용장이고 거기에 마대까지 그를 돕고 있으니 방심할 수 없을 것입니다."

강유의 말을 들은 양의의 머릿속에 한 가지 떠오르는 것이 있었다. 그것은 바로 공명이 임종 시에 건넨 비단주머니였다. 주머니 속에는 한 통의 서찰이 들어 있었다. 겉봉에는 '위연이 모반을 일으켜, 그를 치는 날에 이것을 열어보라'고 적혀 있었다.

양의와 강유는 공명이 적어놓은 대로 급히 작전을 변경했다. 강유는 닫아두었던 성문을 활짝 열고, 은빛 전포를 입고, 붉고 긴 창을 옆에 끼고, 말에 금빛 안장을 얹었다. 그러고 나서 부하 2천 명을 이끌고 성 밖으로 나왔다.

위연이 멀리서 북을 울리며 진형을 좁혀왔다. 이윽고 위연은 칠흑 같은 말을 타고 붉은 전포와 녹색 띠를 두르고 손에 용아도龍牙刀를 들고 달려나왔다.

'아군이었을 때에는 몰랐는데, 이렇게 적으로 상대하자니 위연은 분명 그 용맹함이 돋보이는 자다.'

강유는 위연의 강인함을 깨닫고 마음속으로 공명에게 힘을 청하며 소리쳤다.

"승상의 옥체가 아직 식지도 않았는데 난을 일으킬 자가 촉에 있었구나. 너는 네 목을 바치러 온 것이냐?"

"강유, 네가 나를 웃게 하는구나."

위연은 땅바닥에 침을 뱉으며 소리쳤다.

"먼저 양의를 내보내라. 내 그를 먼저 죽인 후에 너를 어찌할지 생각해보겠다."

그러자 양의가 뒤에서 말을 타고 나왔다.

"위연, 야망을 갖는 것은 좋지만 자신의 분수를 알아야 할 것이다. 어찌 한 되도 되지 않는 꽃병에 백 되가 넘는 물을 넣으려 하느냐. 참으로 어리석구나."

"양의, 네 이놈!"

"억울하면 '누가 나를 죽일 수 있겠느냐' 하고 하늘에 대고 물어보아라."

"무슨 소리이냐?"

"네가 만일 '누가 나를 죽일 수 있겠느냐' 하고 세 번을 외친다면 내 한중을 네게 넘겨주겠다. 너는 하지 못할 것이다. 그 정도 자신감으로 어찌 외칠 수 있겠느냐."

"닥쳐라. 이제 공명도 죽고 천하에 나와 대적할 자는 없다. 세 번이 아니라 몇 번이라도 말해주마."

위연은 말 위에서 큰 소리로 세 번을 외쳤다.

"누가 나를 죽일 수 있겠느냐, 누가 나를 죽일 수 있겠느냐, 누가 나를 죽일 수 있겠느냐! 있다면 어디 나와 보거라."

그러자 그의 뒤에서 고함 소리가 들려왔다.

"바로 여기에 있다. 내가 죽여주마."

위연이 뒤를 돌아보는데 한 줄기 빛이 번쩍이는 듯하더니 하얀 칼이 머리 위로 떨어졌다. 이윽고 위연의 목은 피를 뿜으며 날아가고 말았다. 그것을 본 병사들은 물론 심지어 위연의 부하들까지 탄성을 질렀다. 칼에 묻은 피를 털어내며 양의와 강유의 앞으로 다가온 사람은 마대였다.

공명이 살아 있을 때, 마대에게 은밀히 명을 내렸던 것이다. 위연이 모반을 할지라도 그의 부하들은 진심에서 따른 것이 아니었기 때문에 모두 마대와 함께 투항했다. 그렇게 공명의 운구는 무사히 성도에 도착했다.

사천四川의 오지는 벌써 겨울이었다. 구름이 낮게 깔린 촉의 궁전 아래 후주 유선과 문무백관들이 상복을 입고 공명의 운구를 맞이했다.

공명의 유해는 한중의 정군산定軍山에 묻혔다. 정군산의 분묘에는 그의 유언에 따라 아주 작은 묘역을 만들고 석관 속에는 옷 한 벌만 넣었다. 당시의 관례에 비추어보면 대단히 검소했다. 조정에서는 공명에게 충무후忠武侯라는 시호를 내렸다.

묘중廟中에는 후대까지 거문고 하나가 전해지고 있었는데, 공명이 항상 군중에서 즐겨 타던 유품이었다. 오랜 세월 칼과 창이 난무하는 전쟁터에 있었음에도 줄을 한 번 뜯으면 그 소리가 맑고 은은하게 퍼졌다. 늘 맑고 소박한 마음과 바르고 아름다운 생각을 갖기 위해 노력하던 공명의 마음가짐을 엿볼 수 있기에 충분했다.

124
'공명유사'와 후촉 30년에서 진쯥까지

공명의 사후, 장완과 비의도 세상을 떠나고 오직 강유만 남아 북벌의 대의를 잇고,
마침내 위의 대장 등애가 성도에 이르자 초주는 유선에게 항복을 권한다

삼국정립의 대세는 당대의 난세가 가져온 자연스러운 분권 현상이
었지만, 본래 그것은 제갈공명의 천하삼분지대계天下三分之大計에서
연유한 것이었다. 스물일곱에 불과했던 젊은 공명이 초려에서 농사를
지으며 가슴에 품었던 이상이 실현된 것이다.

공명이 유비의 삼고초려 정성에 감복하여 초려를 나올 때, '이로써
큰 방침으로 삼아야 할 것이며, 이것이 아니면 한조 부흥의 기치를 들
고 중원에 임할 방법이 없을 것입니다'라고 깨우친 것이 그 시작이었
다. 그리고 마침내, 그 이상이 실현되어 유비는 서촉, 조조는 북위, 손

권은 동오, 이른바 천하삼분의 시대를 열게 되었다. 하지만 그의 궁극적인 목적은 그것이 아니었다.

제갈공명의 천하삼분지대계는 유비가 처음부터 품었던 한조 통일을 위한 필연적인 과정으로 선택된 길이었다. 하지만 그 과정에서 유비는 어린 황제의 앞날과 더불어 그 유업遺業 일체를 공명에게 부탁하고 세상을 뜨고 말았다. 공명의 생애와 충성스러운 여정은 바로 그날부터 시작된 것이라 할 수 있다. 어린 황제를 돌보며 대업을 이루어달라는 선제 유비의 유지에 보답하고자 한 공명의 모습은 눈물겹기까지 하다.

그래서 원서인 『삼국지연의三國志演義』도 공명의 죽음에 이르러서는 종국을 맞이한 느낌을 지울 수 없다. 그런 생각은 아마 어느 누구를 막론하고 『삼국지』에 대한 일반적인 통념인 듯하다. 이에 본 책은 '도원결의' 이래로 원서에 따라 충실히 옮겨왔지만, 그와는 상관없이 일단 공명의 죽음을 기점으로 여기서 끝맺음을 하고자 한다.

원서인 『삼국지연의』를 그대로 따르면, 오장원 이후에 공명의 계책에 따라 위연의 목을 치는 잔도 소각에서 이어져, 위제 조예의 번성기와 폭정을 그리고, 사마의 부자의 대두에서 동오의 변천, 촉의 파멸, 그리고 마침내 사마염의 진晉나라가 삼국을 통일하기까지의 과정이 상세하게 묘사된다. 하지만 이미 여기에는 시대의 주역들이 사라지고 사건의 윤곽도 추상적이어서 생동감이 떨어진다. 이른바 용두사미에 지나지 않는다 할 것이다. 따라서 그것을 다 옮길 필요가 없다는 것이 내 생각이지만, 역사적 관점에서 생각하면 공명이 죽은 이후의 추이를 알고 싶어 하는 분도 적지 않을 터이니, 해설을 통해 살펴보고자 한다.

먼저 그보다 원서에도 누락되어 있는 제갈공명의 사람됨에 대해 조금 더 이야기를 하고자 한다. 『삼국지연의』뿐만 아니라 다른 저서도 참고로 하여 보다 충실하게 '공명유사孔明遺事'라고 할 수 있는 일화와 후대의 논평 등을 일괄하는 것도 의미가 없지 않을 듯하다. 그것으로써 본 『삼국지』의 완결의 부족함을 보충하고자 한다.

* * *

아무런 벼슬도 없고 무명의 청년이던 제갈량의 출현은 바로 조조에게 맞수가 생긴 것이라 할 수 있었다.

한때 조조는 대륙의 8할까지 석권하여, 형산荊山과 초수楚水에 이르기까지 모두 그의 깃발 아래 들어왔다. 이에 조조는 '동오는 장강 하나에 의지하여 지키기에 급급한 나라일 뿐이고, 정처 없이 떠도는 유비는 입에 담기에도 부족한 자이다'라며 득의만면한 기개를 떨치고 있었다. 그런 조조의 앞에 혜성과 같이 등장하여 좌절을 안긴 것이 바로 제갈량이었다. 또한 공명은 천하삼분지대계를 착실하게 실천해나갔다.

조조가 자랑하던 위의 대함대가 오림과 적벽에서 패하고 북으로 돌아간 후 유비가 형주를 취했다는 소식이 전해졌을 때, 무언가를 쓰고 있던 조조가 자신의 귀를 의심하며 붓을 떨어뜨린 일화는 『노숙전魯肅傳』에도 나와 있을 만큼 유명하다. 그것만 보아도 조조가 얼마나 무적을 자랑하며 조씨의 융성을 자부하고 있었는지 잘 알 수 있다. 그 이후, 유비 휘하에 제갈량이라는 젊은 책사가 있다는 것을 의식하면서부터 만사에 자신만만하던 조조도 끝내 죽을 때까지 강한江漢에 한 발도 들여놓을 수가 없었다.

하지만 조조라는 인물을 통해 우리는 동양적인 영웅호걸의 대표적인 일면을 엿볼 수가 있다. 그는 풍모뿐 아니라 돌발적인 행동과 치정과 열의에 있어서도 실로 영웅다운 장점과 단점의 양면성을 지니고 있었다. 그의 이러한 영웅적인 풍모는『삼국지』의 서장에서 중장에 이르기까지 끊임없이 장엄하게 그려져 있다고 해도 과언이 아니다. 하지만 그런 조조도 양양의 벽지에서 세상으로 나온 무명의 젊은 선비인 공명에게 주역의 자리와 존재감을 양보하지 않을 수 없게 된다.

한마디로 말하면『삼국지』는 조조로 시작해서 공명으로 끝나는 양대 영웅호걸의 성패쟁탈의 자취를 그렸다고 해도 큰 무리가 없을 것이다.

조조와 공명, 이 두 사람을 문학적 관점에서 보면 조조는 시인이고 공명은 문호라고 할 수 있을 듯하다. 다분히 치痴와 우愚나 광狂에 가까운 성격적 결함을 가진 영웅으로서, 공명보다 인간적인 흥미로움이 훨씬 더 많은 조조도, 후대 사람들의 존경을 받는 데 있어서는 도저히 공명에 미치지 못했다. 천 년이라는 유구한 세월의 흐름은 필연적으로 양자의 승패뿐 아니라, 생명력에 있어서도 조조의 이름이 공명의 아래에 놓이고 말았다.

그런데 공명의 인격을 여러 각도에서 보면 대체 그의 진정한 모습이 무엇인지 파악하기 어려운 때가 있다. 전략가나 무장으로 바라보면 그의 진정한 면모가 바로 거기에 있는 듯하고, 정치가로서도 그의 진수眞髓를 느낄 수 있으며, 사상가 또는 도덕가라고도 할 수 있고, 문호로서의 면모도 느낄 수 있다.

물론 그도 인간인 이상 성격적인 단점이 없지는 않지만, 그의 팔방미인과 같은 다재다능함, 즉 유비가 경애해 마지않던 대재大才는 동양의 고금을 통틀어도 그 예를 찾아보기 어려울 것이다. 모든 능력을 한 몸에 갖춘 제갈공명이야말로 바로 최고의 지휘관임에 틀림없다. 진정한 지휘관이란 바로 그와 같은 인물이 아니면 안 될 것이다. 그렇지만 그는 결코 성인聖人과 같은 인간이 아니었다. 공명의 학문을 근본으로 삼은 점이 엿보이지만, 그의 진면목은 충성을 다하는 평범한 인간이라는 점에 있었다.

공명이 얼마나 평범함을 사랑했는지는 간소한 생활에서도 엿볼 수가 있다. 그가 일찍이 후주 유선에게 올린 표문을 보면 평소의 생활 태도를 잘 알 수 있다.

성도에 뽕나무 백 주株, 척박한 밭 15경頃이 있어 자손의 의식衣食은 모두 넉넉합니다. 신은 외임外任에 있을 때에도 달리 장만한 것이 없고, 몸에 필요한 의식은 모두 관에서 받아, 따로 생활을 도모하여 조금이라도 가산을 늘린 일도 없습니다. 이는 신이 죽는 날, 안팎으로 비단과 재산을 쌓은 것이 드러나 폐하의 신의를 저버리는 일이 없도록 하기 위함입니다.

나랏일을 맡아보는 사람의 마음가짐이 어떠해야 하는지, 공명은 이를 생활에서 실천한 것이었다. 또한 이 대목에서는 후한 이래로 삼국의 관리들이 금전을 탐하는 폐해가 얼마나 심했는지를 엿볼 수 있다.

사리사욕을 멀리하고 충성을 다하며 귀감을 보이려 한 그의 마음은 표문 외에도 여러 곳에 잘 나타나 있다.

공명은 청렴하면서 정직했다. 병을 부리는 데 있어 신묘한 지략과 적을 속이는 계략은 헤아릴 수 없지만, 그를 한 인간으로 바라보면 실로 어리석을 만큼 정직한 길을 걸어간 사람이었다. 아들처럼 아꼈던 마속의 목을 친 일은 그 좋은 예라 할 수 있다.

또 유비가 임종 시에, 어린 황제와 나라의 후사를 모두 맡기면서, 만일 유선이 어리석고 촉의 황제가 될 자질이 없다고 생각되면 공명에게 제위에 올라 촉을 다스리라는 유언을 남겼음에도, 그는 추호도 그런 마음을 갖지 않았다. 그래서 매해 북벌을 위해 원정을 감행하여 많은 장수와 병사가 낯선 땅에서 죽음을 맞이했지만, 촉에 있는 그들의 유족은 절대로 공명을 원망하지 않았을 뿐 아니라, 공명이 죽었을 때 묘당과 비를 세우고 그를 기리는 제사를 멈추지 않았다.

공명은 내정과 진중을 가리지 않고 상벌에 대단히 엄격했다. 그에게 문책을 당하거나 관직에서 쫓겨난 사람도 많았는데, 그들도 공명의 청렴함을 탓하기는커녕, 오히려 공명이 죽자 모두 '다시 관직에 나갈 희망이 사라졌다'라고 한탄할 정도였다.

일국의 재상임에도 밤늦게 잠자리에 들고 아침 일찍 일어나 시무와 군무를 보고 사소한 인사에 관한 상벌에까지 지나치게 세심하게 마음을 쓰는 것은 진실로 큰 인물이 아니며, 나라에도 충성을 다하는 것 같지만 사실 그것은 충성이 아니다.

공명에 대한 이러한 평가가 없는 것은 아니지만, 또 후대의 사가들도 이외에 여러 가지 단점을 지적하지만, 이는 나라를 걱정하여 뼈를 깎는 아픔을 견디며 밤낮으로 악전고투하던 그를 두고, 평안한 생활에 물든 후대의 문인과 이론가가 그 시시비비를 논하는 것 자체가 말장난에 지나지 않는다.

만년에 수차례에 걸친 북위 정벌은 외적의 강대함뿐 아니라 촉의 내부에 수많은 근심이 내재되어 있는 위기의 시기였다. 아마 공명은 자신의 몸이 두세 개이기를, 자신에게 수명이 10년만 더 주어지기를 바랐을 것이다.

오늘날, 중국 각지에 남아 있는 주마당駐馬塘이나 만리교萬里橋, 무후파武侯坡, 낙산樂山 등과 같은 지명은 모두 공명이 시에서 읊은 유적이거나, 말을 매어둔 제방이거나, 사람과 헤어진 길이라고 구전되는 곳이다. 그러한 순박한 사모의 정이 깃든 그의 모습은 유구한 세월 속에서도 온전히 남아 있는 듯하다.

하지만 한 가지 곤란한 점은 어떤 때는 그에 대한 사람들의 경앙景仰이 도가 지나쳐 그의 모든 것을 신격화한다는 것이다. 그 몇 가지 예를 들어보자.

공명의 딸은 구름을 타고 하늘로 올라갔다. 그것이 바로 갈여사葛女祠이다. _ 『조진관기기사朝眞觀記記事』

294

목우유마는 입신入神의 자동기계이며, 사람의 힘을 빌리지 않고 제힘으로 움직인다. _ 『융주지戎州志』

그는 시계도 만들었다. 그 시계는 경更마다 북을 울리고, 삼경이 되면 세 번 닭의 울음소리를 낸다. _ 『화이고華夷考』

공명이 사용한 솥은 지금도 물을 부으면 저절로 끓는다. _ 『단연록丹鉛錄』

공명의 무덤이 있는 정군산定軍山에 구름이 내리면, 지금도 북을 치는 소리가 난다. 한중의 팔진八陣의 유적에는 비가 오면 함성이 일어난다. _ 『간보진기干寶晋記』

그 외에도 찾아보면 끝이 없을 정도로 구비전설이 많다. 순박하고 사랑스러운 이야기도 있지만, 그중에는 우스꽝스러운 이야기도 있다.

원서 『삼국지연의』에는 사실史實과 전설을 충분히 숙지하고 있으면서도 토속민간에서 전해지는 공명의 모습까지 받아들여 다시 그것을 문학적으로 신격화하고 있다. 그의 병략진법兵略陣法을 이야기하는데, 육정육갑술을 인용하고 팔문둔갑의 신기를 묘사하고 있는 대목 등이 바로 그렇고, 특히 천문기상에 관한 것은 모두 중국의 음양오행과 성력星曆에 의한 것이다.

하지만 오행관五行觀이나 점성술은 오랫동안 뿌리 깊게 중국 대륙의 서민들 사이에서 믿어오던 근본적인 우주관이며, 이와 결부되어 있던 인생관이기도 했으므로, 그것을 부정하면 『삼국지연의』는 성립하지 않는다. 또한 오늘날과 같이 민중들 사이에서 오래도록 읽혀지고 전해지지도 않았을 것이 분명하다.

『삼국지』를 번역하면서 그런 장면에 다다를 때마다 그와 같은 기이한 현상과 능력을 어떻게 표현해야 할지 많은 고민이 뒤따랐다. 그래서 한 방법으로 택한 것이 시詩적인 표현이었다. 이 점은 원서에도 많이 사용되었지만, 이번 경우도 일종의 민족적 배경과 음악 등을 일절 제외하지 않고 원서에 따라 시극詩劇으로 묘사하고자 했다.

중국 민중이 세월이 흐를수록 얼마나 공명을 신격화했는지는 당대唐代에 이르러서도 다음과 같은 일화가 널리 퍼진 것을 보면 알 수 있다.

> 당唐나라 때, 몇 명의 도적이 선주先主의 무덤을 파헤치고 들어갔는데, 등불 밑에서 두 사람이 바둑을 두고 있었다. 그 옆에 호위하는 자 10여 명을 발견하고는 두려워 절을 하자 앉아 있던 한 사람이 돌아보며 도적에게 "너희도 술을 마시느냐?" 하고 물었다.
> 그리고 도적들에게 미주美酒 한 잔씩을 주고, 옥대玉帶 몇 개를 나누어주었다. 도적들은 두려움에 떨며 재빨리 무덤을 나와 서로 돌아보며 말을 하려는데, 입술이 모두 옷으로 붙어 떨어지지 않았고, 손의 옥대를 보니 모두 큰 뱀으로 변해 있었다. 나중에 마을 사람들에게 물어보니, 그 능은 제갈무후가 만든 것이라고 했다.

이 이야기는 『담총談叢』이라는 책에 나오는 장면이다.

책 얘기가 나온 김에 공명이 쓴 저서를 보면 병서兵書, 경서經書, 유표遺表의 문장 등 그가 썼다고 전해지는 것이 상당히 많다. 하지만 대부분은 후세 사람들의 위작僞作이거나 대필이 많음은 말할 필요가 없다. 그가 진중에서 거문고를 즐겨 탔다고 하여 거문고의 연혁과 칠현七絃의 음보音譜를 쓴 『금경琴經』도 남아 있다. 그 진위는 알 수 없지만 공명이 많은 취미를 가진 풍류객이었던 것은 사실인 듯하다.

『역대명서보歷代名書譜』에도 "제갈무후의 부자가 모두 그림을 잘 그렸다"라고 쓰여 있고, 다른 책에도 모두 공명이 그림에 능했다는 기록이 실려 있다. 그렇지만 그가 그린 그림 중에 믿을 만한 작품은 한 점도 전해지지 않는다.

공명은 만사에 치밀하고 꼼꼼한 성격으로 여겨진다. 공명이 군마를 주둔했던 영루營壘의 우물, 아궁이, 장벽, 하수 등의 설계를 보면 법식法式에 따라 규격이 정연했다고 한다. 또 관부官府, 다리, 도로 등 이른바 도시 조성에서는 위생을 가장 중시했고, 백성의 편리와 조문朝門의 위엄 등을 충분히 고려하여 건물과 시설을 배치했는데 당시로서는 매우 과학적이라 할 수 있다.

공명이 자신의 생활신조로 삼았던 것은 근신, 충성, 검소라 할 수 있다. 공公에 봉사함에 있어 근신, 왕실을 섬김에 있어 충성, 몸가짐에 있어 검소, 이 세 가지로써 자중하고 경계했던 것이다. 이런 사람에게서 흔히 볼 수 있는 단점 중 하나가 자신에게 너무 근엄한 나머지 남을 책할 때에도 지나치게 엄밀하고 준엄한 경향이 있다는 것이다. 청렴결백은 오히려 공명의 사소한 결점이기도 했다.

공명의 신중하고 진지한 성격은 공적 생활뿐 아니라 일상생활에서도 드러나는데, 어딘지 함부로 다가가기 어려운 느낌을 준다. 그의 집 문 앞에는 항상 정결한 모래가 깔려 있어서 그의 주변 사람들은 모래 위에 발자국을 남기는 것을 꺼려 했을 것이 분명하다.

이른바 그가 가진 단점은 그의 생활까지 팔문둔갑과 같이 어디에도 빈틈이 없었다는 점이다. 즉, 보통 사람을 편하게 하는 개방적인 면이 없었다. 이것을 공명의 작은 단점이라고 할 수 있다. 위와 오에 비하여 촉에 인재가 적다고 하는 것도 어쩌면 이러한 점에 그 원인이 있었던 것일지도 모른다.

공명의 작은 단점을 든 김에, 촉군이 끝내 위를 완전히 제압하지 못한 패인이 어디에 있는가를 생각해보자.

그 원인 중 하나로, 유비 이래로 촉군이 전쟁 목표로 표방한 '한조 부흥'이라는 대의명분이 과연 타당했을까, 또 중국 전역의 백성들이 받아들이기에 그 대의명분은 충분한 것이었을까, 의심하지 않을 수 없다. 왜냐하면 중국의 제립帝立과 황실의 교체는 왕도를 이상으로 삼고 있지만, 역사에서 알 수 있듯 그것은 늘 패도覇道와 패도覇道가 충돌하여 하나가 성하고 하나가 망하는 과정을 되풀이하고 있기 때문이다.

그래서 한조라는 것도 후한의 광무제光武帝가 일어나 전한前漢의 조위朝位를 찬탈한 왕망王莽을 치고 다시 세상을 다스린 시대에는 민심과 한의 위덕이 남아 있었지만, 후한의 치세도 촉제와 위제 이후에는 천하의 신망이 땅에 떨어지고 민심은 완전히 한조로부터 멀어지게 되었다.

유비가 처음으로 한조의 부흥을 외치며 떨치고 일어난 시대가 바로 이러한 말기였다. 유비로서는 광무제의 전례를 본받으려고 했을지 모르지만, 결과적으로는 한번 엎질러진 물은 다시 그릇에 담을 수 없듯, 일단 한조로부터 멀어진 민심을 아무리 되돌리려 해도 되돌릴 수 없었던 듯하다. 그로 인해 유비가 그토록 높은 덕을 지닌 인물이었음에도 쉽사리 대사를 이루지 못하고 악전고투를 거듭한 것은 결국 일부의 민심은 얻었을지언정 천하가 한조의 부흥을 진심으로 바라지 않았기 때문이다.

동시에 유비가 죽은 후, 선제의 유업으로 그 대의명분을 계승한 공명에게도 이러한 상황이 그대로 이어졌다. 그의 이상이 끝내 실패로 끝난 근본 원인과 촉의 인재 부족도 모두 여기서 말미암은 것으로 보아도 큰 지장이 없을 듯하다.

『삼국지연의』 중에 흔히 보이는 '학창의를 입고 윤건을 두르고 손에는 하얀 부채를 든' 이라는 공명의 모습을 묘사한 부분은 실로 고상하고 운치 있는 시적 표현이지만, 이는 즉 항상 갈직葛織 모자를 쓰고, 흰 무명이나 삼베로 된 옷을 두르고, 흰 깃털 부채를 들고, 검소한 가마 또는 사륜거를 타고 다니는 그의 간소한 생활의 일면을 엿볼 수 있는 표현이다.

공명에게는 아들이 없어서 형인 제갈근의 둘째 아들인 교喬를 양자로 들이기도 했다. 제갈근은 오의 중신이어서 당연히 오후 손권의 허락을 받고 나서 보냈을 것이다. 제갈교는 숙부나 부친의 좋은 점을 물려받아 장래가 촉망되었으며, 촉의 부마도위駙馬都尉로 때로는 의붓아버지인 공명을 따라 출정한 적도 있는 듯하지만, 유감스럽게도 스물다섯 살에 병으로 죽고 말았다.

공명은 마흔다섯이 되어서야 비로소 친아들 첨瞻을 얻었다. 늦은 나이에 얻은 첫아들이니만큼 그가 얼마나 기뻐했는지는 상상을 하고도 남을 일이다. 제갈첨은 대단한 재동才童이었던 듯하다. 건흥 12년, 공명은 오에 있는 제갈근에게 보낸 편지에서 이렇게 말한다.

첨의 나이 여덟 살이 되는데, 총명하고 지혜로우며 사랑스럽습니다. 다만 그의 조숙함이 행여 큰 그릇이 되지 못할까 그것이 염려스러울 따름입니다.

공명은 여덟 살 난 아들을 볼 때조차 국가적인 견지에서 보았던 것이다. 그해 공명은 원정을 간 땅에서 죽었다. 평소 그가 애용하던 서재 안에서 '자식을 훈계하는 서書'라는 것이 나왔다.

그 후, 첨은 열일곱 살 때, 촉의 황매皇妹와 결혼하여 한림중랑장翰林中郞將에 임명되었다. 부친의 유덕遺德은 모두 첨에게 좋게 작용하여 그가 선정을 펼치면 모두 첨이 이룬 것으로 여겼다. 하지만 그 명성은 다소 지나치게 미화된 감이 적지 않다. 공명이 생전에 '이 아이는 아마 큰 그릇이 되지 못할 것이다'라고 예견한 것이 사실인 듯하다.

촉이 망한 해, 첨은 서른여덟 살로 전사했다. 그때 그의 아들 상尙은 열여섯 또는 열일곱 살이었는데, 말을 타고 위군 깊숙이 돌격하여 분전한 끝에 장렬한 죽음을 맞았다. 첨이 나라의 큰 인물은 아니었을지

언정, 공명의 자손들은 국난에 직면하여 모두 목숨을 바쳐 부친의 이름을 욕되게 하지 않았다.

제갈상 아래에 동생이 있었다고 하지만 그에 대해서는 아무것도 알려지지 않았다. 또 공명에게 다른 모계의 혈통이 있었다는 설도 있지만 그 진위는 확실하지 않다.

공명의 가계家系는 이렇게 사라지게 되었지만, 그의 일문에서 삼국시대에 세 명의 장상將相을 배출했을 뿐 아니라, 각각 위, 촉, 오를 섬긴 것은 실로 기이하고 놀랄 만한 일이었다.

즉, 공명은 촉, 근은 오, 종형제인 탄誕은 위를 섬긴 것이었다. 그런데 제갈탄에 대해 별다른 기록은 남아 있지 않지만, 한 서책에 "제갈씨의 형 근, 아우 탄, 다 함께 영명슈名이 있어, 각각 나라를 달리한 후 사람들이 말하길, 촉은 용을 얻었고 오는 호랑이를 얻었는데 위는 개를 얻었다고 했다"라고 기록되어 있다.

이것은 다소 혹평 같다. 탄은 일찍부터 분가하여 위를 섬겨 장將으로 지내고 있었지만 공명과 근처럼 친교가 없어서 『삼국지』에서는 다뤄지지 않았을 뿐이다. 다만 후일 위를 취한 진晉나라를 배신하고 모반을 일으키다 패하여 사라졌기 때문에 진나라 사람들이 그를 나쁘게 기록했던 것으로 보인다.

공명이 죽은 후의 촉의 상황은 뒤에서 다루겠지만, 그가 죽고 나서도 30년 동안이나 촉이 다른 나라의 침략을 받지 않은 것은, 그가 남긴 법과 덕이 나라를 지켰기 때문이다.

사마의 중달은 촉군이 퇴각하고 난 뒤, 촉의 진영을 둘러보며 "공명은 실로 천하의 기재"라고 극찬했지만, 개인적으로 공명은 위대한 보통 사람이라고 생각한다. 공명만큼 정직한 사람은 드물다. 절대로 공자나 맹자와 같은 성현도 아니고 기교를 갖춘 쾌남도 아니다. 단지 그의 평범함이 세상의 평범함과 달리 너무 컸던 것이다.

그는 군사를 주둔하고 한 지점에서 다른 지점으로 이동을 하면 반드시 막사를 구축하고 부근에 있는 공터에 순무씨를 뿌리게 했다. 순무는 봄, 여름, 가을, 겨울 언제나 재배할 수 있고 토질을 가리지 않는 특징을 가지고 있다. 그리고 뿌리에서 줄기와 잎까지 날로 익혀서 먹을 수 있기 때문에 병사들의 군량 부식물로 안성맞춤이었다. 정직하고 성실한 사람이 아니면 그런 세세한 부분까지 신경을 쓰지 못할 것이다.

전쟁터의 음식에서는 채소의 영양이 부족하기 쉬운데 순무는 이를 해결하는 데 큰 도움이 되었다. 진영을 옮기는 경우 그대로 버리고 가도 아깝지 않고 다음 진영에서 다시 재배할 수 있었다. 이에 순무는 여러 지방의 백성들이 일상에서 먹을 수 있게 널리 퍼졌고, 지금도 촉의 강릉 지방에서는 이 순무를 '제갈채諸葛菜'로 부르며 즐겨 먹는다고 한다.

또 한 가지 재미있는 이야기가 있다. 위가 촉을 멸하고 후일 다시 위를 정벌한 환온桓溫이 성도에 들어갔던 시대의 이야기이다. 그 무렵, 후주 유선의 시대부터 살아 백 살이 넘는 한 노인이 있었다. 환온이 그 노인을 불러 물었다.

"그대는 백 살이 넘는다 하니 제갈공명이 살았던 시절을 알고 있을 것이다. 그를 본 적이 있는가?"

노인은 자랑스러운 듯 대답했다.

302

"예, 알고 있습니다. 제가 말단 관리였던 젊었을 무렵이니, 잘 기억하고 있습니다."

"그런가. 그럼 공명은 대체 어떤 사람이었는가?"

노인이 곤란한 표정을 짓자 환온이 당시부터 지금까지의 영웅호걸과 위인의 이름들을 대며 말했다.

"예를 들자면, 누구와 같은 인물이라 할 수 있겠는가? 누구와 닮았다고 생각하는가?"

그러자 노인이 말했다.

"제가 기억하는 제갈 승상은 보통 사람과 다르지 않았습니다. 지금 장군의 좌우에 있는 장군들처럼 대단하게 보이지도 않았습니다. 단지 승상이 돌아가신 후에 어쩐지 그런 분은 이제 더 이상 세상에는 없을 것 같다는 생각이 들 뿐이었습니다."

사마의가 공명을 칭찬한 말도 있지만, 나는 오히려 이 노인의 말 속에 공명의 본모습이 담겨 있는 듯하다.

승상의 사당을 어디 가서 찾으리	丞相祠堂何處尋
금관성 밖 잣나무 우거진 곳이라	錦官城外柏森森
섬돌에 비친 푸른 풀빛은 봄기운이 완연하고	映階碧草自春色
나뭇잎 사이 꾀꼬리 울음소리 속절없이 곱구나	隔葉黃鸝空好音
삼고초려의 번거로움은 천하를 위한 계책이고	三顧頻煩天下計
두 대에 걸쳐 섬김은 늙은 신하의 충심이라	兩朝開濟老臣心
출사하여 이기지 못하고 몸이 먼저 죽으니	出師未捷身先死

오래토록 영웅들의 옷깃을 눈물로 적시네　　　長使英雄淚滿襟

　공명을 기린 후세 사람들의 시는 많지만, 그중 대표적인 것이 바로 두보가 지은 위의 시이다. 면양의 사당 앞에 후주 유선이 심었다고 하는 잣나무가 당唐의 시대까지 무성한 것을 보고 두보가 지은 것이라 한다.

* * *

　공명이 죽은 이후, 촉의 30년은 어떠했을까. 그 전까지 촉은 제갈공명 한 사람이 나라의 운명을 짊어지고 있었다고 해도 과언이 아니었다. 하지만 공명은 이를 두고 자신의 큰 불충으로 생각하고 마음속에서는 남몰래 걱정을 했다.
　이에 자신이 죽은 후를 대비하여 모든 면에 걸쳐 세심하게 준비를 했는데 그것은 그의 유언에 잘 나타나 있다. 공명이 죽은 이후 촉이 30년 동안 유지될 수 있었던 것도 공명의 내치와 국방에 대한 대비가 있었기 때문이다.
　공명이 죽은 다음 해인 건흥 13년에 무슨 일이 있었는지 살펴보면, 촉군이 총퇴각을 할 무렵, 잔도에서 위연을 척살한 양의가 관직을 박탈당하고 관가官嘉로 유배를 가게 되었다. 그리고 양의는 그곳에서 자결을 했다.
　공명이 살아 있을 때에도 위연과 양의는 서로 사이가 좋지 않았는데, 공명은 넓은 도량으로 두 사람의 불화가 표면에 드러나지 않도록 잘 조정했다. 위연과 양의는 마음속으로 공명이 죽으면 그 뒤를 이어 승상의 자리에 오르기 위해 다툼을 벌였던 것이다.

일찍이 오의 손권이 촉의 사자에게 공명의 좌우에 있는 중신이 누구인지 물은 적이 있었다. 사자가 양의와 위연이라고 답하자 손권은 동정을 하며 위연과 양의를 조소했다.

"양의와 위연을 좌우에 거느리고 전쟁을 하려면 공명도 꽤 힘이 들겠구나."

확실히 양의와 위연은 촉의 진중에서 골칫거리였음에 분명했다.

"위연은 교만하고 양의는 고집이 세다."

공명이 생전에 그들을 평가한 말이다. 그래서 공명은 이 두 사람에게 후사를 맡기지 않고 오히려 평범하지만 온건한 장완과 비의에게 많은 것을 맡겼다.

양의의 실각도 결국 그런 불평에서 기인했다. 양의는 성도에 돌아온 후, 대명이 자신에게 내릴 것이라고 생각했는데 장완이 승상에 오르고 자신은 중장군사中將軍師에 임명되자 불만을 토로하고 마치 불온한 일을 저지를 기색까지 보였다. 결국 황제는 그보다 앞서 양의의 관직을 박탈하고 관가로 유형을 보냈다.

그것이 공명의 사후, 성도에서 벌어진 첫 번째 사건이었다. 나라의 기둥을 잃으면 반드시 내분이 벌어진다는 말처럼 촉도 예외가 아니었다.

장완은 먼저 상서령이 되어 모든 국사를 처리했는데 사람들은 이를 보고 말했다.

"장완은 평범한 사람이다. 잘난 체하거나 과시하지 않고 행동거지에 꾸밈이 없어서 좋다."

공명이 그를 선택한 것도 그런 평범함을 장점으로 인정했기 때문일 것이다.

건흥 13년 4월, 장완은 대장군상서령에 올랐고 비위가 장완의 뒤를 잇게 되었다. 또 오의가 새로운 거기장군이 되어 한중을 총독하게 되었다. 원정군은 대부분 퇴각했지만 한중은 여전히 촉에게 중요한 전초기지라 많은 병력이 주둔하고 있었다. 오의의 부임은 바로 그 때문이었다.

그런데 갑자기 동맹국이었던 오가 노골적으로 태도를 바꾸기 시작했다. 오는 '이제 촉을 급히 돕지 않으면 위에 넘어갈 것이다'라는 명분을 내세워 수만 명의 군사를 촉의 국경인 파구巴丘로 진출시켰다. 촉도 즉시 군사를 이끌고 나가 대치하며 절충을 시도했다.

"동오가 염려해주는 것은 고마운 일이나, 아직 별다른 움직임이 없으니 군사를 물려주길 바란다."

이에 동오는 일단 파구에서 군사를 물렸다.

건흥 15년, 촉은 연호를 연희延熙로 개원했다. 장완은 위를 치기 위해 군사를 이끌고 한중으로 나가 은밀히 위의 정세를 엿보고 있었다. 공명이 죽은 이후에도 유비 이래의 중원 진출의 대의는 이어지고 있었다.

장완은 공명이 항상 안전한 보급로를 확보하는 데 고민했던 것을 잘 알고 있었기 때문에, 이번에는 수로를 이용해 위로 들어가야 한다고 조정에 건의를 했다. 하지만 조정에서는 북으로 흐르는 강을 이용해 나아가는 것은 들어가기는 쉽지만, 막상 물러날 때에는 강을 거슬러 올라야 하는 어려움이 있다며 허락하지 않았다. 그것은 장완의 작전을 부정한 것이었음은 물론이고, 조정에 원정을 달갑게 생각하지 않는 기류가 팽배했다는 증거이기도 했다.

"지킬 것인가, 공격할 것인가."

촉은 몇 년 동안 아무런 결정도 내리지 못했다.

연희 7년 3월, 위가 먼저 움직였다. 위의 조상曹爽은 10만 군사를 이끌고 장안을 나와 낙구駱口을 거쳐 일시에 한중을 공격하려고 했다. 이에 촉군이 중간에서 그들과 맞서 공격하자 조상은 고전을 하게 되었다. 비의가 이끄는 원군이 빨리 도착했고, 부涪 방면에 방비가 충분했던 촉군은 곳곳에서 위군을 공격했다. 험준한 지형과 길목을 이용해 괴롭히자 조상은 마침내 견디지 못하고 퇴각했다.

그다음 해, 촉의 장완이 죽었다. 그렇게 촉의 장수들은 하나씩 사라져갔다. 장완은 끝내 승상에 자리에는 오르지 못했지만 공명의 유지를 저버리지 않은 충신이었음에 분명하다. 같은 해 12월, 상서령 동윤도 죽었다. 동윤은 장완에 다음가는 중신이자 강직하기로 유명하여, 장완의 죽음 이상으로 그의 죽음을 안타까워하는 사람이 많았다.

이 두 사람이 죽자 새로운 세력이 나타났는데, 바로 황호黃皓를 중심으로 한 환관들이었다. 황호는 평소에도 황제의 총애를 과시하고 다녔다. 정치에 참견을 하기 시작한 것도 그때부터다. 강직한 충신들이 연이어 세상을 떠나고, 이런 사람들이 내정에서 외무까지 간섭했다는 것은 그 나라의 앞날이 정해진 것이나 마찬가지였다. 하지만 아직 나라를 위해 멸사봉공하는 신하가 있었으니, 바로 비의와 강유였다. 두 사람은 국정을 맡아 기울어가는 나라를 지탱하며 공명의 유지를 받들기 위해 헌신하는 모습을 보였다.

그런데 결과론적인 이야기이지만, 강유가 한 가지 결정적인 실수를 하게 되었다. 그는 자신이 공명의 큰 재주나 기략에 도저히 미치지 못한다는 것을 알고 있으면서도, 나라의 대사大事이자 공명의 대의大義인 '위 정벌'의 대임을 막중하게 여기고, 급히 서두르다 오히려 촉의 붕괴를 가속화시키고 말았다.

공명이 직접 자신의 모든 유법遺法을 그에게 물려주었고, 그것을 받은 그로서는 '옥쇄를 할 것인가, 아니면 공명의 유지를 끝까지 관철시킬 것인가' 하는 두 가지 갈림길에 놓였을 것이고, 그는 결국 적극적인 공격에 나설 수밖에 없었을 것이다. 이에 강유는 양주涼州 지방의 강족을 이용해 위를 공격하는 계획을 세우게 되었다.

연희 10년 가을, 강유는 옹주雍州를 공격했다. 하지만 위의 곽회와 진태가 이에 맞서 치열한 싸움을 벌이자 결국 강유는 퇴각할 수밖에 없었다. 위군에 의해 퇴로가 끊기고 부하들 중에서 탈주자가 속출했기 때문이다.

그 후 다시 촉에 불행한 사건이 일어났다. 바로 비의의 죽음이었다. 사람들은 공명의 뒤를 잇는 인물을 든다면 단연 비의라고 생각했다. 그런데 갑자기 그의 부고가 알려지자 촉은 큰 비탄과 충격에 휩싸였다.

그가 죽은 원인도 당시에는 비밀로 부쳐졌지만, 후일 알려진 바로는, 촉의 장군인 연連과 환담을 나누던 술자리에서 위에서 투항한 장수 곽순郭循의 칼에 찔렸다는 것이다.

비의가 죽은 후, 촉의 운명은 강유 한 사람의 어깨에 달리게 되었다.

연희 18년 8월, 강유는 조서洮西에서 위의 왕경王經과 싸워 오랜만에 대승을 거두었는데, 그때 위군의 사상자는 만여 명에 달하고 조서의 산과 강이 빨갛게 피로 물들 정도였다고 한다. 대승을 거둔 강유는 대장군에 봉해졌다. 하지만 이어진 단곡段谷 싸움에서 위의 명장 등애鄧艾에게 참패를 당하고 말았다. 젊은 시절부터 공명을 사사해오고 또 공명을 닮았음에도, 공명에 미치지 못하는 선천적인 역량의 차이는 이렇듯 군사를 움직일 때마다 역력한 결과로 나타났다.

연희 20년, 강유는 진천秦川을 공격했다. 위군이 한중 방면으로 이동했기 때문에 그 허를 찌른 것이었다. 위의 등애와 사마망司馬望의 군사는 강유의 예봉을 피해 일부러 맞서지 않았다. 강유는 계속해서 도발했지만 별다른 전과를 얻지 못했다.

강유가 공명의 유지를 받들어 적극적인 공세를 취한 것은 조정에 있는 황호의 세력이 노골적으로 반발했기 때문이다. 하지만 상황이 그렇다 보니 강유는 마음껏 싸울 수도 없었다.

연희 20년에 촉의 연호는 다시 경요景耀로 바뀌었다. 그 무렵부터 촉제 유선은 국정을 게을리하고 밤낮으로 주연에 빠지기 시작했다. 어려운 시국을 참고 견디지 못했던 유선을 환락과 쾌락으로 끌어들인 것은 바로 황호를 비롯한 간신의 무리였다.

"아, 나라가 위태롭구나."

"촉이 망할 날도 멀지 않았구나."

나라를 걱정하는 사람들은 모두 한탄했다. 하지만 황제의 총애를 받는 황호에게 대적할 사람은 없었다. 오직 강유만이 몇 번이나 황제에게 간신들을 배척하라고 간언을 했다.

하지만 황제 유선의 마음은 이미 감언이설에서 헤어 나올 수가 없었다. 미인들의 쾌락과 술과 음악에 빠져 충신의 간언은 그저 입에 쓰기만 했다.

"촉의 운명이 풍전등화로구나."

강유는 개탄했고 위는 때가 도래했음을 알았다.

경요 6년(263년) 가을, 위는 마침내 촉을 공격해 들어갔다. 등애와 종회鍾會를 대장으로 한 위의 10만 대군이 한중으로 진격해오자, 강유는 검각의 요새를 의지해 몸을 던져 그들을 막았다. 하지만 이미 그때는 등애의 부대가 음평을 돌파한 후 성도로 돌격하고 있을 때였다.

성도의 사람들은 그곳에서 위군을 보리라고는 꿈에도 상상하지 못했다. 물밀듯 밀려드는 위의 대군을 보자 그들은 한동안 꿈인지 생시인지 구분할 수가 없었다. 당시 성도 성곽의 방비는 전혀 이루어지지 않고 있었다. 성도는 그렇게 위군의 발에 짓밟히고 말았다.

촉궁은 혼란에 빠졌다. 유선에게는 아무런 대책이 없었다. 황후와 함께 통곡하고 내관들과 함께 허둥지둥 어쩔 줄 몰라 할 뿐이었다. 어느새 위군은 성 아래까지 밀려와 소리를 지르고 있었다.

"위는 건재한데 촉은 망했구나. 이제 성문을 열고 위의 깃발 아래 무릎을 꿇을 일만 남았다."

"어떻게 하면 좋겠는가. 짐은 그대들의 의견에 따를 것이다."

유선은 오직 그 말밖에는 할 수가 없었다. 밤을 새워 중신들과 회의를 했지만 결정을 내리지 못했다. 모두들 창백한 얼굴로 침묵에 휩싸여 있었다.

"동오에 부탁을 합시다. 폐하를 모시고 오로 가서 후일을 기약하면, 다시 성도로 돌아올 날이 분명 있을 것이오."

"동오는 믿기 어렵소. 오히려 오는 촉의 멸망을 기뻐할 것이오. 그들이 촉을 위해 위와 싸우는 일은 없을 것이오. 그 사실은 제갈 승상도 잘 알고 계셨소이다."

"일단 남쪽으로 몽진하시는 것이 가장 안전합니다. 남쪽에는 아직 제갈 승상께서 베푼 덕이 백성들 사이에 남아 있을 것입니다."

중론은 제각각이었다. 황제는 그저 당황하여 어쩔 줄 모르고 있었다. 그때 초주가 침울한 표정으로 자신의 생각을 밝혔다.

"모든 일에는 시작과 끝이 있으며, 중도中道가 있습니다. 처음과 중간의 일이라면 한때의 변고이니 만회할 방도도 있고 재기할 길도 있습니다. 오늘의 변은 이른바 제갈 승상께서 돌아가신 이래로 모든 일의 귀착이자 천수天數의 귀결입니다. 이젠 방도가 없습니다. 동오로 도망가는 것도 소용없으며, 남쪽으로 몽진하시는 것도 모두 소용없습니다. 남은 건 오직 선제의 공덕을 더럽히지 않고 세상의 웃음거리가 되지 않도록 바라는 일뿐입니다."

"그럼 그대는 촉성을 열고 위에 항복해야 한다는 말인가?"

"감히 입에 담기 어려운 일이지만 천명에 따르신다면 그 길밖에 없습니다."

유선은 의외로 순순히 답했다.

"그렇게 합시다. 초주의 말이 가장 좋을 듯하오."

중신들은 모두 통한의 눈물을 흘렸다. 하지만 아무도 초주의 의견이 틀렸다고 생각하지 않았다.

초주가 처음 촉궁에 들어온 것은 건흥 첫해로 아직 공명이 살아 있을 때였다. 공명은 일찍부터 그의 학식과 고견을 듣고 있었던 터라 시골 출신인 그를 황제에게 청해 권학종사勸學從事로 등용했다.

그런 연유에서인지 초주는 공명이 죽었다는 말을 듣고, 그날 밤 성도를 출발해 멀리까지 조문을 하러 달려갔다. 그 후에 성도를 벗어난 사람은 규정에 의해 문책을 당했지만 제일 먼저 갔던 초주만은 아무런 문책도 받지 않았다. 그런 그가 유선에게 성을 열고 항복할 것을 권한 것이었다.

촉의 신하들은 항복의 취지를 위군에게 전했다.

성 밖에서는 위군의 음악 소리와 만세 소리가 끊임없이 들려왔다. 촉궁에 항복기가 내걸리고 황제 유선은 신하들과 함께 성 밖으로 나와 위장 등애의 군문에 무릎을 꿇었다. 그것으로 촉은 43년의 짧은 대업에 종지부를 찍게 되었다.

그날 소열묘昭烈廟(유비를 기리는 사당)의 송백림松柏林은 얼마나 바람에 떨었을 것이며, 정군산 높은 곳에 묻힌 공명은 어찌 이를 눈 뜨고 볼 수 있었겠는가. 또한 관우와 장비, 그리고 수많은 영웅호걸과 충신들은 그 망국의 서러움과 억울함을 어찌 달랠 수 있었겠는가. 지난날 그들 모두 이 땅을 얻기 위해 목숨을 바치고 분골쇄신하여 촉의 만대를 기원했는데, 이제 황제는 위군의 창칼 아래 무릎을 꿇고 하늘은 위의 깃발로 가득했다.

하지만 오직 한 사람이 남아 촉국과 유가劉家의 결의를 보여주었다. 바로 유선의 다섯째 아들 북지왕北地王 유심劉諶이었다. 유심은 처음부터 황제의 몽진이나 항복을 반대했다.

"촉궁을 무덤으로 삼아서라도 마지막까지 위와 싸워야 합니다."

유심은 그렇게 주장했지만 끝내 그의 뜻은 받아들여지지 않았고, 그와 같이 싸우겠다는 신하들도 없었다. 그는 홀로 조부의 소열묘에 가서 처자식과 함께 자결하고 말았다.

검각을 의지하여 종회와 대치하고 있던 강유도 황제가 항복했다는 소식을 전해 듣고 칙명에 따라 위군에게 항복할 수밖에 없게 되었다. 이윽고 강유에게 무기를 내려놓으라는 명을 받은 그의 부하들은 분통함을 이기지 못하고 모두 검을 빼들어 바위를 내리쳤다.

강유의 북벌의 의기는 당연한 것이지만, 비위의 말에 귀를 기울이지 않고, 서둘러 싸움에 임하여 나라의 위기를 앞당긴 것은 부정할 수 없는 사실일 것이다. 살아생전 비위는 강유에게 간절히 말했었다.

"나는 아무리 발버둥을 쳐도 도저히 제갈 승상에게 미치지 못할 것이오. 그런 승상조차 중원을 평정하지 못한 것을 생각하면 그대와 나 같은 자는 하물며 말할 것이 무에 있겠소. 그러니 한동안 내치에 충실하고 사직을 지키며 나라를 부강하게 하는 것이 우리가 할 수 있는 전부가 아닌가 싶소. 밖의 일은 언젠가 제갈 승상과 같은 인물이 나타나면 그제야 비로소 이룰 수 있을 것이오. 요행을 바라고 일거에 성패를 정하려 하지 말고 아무쪼록 서로 자중하는 것이 좋을 듯싶소이다."

하지만 강유는 따로 자신의 포부를 견지한 것이다. 무엇이 옳고 무엇이 그른가는 단정 지을 수 없지만, 초주가 유선에게 항복을 권하며 했던 마지막 말은 곱씹어 생각할 만하다. 하지만 역사를 하늘과 땅이 펼치는 위대한 시詩라고 할 때, 강유의 열정은 짧았던 촉의 역사의 꽃이라고 할 수 있다.

강유는 무인으로서 굴욕적인 삶을 살지 않았고, 이후에 위의 종요에 대항하다 사로잡혀 처자식과 함께 참수당하고 말았다.

위의 성도 점령과 더불어 촉의 조정에서 위군의 등애에게 인도한 나라 재산의 기록에 의하면 호수戶數 28만 호, 남녀 94만 명, 병력 10만 2천 명, 관리 4만 명, 쌀 44만 곡斛, 금은 2천 근, 비단 20만 필 등이었다. 하지만 국력은 상당히 피폐해져 있었다. 촉장의 사기도 예전과는 비교가 되지 않았다. 황제 이하 문무백관이 성을 나와 무릎을 꿇고 항복의 맹세를 했다.

촉의 멸망을 초래한 원인은 헤아릴 수 없이 많다. 촉제 유선의 부덕, 양의의 실패, 동윤과 장완의 죽음, 그리고 비의의 암살 등등 불행이 거듭되었던 것이다. 마지막에는 유선의 친정親政과 환관 황호의 전횡 등이 박차를 가한 셈이었다. 나라가 망할 때 반드시 그 말기적 현상 중 하나가 환관의 횡행에 따른 폭정과 관리들의 부정부패 등이다. 촉의 말기도 예외가 아니었다.

특히 촉을 가장 약하게 만든 것은 촉의 학자들의 사상적 분열이었다. 그들 중에는 삼국정립책이나 삼국통일에는 아무런 관심과 흥미를 느끼지 못하는 사람이 많았다. 그들은 전쟁을 꺼려 하고 부정하는 사조에 빠지기 시작했던 것이다.

문을 닫아걸고 점잔을 빼고 있던 두경杜瓊도 『춘추참春秋讖』의 어구를 들어 "한漢을 대신하는 것은 당도고當塗高이다"라고 장담하고 있었다. '당도고'란 '응당 도고'라는 말로 바로 위를 가리킨다. 위魏라는 문자는 '고각高閣'을 의미한다. '길을 막고 우뚝 솟은 높은 곳'이라는 글자의 복자伏字인 것이다. 촉의 녹을 받아먹고 있으면서 그런 말을 태연하게 하고 있었던 것이다.

대학의 학자들 중에는 더 심한 말을 퍼뜨린 사람도 있었다.

"선제의 이름은 비備인데, '비'는 갖출 '비備'이기도 하면서 갖출 '구具'라는 의미이기도 하다. 후주의 휘자諱字는 선禪을 쓰는데 이는 '선위禪位하다'라는 뜻을 지닌다. 유씨는 머지않아 갖추어 선위할 것이다."

그러한 학자들이 나라 안에서 활개를 치는데 그 나라가 어찌 병들지 않을 수 있겠는가. 결국 촉은 이미 그 내부에서부터 썩어 들어가고 있었던 것이다.

그럼 항복한 유선은 그 후에 어떻게 되었을까. 위를 섬기게 된 촉의 신하들은 대부분 위로부터 새로운 관직을 받고 예속되었다. 유선도 위의 낙양으로 옮겨간 후, 안락공安樂公에 봉해지고 지극히 평범한 나날을 보냈다. 그러던 어느 날, 유선의 심중을 헤아린 위국 사람이 그의 집을 찾아와 이야기를 나누다 물었다.

"위로 온 이후 불편한 점은 없으신지요? 때때로 지난날을 떠올리고 비탄에 잠기는 일은 없으신지요?"

그러자 유선은 아무런 감정도 없이 대답했다.

"아니오. 위의 음식이 훨씬 맛있고, 기후도 좋소. 그러니 딱히 촉을 생각하는 일은 없소이다."

* * *

공명이 죽고 나서야 비로소 위는 베개를 높이 베고 잠을 잘 수 있게 되었다. 오랜 외환도 어느새 지난 일이 되었고 조야에 가득한 평화로운 기운은 자연스레 사치와 향락으로 기울어갔다.

그 징후는 먼저 위에서부터 나타났다. 대위 황제의 이름으로 시작된 낙양의 대역사大役事가 그 대표적인 예로, 조양전朝陽殿, 대극전大極殿, 총장관總章觀 등이 지어졌다. 또 높은 누각과 대각 외에 숭화원崇華園, 청소원青宵院, 봉황루鳳凰樓, 구룡지九龍池 등의 숲과 연못, 그리고 별장을 짓기 위해 인력과 국비를 아끼지 않고 쏟아부었다. 이 역사에 동원된 인원은 장인 3만 명, 인부 30만 명에 이르렀는데, 그 화려함과 웅장함은 실로 눈이 부셔 흡사 현실의 건축물이라고 할 수 없을 정도였다.

그와는 반대로 백성들의 삶과 생활은 점점 피폐해졌고, 원망이 깊어지기 시작했다. 그럼에도 조예는 방림각芳林閣을 보수하고 증축하기 위해 관리를 독촉하여 백성들에게 재원을 징발하고, 돌과 기와와 흙을 나르기 위해 백성들의 피와 땀을 동원했다.

"무조께서도 이 정도로 백성을 혹사시키고 사치를 즐기지 않으셨습니다."

그렇게 간언한 신하들도 있었다. 하지만 조예는 귀도 기울이지 않았을 뿐 아니라 간언을 한 신하의 목을 치기도 했다. 반대로 조예에게 감언이설과 아첨을 하는 신하도 있었다.

"해의 정기와 달빛의 기운을 입으면 항상 젊고 장수할 수 있습니다. 지금 장안 궁중에 백량대柏梁臺를 짓고 동인銅人을 세운 뒤, 손에 승로반承露盤이라는 쟁반을 받쳐 들게 하는 겁니다. 그러면 승로반에는 매일 삼경이 되면 북두칠성의 영이 서린 이슬이 내려 고이는데, 이를 천장天漿 또는 천감로天甘露라고 합니다. 만일 그 차가운 이슬에 옥을 갈아서 가루를 내어 아침마다 타서 마시면 폐하의 수명은 백 살이 늘어날 것이며, 피부도 젊어질 것이 틀림없습니다."

그 말을 듣고 조예가 기뻐한 것은 말할 필요도 없을 것이다.

하지만 위의 국운은 여전히 강성했다. 이는 필시 좋은 신하와 학자가 많았기 때문이지만, 무엇보다 조조 이래로 위의 군사와 말이 강건했고 나라 또한 부강했기 때문이다. 그중에서도 사마의 중달은 위에 있어 당대 최고의 원훈元勳이었다. 자연히 그의 일문은 융성하여 위세를 떨치게 되었다.

연희 14년(251년), 위의 가평嘉平 3년, 사마의 중달이 죽자 그의 장례는 국장으로 치러졌고, 그의 관직과 훈작勳爵은 아들 사마사가 그대로 이어받았다. 하지만 사마사도 얼마 지나지 않아 죽고 아우인 사마소가 그 뒤를 이었다.

사마소는 한때 큰 위세를 떨쳐 대위대장군이 되었고, 진왕晉王의 구석九錫를 받기에 이르렀으며, 황제를 위협할 만큼의 세력을 가지고 있었다. 그런 사마소가 죽자 그의 아들인 사마염司馬炎이 왕위를 물려받았다. 그때 위의 조정은 이미 원제元帝의 대로 들어섰는데, 사마염은 원제를 퇴위시키고 자신이 황제의 자리에 올라 새로운 나라를 세웠다. 그가 바로 진晉의 무제武帝이다.

그렇게 위는 조조 이래로 5대 46년에 이르러 망하게 되었다. 이는 촉이 멸망한 지 불과 3년 뒤의 일이었다.

위와 촉을 병합한 진나라가 오를 공략하지 못한 것은 오에 빈틈이 없었기 때문이다. 오의 손권이 세상을 뜨고 그 뒤를 이은 손호가 악정을 펼치기 전까지는 문제가 없었다. 오는 장강을 앞에 두고 강동 해남海南의 땅을 차지하며 부강함을 자랑했고, 건업성의 충신들도 여전히 건재했다.

하지만 오가 무너지는 것은 순식간의 일이었다. 4대 52년에 걸친 오의 국업도 손호의 악정으로 남방 각지에서 폭동이 일어나자 하루아침에 무너지고 말았다. 육로와 수로를 통해 북에서 남으로 물밀듯 밀려오는 깃발들은 바로 위와 촉을 통일한 새로운 제국, 진의 병사들이었다. 마침내 삼국은 진으로 통일되었다.

| 등장인물 |

사마의司馬懿(179~251)
하내 온현 효경리 사람. 위의 모사이자 장수로 자는 중달仲達, 묘호는 고조高祖, 시호는 선황제宣皇帝이다. 조조의 한중 공략 때, 중군의 주부主簿로 종사하며 두각을 나타냈다. 뛰어난 책략과 무용으로 제갈량의 중원 진출을 저지했고 그의 손자 사마염은 위를 멸하고 진나라를 세웠다.

강유姜維(202~264)
천수군 기성 사람. 촉의 책사로 자는 백약伯約이다. 원래 위의 장수였으나 제갈량이 그의 효심을 이용하여 촉으로 귀순시켜 자신의 후계자로 삼았다. 제갈량이 죽자 그의 유지를 받들어 북벌을 단행했지만 실패했다. 촉의 마지막 충신으로 유선이 위에 항복하자 촉의 재건을 위해 노력했다. 하지만 결국 실패하고 자결했다.

마속馬謖(190~228)
양양 의성 사람. 촉의 모사이자 장수로 자는 유상幼常이다. 마량의 막내로 제갈량의 총애를 받지만, 요충지인 가정을 지키는 중책을 자청하여 맡았음에도 자만하여 산 정상에 진을 쳐서 사마의에게 패했다. 그 책임을 물어 제갈량에게 참수당했다.

왕평王平(157~248)
파서 탕거 사람. 촉의 장수로 자는 자균子均이다. 본래 조조의 장수였으나, 한중 싸움에서 촉에게 항복한 뒤 제갈량의 북벌에 참전하여 많은 공을 세웠다. 마속의 부장으로 가정을 지키는 임무를 맡아 마속의 무모함을 지적했으며, 제갈량이 죽자 강유 등과 함께 모반을 꾀한 위연을 진압했다.

하후패夏侯霸(?~260)
위와 촉의 무장으로 자는 중권仲權이다. 하후연의 아들이고, 숙부는 하후돈이다. 조진의 촉 정벌에 선봉으로 참전하는 등 위의 무장으로 활약했지만, 사마의가 자신과 깊은 관계에 있던 조상을 주살하자 촉으로 망명했다. 위가 침략해왔을 때 조양성에서 등애와 싸우다 화살에 맞아 죽었다.

조진曹眞(?~231)
위의 황족이자 장수로 자는 자단子丹이다. 조비의 유조를 받아 사마의 등과 함께 조예를 보좌했고 대장군이 되어 제갈량의 북벌에 맞서지만, 제갈량과 사마의의 기량에는 미치지 못함을 부끄러워했다. 사마의와의 내기에서 지고 병이 든 상태에서 제갈량의 편지를 받고 격분하다 병이 악화되어 죽었다.

조휴曹休(?~228)
예주 패국 초현 사람. 위의 황족이자 장수로 자는 문열文烈이다. 조조가 거병했을 때 그를 찾아가 섬겼다. 한중 쟁탈에서 조홍의 군대에 기도위로 종군했고, 양주의 대도독 시절 주방의 계략에 속아 조예에게 표문을 올려 오의 공격을 주장하고 적진 깊숙이 들어갔다 대패했다. 가규의 도움으로 목숨을 부지하지만 이후 병으로 죽었다.

마대馬岱(?~?)
촉의 장수로, 마등의 조카이자 마초의 사촌이다. 마등이 조조에게 죽임을 당하자 마초와 함께 거병했지만, 조조에게 패하고 유비를 섬겼다. 제갈량의 북벌에서 활약했고, 제갈량이 죽기 전에 내린 계책에 따라 모반을 꾀한 위연을 돕는 척하다 남정성 앞에서 척살했다. 촉이 망하기 전에 늙어 죽었다.

학소郝昭(?~?)
병주 태원군 사람. 위의 장수로 자는 백도伯道이다. 사마의가 제갈량의 두 번째 북벌에 대비해 쌓은 진창성을 지킨 장수였다. 제갈량이 항복을 권했으나 충성심이 강했던 학소는 거절하고 천여 명의 병사로 끝까지 막아냈다. 후일 병에 걸렸다는 소식을 접한 제갈량의 세 번째 북벌 때, 진창성이 함락되면서 죽었다.

장완蔣琬(?~246)
영릉군 상향현 사람. 촉의 신료로 자는 공염公琰이다. 제갈량이 한중에 있을 때는 장예와 함께 부의 일을 총괄했고, 제갈량이 북벌에 임하자 성도에 머물며 원정군의 식량 보급에 만전을 기하여 제갈량의 신임을 받았다. 제갈량은 그의 사후에 그에게 병권을 맡기고 국정의 전반을 돌보게 했다.

비의費禕(?~253)
형주 강하군 맹현 사람. 촉의 문신으로 자는 문위文偉이다. 유장의 휘하에 있다가 촉을 평정한 유비를 섬겼으며 제갈량의 신임이 두터웠다. 위연의 모반을 진압하고 장완을 보좌하며 강유의 북벌을 만류하는 등 내치에 충실했다. 위에서 투항한 곽순郭循에게 암살을 당해 죽었다.

❖ 3세기 초 삼국 정립 시기의 세력도

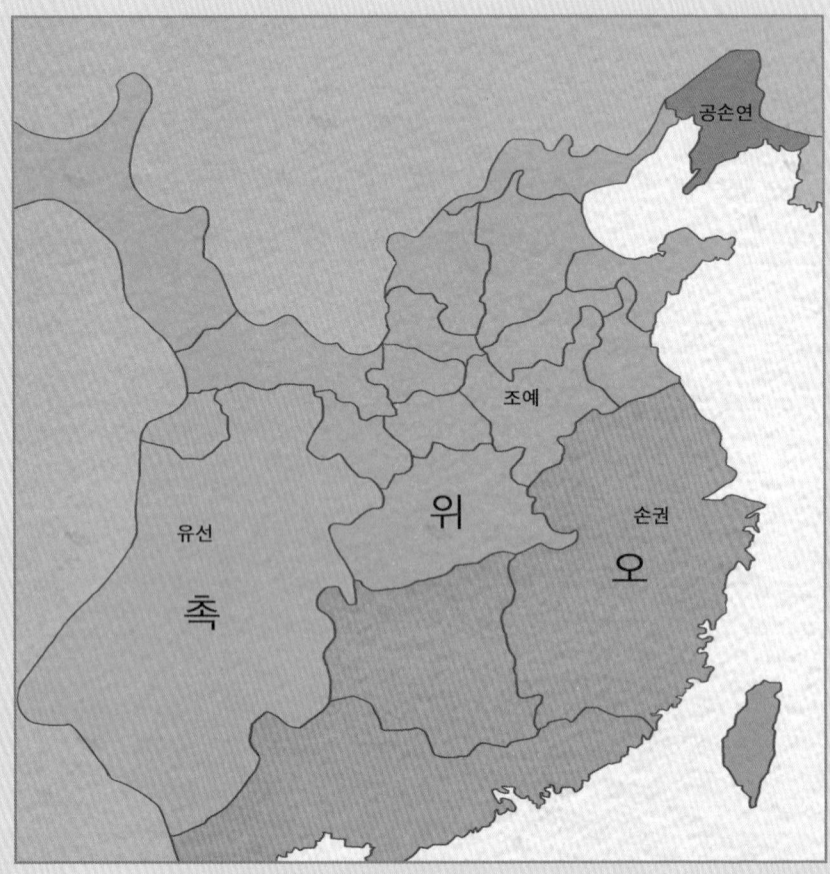

북벌은 결코 간단한 일이 아니었다. 싸움에서 이겨도 군량이 떨어지기도 하고, 도읍에서 이변이 일어나기도 하고, 일진일퇴의 공방전이 펼쳐져 성과는 거의 없었다. 그 사이에 손권이 제위에 올라 스스로 황제라 칭하여 중국 대륙에 드디어 세 개의 나라가 탄생하게 된다. 제갈량은 북벌을 거듭하나 오히려 부하에게조차 신뢰를 얻지 못하는 상태에 빠지고 일곱 번째 북벌 때 병을 얻어 오장원에서 목숨을 잃게 된다. 이를 기회로 삼아 제갈량 밑에 있던 위연이 모반을 일으키나 제갈량의 밀명을 받은 마대에게 살해당한다. 제갈량이 죽었다는 소식이 위에 전해지자 황제 조예는 크게 기뻐했으며, 모든 재산을 탕진하고 만년에는 폭군이 되어버린다.